D0527301

BASTEI
LÜBBE
TASCHENBUCH

Weitere Titel der Autorin:

15 997 In London mit Alicia
16 413 Indisches Feuer

Carrie Williams

LEHRJAHRE

Erotischer Roman

Aus dem Englischen von
Angela Koonen

BASTEI LÜBBE TASCHENBUCH
Band 16491

1. Auflage: Mai 2010

Vollständige Taschenbuchausgabe

Bastei Lübbe Taschenbuch in der BASTEI-LÜBBE GmbH & Co. KG

Deutsche Erstausgabe

Für die Originalausgabe:

Titel der englischen Originalausgabe: »The Apprentice«
Published by Arrangement with Virgin Books Ltd.,
London, England
Dieses Werk wurde vermittelt durch die
Literarische Agentur Thomas Schlück GmbH; 30827 Garbsen

Für die deutschsprachige Ausgabe:

Titelillustration: © shutterstock/Konrad Bak/
© shutterstock/debra hughes
Umschlaggestaltung: Kirstin Osenau
Satz: Urban SatzKonzept, Düsseldorf
Gesetzt aus der Palatino
Druck und Verarbeitung: Norhaven
Printed in Denmark
ISBN 978-3-404-16491-2

Für Nuala:
Liebe, Dank, Bewunderung

Prolog

Wie sie so in der Zimmerecke sitzt, erinnert sie mich an eine Spinne, die auf eine Fliege wartet – wachsam, reglos, von überirdischer Zufriedenheit. Selbst voller Erwartung ist sie scheinbar kühl und beherrscht. Ich stehe nackt und stolz vor ihnen beiden und genieße das erregende Gefühl, dass zwei Paar Augen mich betrachten. Nicht im Geringsten verlegen, im Gegensatz zum ersten Mal, erfüllt mich das Bewusstsein meiner Wirkung. Im Lampenschein leuchtet meine Haut wie heller Bernstein, und meine Brüste sind keck wie junge Knospen. Ich lege die Hände darauf, fahre mit den Fingerspitzen um die Brustwarzen.

Ich halte seinem Blick stand, der mir fragend vorkommt. Überlegt er, wer ich bin? Interessiert es ihn? Geht es genau darum oder um das Gegenteil? Ist es unsere völlige Anonymität, auf die es hier ankommt? Oder fragt er mich, was wir tun, wie wir weitermachen sollen, und wenn ja, begreift er nicht, dass nicht ich das entscheide?

Ich warte wie schon zuvor, wie sie mich gelehrt hat zu warten. Sie ist es, die hier das Sagen hat, und was ich möchte, spielt keine Rolle. Aber ich will diesen Mann, diesen ... Jungen. Denn das ist er eigentlich. Seine glatte, gebräunte Haut, seine großen, strahlenden Augen, noch unbefleckt von zu viel Leben – er ist achtzehn, höchstens neunzehn. Ich habe noch nie einen jüngeren Mann gehabt, und die Anziehung ist stark, sowohl körperlich als auch seelisch. Dass er einige Erfahrung hat, ist offensichtlich. Er ist auf jeden Fall zu hinreißend, um noch unberührt zu sein. Aber er hat unbestreitbar etwas Unschuldiges an sich, und das hat mit seiner Sauberkeit zu tun, mit der Sauberkeit seiner Haut und mit dem Vertrauen in seinem Blick. Er hat sich wie ich bereit erklärt, sich ihren Launen zu unterwerfen, oder warum wäre er sonst hier?

Hinterlist gehört nicht zu ihren Waffen, da bin ich mir sicher; ich glaube ihr, dass sie freimütig ist. Ich überlege, was für ihn dabei herausspringt, aber dafür bleibt nur ein Moment.

»Nimm ihn«, sagt sie, meine Gedanken unterbrechend. Es hört sich an wie ein Husten. Jahrzehnte voll filterloser französischer Zigaretten haben ihren Tribut gefordert.

Das ist das Zeichen, auf das ich gewartet habe. Während ich auf ihn zutrete, nehme ich eine gebieterische Haltung an – schließlich bin ich älter als er, wenn auch nur um drei oder vier Jahre – und fasse an seine nackte, unbehaarte Brust, um ihn sanft niederzudrücken. Er gibt nach und lässt sich auf das Bett fallen, sieht mich dabei mit gespielter Überraschung an, einen ironischen Zug in den Augen und um die Mundwinkel.

Dann komm doch, scheint er wortlos zu sagen.

Sie hat das Bett eigens für uns bezogen, diesmal mit glänzend schokoladenbraunen Satinlaken, wie man sie in kleinen Luxushotels in Zeitschriften sieht. Ich steige rittlings auf ihn und nehme seinen Schwanz in die Faust. Doch ich weiß, so einfach will sie es uns nicht machen. Ich sehe zu ihr hin und warte auf neue Anweisungen.

Sie raucht wieder und verzieht keine Miene. Ich frage mich erneut, ob sie nicht eigentlich mitmachen will, und dann kommt mir zum ersten Mal der Gedanke, dass sie es vielleicht doch tut, innerlich. Sie fürchtet sich nur davor und verbirgt das hinter dem Anschein von Gleichgültigkeit. Aber warum sollte eine gleichgültige Frau so viel Mühe auf sich nehmen?

Sie muss etwas davon haben, egal wie gering es zunächst erscheint.

»Besteige ihn«, sagt sie schlicht, und ich fühle meine Muschi zerfließen. Ich bringe sie an seinen begierigen Schwanz, lasse ihn kurz daran entlangstreifen, nur um ihm zu zeigen, wer der Boss ist. Natürlich bin ich nicht der Boss, aber unter uns beiden auf dem Bett habe ich mehr zu sagen als er. Dann stülpe ich mich über ihn und stelle erfreut fest, dass ich ihm passe wie ein seidener Handschuh. Er stöhnt, und während ich mich auf ihm bewege – hin und her und im Kreis –, greife ich an meinem Hintern vorbei, um seine flaumigen Eier in die Faust zu schließen.

Eine Weile pumpe ich ihn in mich hinein und verschlinge sein Gesicht, starre auf diese großen Augen, die noch größer sind, seit er in mir drin ist, und auf dieses glatte Kinn, auf die weichen, braunen Ponyfransen, die zur Seite weggerutscht sind. Dann drehe ich den Kopf zu ihr, um zu sehen, was sie tut, während wir uns paaren. Und als sich quer durchs Schlafzimmer unsere Blicke treffen, sehe ich keine Teilnahmslosigkeit, sondern einen Funken, ein glimmendes Feuer. Es berührt sie. Ich jubiliere innerlich. Wir törnen sie an.

»Komm jetzt«, sagt sie, und ich nicke, fasse mit zwei Fingern an meine Klitoris, drücke sie kurz und fühle, wie sie pulsiert, dann fange ich an, sie zu reiben. Ich blicke dabei auf meine Hand. Ich bringe es nicht fertig, sie anzusehen, während ich das tue, während ich mich vollends gehen lasse.

Ich blicke auch ihn nicht an, weiß aber auch so, dass er inzwischen die Augen zu hat und verzückt verdreht. Aber er hält mich fest an den Hüften gepackt, um mich kräftiger auf sich herunterzuziehen, und ich merke am Rhythmus, der sich zwischen uns eingespielt hat, dass er auch bald kommen wird.

Ich biege den Rücken durch, als mein Orgasmus einsetzt, werfe den Kopf in den Nacken und verziehe das Gesicht wie unter Schmerzen.

»Oh, Mann«, höre ich mich stöhnen, aber es klingt wie von weit her, wie aus einer anderen Welt. In diesem Moment reißt der Junge die Hüften hoch, zuckt wie willenlos und kommt, die Hände fest an meinen Hüften. Ich lasse mich auf ihn fallen, meine Haare wischen ihm übers Gesicht. Ich keuche, fühle mich vom Orgasmus erschöpft und will ihn sofort wieder, wünsche mir das Gefühl zurück, sowie es verebbt ist.

Ich blicke aufgewühlt zu der Ecke, wo sie sitzt. Sie steht auf.

»Das ist alles. Ihr dürft euch anziehen«, sagt sie.

Mein Mund setzt zu einem Nein an, aber sie hat die Hand schon am Türknauf, und ich weiß, dass es keinen Zweck hat. Dass es für sie vorbei ist und darum auch für uns. Wie zuvor hat sie es eilig, wegzukommen. Wird sie sich jetzt befriedigen, allein in ihrem Zimmer?

»Komm, Mädchen«, sagt sie ein wenig ungeduldig, und ich hebe meine Sachen vom Boden auf und eile ihr nackt hinterher. Als ich in der Tür an ihr vorbeigehe, dreht sie sich zum Bett um.

»Danke«, sagt sie zu dem Jungen mit einer leichten Neigung des Kopfes. Es klingt ein bisschen kalt.

Er lächelt sie an, nickt, sagt aber nichts.

Sie zieht die Tür zu, und wir trennen uns an der Treppe: sie auf dem Weg in ihr Arbeitszimmer, ich zur Dusche. Während ich hinaufsteige, erinnert sie mich, dass wir um vier Uhr zusammenkommen müssen, weil sie Briefe zu diktieren hat. Ich sage, dass ich es nicht vergessen habe und dass ich da sein werde.

1: Das Vorstellungsgespräch

Ich heiße Genevieve Carter, und ich muss ein Geständnis machen. Meine ältere Schwester Vronnie, bei der ich die letzten drei Monate auf ihrem sehr schicken Sofa von Heal's gepennt habe, glaubt, ich hätte mir auf dem Londoner Pflaster nach einem Job bei der Presse die Hacken abgelaufen. Stattdessen habe ich in Cafés gesessen, einen Milchkaffee über den ganzen Nachmittag ausgedehnt und träumend durchs Fenster gestarrt. Oder vielmehr habe ich an einem Roman geschrieben – ich habe immer Schriftstellerin werden wollen. Aber bisher war es, als würde ich mit dem Kopf gegen eine Mauer rennen – es wollte einfach nichts kommen. Mein Notizbuch ist voll von misslungenen Anfängen und abgebrochenen Sätzen, Gekritzel und schmutzigen Zeichnungen und Klecksen aus meinem schmierenden Kuli. Ich neige dazu, mit den Gedanken abzuschweifen.

Vron wäre auf achtzig, wenn sie es wüsste (stark untertrieben). Ich habe ihre Gastfreundschaft schon zu sehr ausgenutzt. Dass sie im zarten Alter von fünfundzwanzig bei einem der großen Hochglanzmagazine als Modeschöpferin arbeitet, zeigt, wie gut sie sich durchbeißen kann. Sie entschied sich, was sie werden wollte, und machte sich an die Arbeit. Ich wünschte, ich wäre wie sie: zielstrebig, tatkräftig, pragmatisch. Sie benutzte andere als Steigbügel, verlor Freunde und blickte nie zurück.

Ich dagegen fühlte mich verloren und ohne Ziel, seit ich die Uni verlassen und mit Nate, meinem Oberstufenfreund,

Schluss gemacht habe. Manchmal frage ich mich, ob es bei der Schriftstellerei nicht bloß ums Schreiben, sondern auch darum geht, einen Platz für sich, eine Rolle im Leben zu finden.

Nur – dieser Nachmittag ist ein bisschen anders, wie ich zu meiner eigenen Überraschung sagen muss. Ausnahmsweise trödle ich nicht in einem Café herum – ich tue wirklich, was ich vor Vron behauptet habe, und gehe zu einem Vorstellungsgespräch. Als ich vor zwei bis drei Wochen durch die Anzeigenseiten des *Guardian* blätterte, stieß ich auf eine Annonce, in der ein Schriftsteller im Westen der Stadt eine Assistentin/Haushaltshilfe sucht, und ich bin freudig unterwegs zu der entsprechenden Adresse. Die Chancen, den Job tatsächlich zu bekommen, sind natürlich dünn, aber wenn ich ihn doch bekäme, würde sich in solch einer kreativen Atmosphäre vielleicht meine Blockierung lösen. Außerdem ist die Bezahlung nicht schlecht.

Ich blicke auf das Papier in meiner schwitzenden Hand – einen handgeschriebenen Brief auf feinem Papier, knapp, sachlich, mit Datum und Uhrzeit, zu der ich mich einzufinden habe. Ich lese noch einmal die Adresse – 167 St Petersburgh Place, W2 – dann schaue ich nach dem nächsten Straßenschild. Ja, ich bin auf der Moscow Road. Ich muss in die übernächste Querstraße links einbiegen, dann bin ich da.

Noch einmal mustere ich die Initialen unter dem Brief. A. F. könnte es heißen, oder A. T. Seltsam, dass derjenige nicht mit vollem Namen unterschrieben hat, dass er seine Identität nicht preisgeben will. Ich weiß nicht einmal, ob es sich um einen Mann oder eine Frau handelt. Ich frage mich, ob es etwa Sir Andrew Fogerty sein könnte, aber dann fällt mir ein, dass in der Anzeige »Schriftsteller« stand und er in erster Linie Biograph ist.

Als ich auf den St Petersburgh Place biege, werde ich nervös und muss ein paar Mal tief Luft holen, um mich zu beruhigen. Ich gehe langsam, und dann, als ich das Haus auf der linken Straßenseite entdecke, merke ich, dass ich gut zehn Minuten zu früh da bin. Darum gehe ich weiter die Straße entlang und spekuliere über den geheimnisvollen A. F. / A. T.

Ich erkenne sie, sowie sie die Tür öffnet, an der der grüne, ausgebleichte Lack abblättert. Im Vergleich zu den letzten Fotos, die ich von ihr gesehen habe, ist sie beträchtlich gealtert. Immerhin ist es über zwanzig Jahre her seit ihrem letzten Buch, mit dem sie wirklich Eindruck gemacht hat – das war kurz nach meiner Geburt. Ich habe sie natürlich alle gelesen und stimme überhaupt nicht mit den Kritikern überein, die ihr vorwerfen, an Niveau und Inspiration eingebüßt zu haben. Doch die jüngsten Pressefotos waren dürftig, und sie hat beileibe kein alltägliches Gesicht.

»Komm herein«, sagt sie schlicht, und an ihrem befriedigten Blick sehe ich, wie sehr sie sich freut, von mir sofort erkannt zu werden.

»Danke, Miss Tournier.« Da ist ein anbiedernder Unterton in meiner Stimme. Wahrscheinlich ist das normal bei einem, der sich vorstellt, und unvermeidlich bei jemandem, der plötzlich vor seiner Lieblingsschriftstellerin steht und die Aussicht hat, bei ihr zu arbeiten, aber ich fand den Ton abstoßend.

Sie ignoriert meine ausgestreckte Hand und geht den schmalen, dunklen Flur entlang. Ich sehe zu, wie ihr allseits bekannter rabenschwarzer Bob um den langen, eleganten Hals schwingt. Trotz der Jahrzehnte, die sie schon in London lebt, hat sie noch den gewissen französischen Schick, aber vermutlich muss sie sich die Haare mittlerweile färben.

Sie geht mit mir in die Küche an einen langen Eichentisch,

der mit ungelesenen Zeitungen, ungeöffneter Post, Taschenbüchern und schwankenden Stapeln von Unterlagen überhäuft ist. Sie weist auf den einzigen Stuhl mit freier Sitzfläche.

»Nenn mich Anne«, sagt sie und dreht sich um, um den Wasserkessel zu füllen und aufzusetzen.

Ich möchte ihr sagen, wie sehr ich mich freue, hier zu sein, weil ich schon so lange ihr Fan bin, aber ich bringe keinen Ton heraus und fürchte außerdem, dass ich, wenn ich die Unterhaltung beginne, idiotisches Zeug daherquatsche, um das Schweigen zu füllen. Es gibt eine abschreckende Seite an ihr, was nicht überrascht, wenn man den lakonischen Ton ihrer Romane bedenkt, und sie ermutigt einen nicht, das Gespräch zu eröffnen.

Sie dreht sich zu mir um, die Hand über einer dampfenden Tasse Tee.

»Ich nehme an, du willst keinen Zucker«, sagt sie, aber als ich nicke, sieht sie mich gar nicht an. Sie späht auf etwas, das auf dem Tisch liegt und das ich gleich darauf als meinen Lebenslauf erkenne. Ich zucke zusammen. Wie jeder andere auch habe ich mich darin besser dargestellt, als ich bin. Ich bin mir nicht sicher, ob das, was da steht, noch viel mit der Wirklichkeit zu tun hat.

»Sooo«, sagt sie und angelt ihre Zigaretten aus der Strickjackentasche. »Pendleton Girls, Durham ... alles sehr beeindruckend. Du hattest ein faszinierendes Leben. Privilegiert, oder was meinst du?«

Ich schüttele energisch den Kopf. Ich weiß, welchen Beiklang diese Namen haben, aber ich meine ehrlich nicht, dass es mir in meinem Leben sonderlich geholfen hat, diese Schulen besucht zu haben. Manchmal überlege ich sogar, ob es eher hinderlich gewesen ist. Warum würde ich mich sonst so unwohl in meiner Haut fühlen, mir so ziellos vorkommen?

Ich weiß auch, dass Anne Tournier ziemlich links gerichtet ist, und obwohl ich mich auch so einordne – trotz oder vielleicht wegen meiner Erziehung – ist das Letzte, was ich will, eine politische Diskussion mit jemandem, die für ihre intellektuelle Strenge bekannt ist.

»Und ... Augenblick ...« Ihre Augen flitzen über die Seite, schon scheint sie das Interesse an meiner Lebensführung verloren zu haben. »Ah, ja«, sagt sie und tippt mit einem manikürten Finger auf das Blatt. »Du bist die, die Schriftstellerin werden will?« Sie sieht mich an und bläst einen Rauchkringel aus. »Oder sein will«, sagt sie. »Schon etwas veröffentlicht?«

Ich schüttle den Kopf und fühle mich hoffnungslos. Mit jeder Frage gibt sie mir das Gefühl, klein und dumm zu sein.

»Warum nicht?«

»Ich ... ich habe wohl nie etwas fertiggestellt.«

Sie schnippt die Asche in eine Untertasse. »Vielleicht«, meint sie heiser, »vielleicht solltest du das Schreiben sein lassen, wenigstens vorläufig. Du bist«, sie blickt auf den Lebenslauf, »erst dreiundzwanzig. Du solltest leben, nicht schreiben. Und worüber solltest du auch schreiben können, wenn du nicht zuerst ein bisschen gelebt hast?«

Ich zucke die Achseln und komme mir noch dümmer vor. Sie hat recht. Was habe ich der Welt zu sagen, nach meiner behüteten, privaten Schulausbildung, meinem begrenzten Liebesleben? Natürlich bin ich an der Uni gewesen, aber was habe ich da getan, das andere nicht getan haben: trinken, Bücher lesen, herumsitzen und über Dinge quatschen, von denen ich wenig Ahnung habe?

»Aber Françoise Sagan ...«, setze ich eifrig an, um zu zeigen, dass ich doch einen Funken Verstand habe.

Anne macht eine wegwerfende Handbewegung. »Ein Zufallstreffer«, sagt sie. »Eine Eintagsfliege. Hat nie wieder etwas zustande gebracht, das auch nur entfernt an *Bonjour Tristesse* heranreicht.«

Natürlich hat sie recht. Schon wieder hat sie recht. Ich blicke sie an, und die Klugheit leuchtet in ihren Augen wie ein Feuer.

Sie sieht wieder auf das Blatt Papier und schweigt einen Moment lang, als fiele ihr wirklich nichts mehr ein, das sie mich fragen könnte. Es stimmt, denke ich demütig: mein Leben ist nicht der Rede wert. Aber muss ich faszinierend sein, um die Stelle auszufüllen, die sie besetzen will?

»Komisch«, sagt sie nachdenklich und reibt sich das Elfenkinn mit den Fingern. »Lebensläufe sind im Grunde alle gleich. Sterbenslangweilig. Was an einem Menschen interessant ist, steht nie drin.«

»Was meinen Sie?«

»Nun«, sie tippt mit dem Finger auf das bedruckte Blatt, »ich meine, dass mir das keinen Eindruck vermittelt, wer Genevieve Carter wirklich ist. Ich weiß, dass du gerne liest und schreibst. Ich weiß, was du studiert hast und so weiter und so fort. Aber ich habe keine Ahnung, wer du eigentlich bist.«

Sie blickt auf, und da leuchtet ein zusätzliches Feuer in diesem wachsamen Verstand. »Zum Beispiel sagt es mir nichts über deine Erfahrungen als Frau.«

»Als Frau?«

»Über deine sexuellen Erfahrungen«, flüstert sie, »was dich anmacht, was dich auf Touren bringt.«

Ich muss rot geworden sein, denn sie lacht leise. »Du bist aber nicht prüde, oder? *Mon Dieu,* die Engländer können so verklemmt sein. Das verblüfft mich immer wieder, selbst nach so langer Zeit.«

Ich erhole mich von meinem Abscheu, dass ich ein nationales Klischee erfülle. »Was ... was möchten Sie wissen?«, frage ich. Die Fragen nehmen eine eigentümliche Richtung angesichts dessen, dass sie jemanden einstellen will, doch andererseits ist das kein gewöhnliches Bewerbungsgespräch. Warum hat sie mich nicht in ihr Arbeitszimmer geführt? Warum sind wir in dieser engen, unordentlichen Küche, wo nicht mal für beide ein Stuhl frei ist?

Sie schüttelt den Kopf und setzt ihren Bob in Bewegung. »O, ich will nicht wissen, welche Stellungen du am liebsten hast oder dergleichen«, sagt sie. »Aber ... nun ja, ich schreibe Romane, darum bin ich unheilbar neugierig, fürchte ich. Glaubst du, du könntest es mit mir aushalten? Damit, dass ich ab und zu persönliche Fragen stelle? Manchmal ist es mir nicht einmal bewusst, so eingefleischt ist das.«

»Das hängt von den Fragen ab.«

»Nun, natürlich lässt sich viel über jemanden sagen, wenn man seine verflossenen Liebhaber kennt. Danach frage ich meine immer als Erstes. Mit wem sie vor mir zusammen gewesen sind, wie sie im Bett waren. Enorm instruktiv und ebenso faszinierend.«

Ich ziehe eine Braue hoch. »Naja«, sage ich, »über meine Beziehungen gibt es nicht viel zu erzählen. Ich hatte erst einen Liebhaber.«

»Einen?« Mit runden, ungläubigen Augen hält sie den Zeigefinger hoch. »Einen Liebhaber? Und du bist«, sie blickt noch einmal auf meinen Lebenslauf, »du bist dreiundzwanzig? Was hast du mit deinem Leben angefangen?«

Ich zucke die Achseln. »Seit ich achtzehn war, hatte ich immer denselben«, sage ich. »Wir waren in der Oberstufe zusammen. Und während der Uni auch noch, also ...«

Ich stocke. Es hört sich an, als wollte ich mein Verhalten rechtfertigen, wo andere es als lobenswert erachten würden, dass ich nicht mit allen und jedem geschlafen habe. Bei Annes

Gesichtsausdruck bekomme ich das Gefühl, als wäre ich wirklich bemitleidenswert.

»Er muss ein ziemlich guter Liebhaber gewesen sein«, sagt sie und zündet sich, die Augen gegen den Rauch halb zugekniffen, eine neue Zigarette an.

Ich zucke wieder die Achseln. »Ich habe keinen Vergleich.«

»Das ist genau das, was ich meine«, sagt Anne plötzlich lebhaft und wedelt mit dem Finger. »Du kannst nicht beurteilen, was dir entgangen ist. Warst du nie … in Versuchung?«

»In Versuchung?«

»Zu streunen, zu entdecken, was es außer diesem …«

»Er hieß Nate.«

»… diesem Nate noch gibt?«

Ich denke zurück. »Nein, ich glaube nicht. Ich war verliebt. Es kam mir nicht in den Sinn, nach anderen Männern zu gucken.«

Sie kichert, aber da ist auch ein gewisser Spott zu sehen. »Wie rührend«, sagt sie. »Und jetzt?«

»Was jetzt?«

»Bereust du, dass du die besten Jahre deines Lebens an einen Menschen vergeudet hast, bei dem sich herausgestellt hat, dass es nicht für immer war? Du wirst nie wieder die Energie wie damals haben, glaub mir.«

Ich trinke einen Schluck Tee, der inzwischen nur noch lauwarm ist. »Es hat keinen Zweck, etwas zu bereuen«, sage ich.

»Ein guter Grundsatz«, sagt sie. »Eine schöne Theorie. Eine, die nicht leicht in die Tat umzusetzen ist, aber … ich schweife ab. Ich will sagen, dass du vielleicht, nur vielleicht etwas zu schreiben hättest, wenn du nicht – wie lange? – fünf Jahre mit demselben Kerl verbracht hättest.«

»Kann sein.«

»Aber wie du sagst, das Wichtigste ist, nicht zurückzublicken«, sagt sie und drückt ihre Zigarette in der Untertasse aus. »Und das bringt mich auf die Hauptfrage, die ich allen Bewerbern stelle.«

Sie macht eine Pause, der dramatischen Wirkung willen, wie mir scheint.

»Schießen Sie los.«

»Wie stellst du dir deine Zukunft vor?«

»Ich ... ich denke nicht viel darüber nach. Ich ... ich möchte einfach nur schreiben.«

»Und was ist mit Männern?«

»Was soll damit sein?«

»Suchst du nach jemandem, der die Lücke ausfüllt, das Loch, das dieser ... dieser ...«

»Nate.«

»... dieser Nate hinterlassen hat?«

Ich möchte ihr nicht sagen, dass mir meiner Meinung nach genau das fehlt: ein neuer Nate, jemand, mit dem ich unter der Bettdecke kuscheln kann, jemand, der mit mir durch das Herbstlaub spaziert, jemand, mit dem ich im Kino Händchen halten kann. Sie würde mich auslachen, das weiß ich, oder mich mit diesen berechnenden, eisblauen Augen vernichten.

»Ich bin noch zu jung für eine dauerhafte Beziehung. Ich muss mich selbst kennenlernen, bevor daran zu denken ist, sich ernsthaft mit einem anderen Typen einzulassen. Ich muss erst herausfinden, wer ich wirklich bin.«

Sie starrt mich an, und ihr Blick kommt mir beifällig vor. »Das bist du dir schuldig«, sagt sie. »Das ist wesentlich, ja, das ist es wirklich. Die Erziehung der Gefühle, wie wir Franzosen es verhüllend nennen. Nun«, sie blickt erneut auf meinen Lebenslauf. »Kannst du sofort anfangen?«, fragt sie. »Wie ich sehe, hast du zurzeit keine Arbeit.«

Ich nicke, plötzlich aufgeregt. Das ist vielleicht besser gelaufen, als ich gedacht habe. Plötzlich erscheint es mir dringend, diese Chance nicht verstreichen zu lassen. Ich neige mich vor und deute mit einer Geste auf meinen Lebenslauf.

»Das stimmt, und ich bin scharf darauf, etwas zu lernen, und ich werde natürlich jeden Kurs belegen, der nötig ist, um mich auf den neuesten Stand zu bringen.« Ich mache eine Atempause. »Und ich weiß, Sie haben in Ihrer Anzeige einen Stundenlohn genannt, aber ich würde auch für weniger arbeiten, wenn ich dadurch meiner Lieblingsschriftstellerin nahe sein kann.«

Ich schleime, aber ich bin zu allem entschlossen. Anne hat die Augenbrauen hochgezogen.

»Tatsächlich?«, sagt sie, und wieder hat ihr Lächeln etwas Berechnendes und Taxierendes.

»Das sage ich nicht bloß so«, erkläre ich. »Ich bin wirklich ein großer Fan von Ihnen. Seit ich ...«

»Nun, ich bin geschmeichelt und sehr froh, dass du auf meine Anzeige gestoßen bist. Es scheint, als habe das Schicksal sich verschworen, uns zusammenzubringen.«

Ich grinse. »Heißt das, ich habe die Stelle?«

Sie nickt. »Du kannst morgen anfangen, wenn dir das passt«, sagt sie. »Und habe ich erwähnt, dass Logis inbegriffen ist? Ich habe ein Dachzimmer oben an der –«

»Ich nehme es«, sage ich, und mir ist ganz schwindlig bei dem Gedanken, dass das Leben, mein wirkliches Leben endlich anfängt.

2: Erster Tag

Vron setzt mich nur allzu gern mit ihrem kleinen, schwarzen Porsche auf dem Weg zur Vogue-Redaktion in Bayswater ab. Sie kann ihre Freude, mich loszuwerden, kaum verbergen. Es ist mir egal. Am liebsten wäre ich den Weg bis zu Annes Haustür gehüpft. Aber ich zwinge mich, mir Zeit zu lassen, den Augenblick auszukosten, und sehe zu dem Fenster des Dachzimmers hinauf, das ich noch nicht gesehen habe und das mein neues Zuhause sein wird.

Fünf Minuten später stehe ich auf der Schwelle dieses Zimmers, und Anne weist mit weiten Armbewegungen auf dies und jenes hin.

»Ich hatte selten Verwendung dafür«, sagt sie, »darum bin ich ganz froh, jemanden hier zu haben. Es ist warm und gemütlich, und im Schrank liegen zusätzliche Decken. Wenn dir die Wände nicht gefallen, kannst du sie jederzeit streichen.«

Aber ich habe keinen Blick für die Wände, ich stürme ans Frontfenster, weil ich plötzlich entdeckt habe, dass ich ein Stück vom Hyde-Park und seine Baumwipfel sehen kann.

»Das ist wunderbar«, sage ich und muss mich bremsen, um sie nicht zu umarmen. Der Drang ist da, aber Anne scheint mir bei all ihrem Gerede über Liebhaber und verklemmte Briten ein kalter Fisch zu sein, körperlich. Ich bin mir nicht sicher, ob sie nicht einfach steif wie ein Brett dastehen und meine Umarmung nicht erwidern wird, sodass ich mir wie eine Idiotin vorkäme. Ich frage mich, wie sie im Schlafzimmer ist, ob der Sex, den sie hat, nicht nur im Kopf stattfindet.

»Dann kannst du es haben«, sagt sie. »Nimm dir etwas zum Mittagessen. Hettie sorgt immer dafür, dass gute Sachen im Kühlschrank stehen.«

»Hettie?«

»Meine Haushälterin. Sie ist jeden Tag hier, erledigt unterwegs den Einkauf, saugt Staub, kümmert sich um die Wäsche, kocht das Mittagessen und eine Abendmahlzeit, die ich mir aufwärmen kann. Sie ist ein Geschenk des Himmels.«

»Und ich?«

»Oh, heute gibt es eigentlich nichts zu tun. Du kannst dich häuslich einrichten, vielleicht die Gegend erkunden? Ich muss an einer Zusammenfassung meines neuen Romans arbeiten.«

Ich spitze die Ohren und würde gern mehr darüber hören, nehme aber an, dass ich in meiner Rolle als Assistentin sehr bald etwas darüber erfahren werde.

»Sind Sie sicher?«

Sie nickt. »Mach dir keine Gedanken«, sagt sie. »Du wirst dich hier nicht langweilen. Ich habe genug, womit ich dich beschäftigen kann.« Und damit geht sie hinaus, und ich bin allein in meinem neuen Zimmer, auf der Schwelle meines neuen Lebens.

Ich packe aus, aber das dauert nicht lange, und da ich sonst nichts zu tun habe, gehe ich auf einen Spaziergang in den Hyde-Park und kaufe unterwegs ein Sandwich und eine Flasche Wasser. Während ich kauend unter einem Baum sitze, kann ich mein Glück kaum fassen, diese Stelle gefunden zu haben.

Obwohl Anne eine seltsame Mischung aus Reserviertheit und Direktheit an den Tag legt, scheint sie eine nachsichtige, anspruchslose Arbeitgeberin zu sein: Mein Anteil an Haushaltshilfe, die in der Anzeige erwähnt wurde, kann schon wegen Hettie nicht sehr groß sein.

Es wird interessant werden, während des Entwurfs eines neuen Romans bei der Büroarbeit zu helfen. Wer weiß, vielleicht kann ich sogar etwas dazu beitragen, in bescheidener Weise? Das wäre toll. Ich kann schon meinen Namen in Annes Danksagung sehen. Und meine Erleichterung, Vronnie aus dem Weg zu sein und mich nicht mehr ihrer scharfen Zunge aussetzen zu müssen, ist immens.

Als ich meine Zimmertür öffne, liegt ein Zettel auf dem Boden, den jemand durch den Türspalt geschoben haben muss. Ich falte ihn auseinander und lese, dass Anne heute Abend einen Gast zum Essen hat und sich freuen würde, wenn ich ihnen Gesellschaft leiste und zum Anlass meines ersten Tages ein feierliches Glas Champagner mit ihnen trinke. Ich grinse. Wie könnte ich das ablehnen?

Ich trete die Schuhe von den Füßen und lege mich aufs Bett, um zu spekulieren, wer wohl zum Dinner kommen wird. Anne gehört zwar nicht mehr zur literarischen Avantgarde, hat aber einige berühmte Freunde – das weiß ich aus den Büchermagazinen. Bei dem Gedanken, dass sie alle durchs Haus stiefeln und ich vielleicht an Partys teilnehme, bekomme ich leuchtende Augen. Ich habe das Gefühl, vor etwas Wunderbarem zu stehen, als wäre das Leben ein Korb voll köstlicher Früchte, den mir jemand hinhält. Ich brauche nur die Hand danach auszustrecken.

Ich muss eingedöst sein, denn als ich wach werde, ist es draußen dunkel geworden. Ich sehe auf die Uhr, es ist fast sieben – nach Annes Zettel die Zeit der Einladung. Ich springe auf und wühle mich durch meine Garderobe. Ich möchte gut aussehen, aber nicht aufgedonnert: schließlich ist das nur ein Alltagsabendessen in einem Künstlerhaushalt. Ich greife wieder auf ein altes Lieblingsstück zurück: ein schlichtes, schwarzes Etuikleid, das meine Kurven betont. Mit ein oder zwei silbernen Armreifen und Ohrringen sieht es schick aus, aber nicht protzig.

Als ich auf meinen kurzen Pfennigabsätzen zur Küche hinuntergehe, bin ich nervös: nicht nur wegen der Aussicht auf den geheimnisvollen Dinnergast, sondern auch weil mir soeben bewusst geworden ist, das ich Anne noch kaum kenne – das Vorstellungsgespräch war kurz, und danach habe ich sie nur gesehen, als sie mich zu meinem Zimmer gebracht hat. All meine Ängste wegen meines langweiligen, ereignislosen Lebens überfallen mich erneut, und ich stelle mir vor, wie ich stumm am Tisch sitze, weil mir in so illustrer, intellektueller Gesellschaft nichts zu sagen einfällt. Halb möchte ich unter irgendeinem Vorwand die Treppe hinaufrennen und mich unter der Bettdecke verkriechen.

Ich nähere mich der Küche und höre Stimmen, eine weibliche, eine männliche. Kurz bleibe ich stehen, um den Augenblick hinauszuzögern. Dann atme ich einmal tief durch, drücke die Tür auf und gehe hinein.

Ich bin froh, ihn nicht zu kennen, allerdings sieht er so distinguiert aus, dass ich denke, ich sollte ihn vielleicht kennen. Als er mich sieht, dreht er sich mit dem Glas in der Hand um und lächelt.

»Das ist also deine hübsche neue Assistentin«, sagt er mit tiefer, imposanter Stimme. »Genevieve, nicht wahr? Bin entzückt, Sie kennenzulernen.«

Er schüttelt mir die Hand, fest, Respekt einflößend, und ich bemerke ein wildes Funkeln in seinem Blick, der über mein

Gesicht gleitet und dann meinen tiefen Ausschnitt in sich aufnimmt. Er muss Ende fünfzig sein, vielleicht sogar Anfang sechzig, aber er ist glatt rasiert und wirkt in seinem dunkelgrauen Anzug, der nach Savile Row aussieht, sehr vital. Sein silbergraues Haar hat einen teuren Schnitt, und er ist offenbar jemand, der auf sich achtet und sich weigert, den Zahn der Zeit nagen zu lassen.

»Genevieve, ich möchte dir Jim Carnaby vorstellen«, sagt Anne, die hinter ihn tritt, und ich sage lächelnd: »Freut mich auch, Sie kennenzulernen.« Ich habe von einem James Carnaby gehört, einem Kunsthistoriker, und ich vermute, dass er das ist.

Er setzt sich an den Küchentisch, der, wie ich bemerke, freigeräumt wurde – vermutlich von Hettie. Wieder frage ich mich, was meine Aufgaben eigentlich sein werden, wenn Hettie sich um den ganzen Haushalt kümmert. In der Mitte des Tischs brennt eine Kerze, und daneben steht, wie versprochen, eine Flasche Champagner in einem Eiskühler. Als James Carnaby meinen Blick sieht, zieht er sie heraus und lässt den Korken knallen.

»Auf neue Abenteuer«, sagt er, während er die Gläser füllt, die Anne zum Tisch gebracht hat. »Auf frisches Blut.«

»Auf frisches Blut«, sagt Anne, und ich wiederhole den Trinkspruch, obwohl er mir ein wenig seltsam erscheint – wie ein befremdliches Ritual, das mit Menstruation und Mondphasen zu tun hat. Nachdem wir getrunken haben, stellt Anne drei Suppenschalen auf die Platzdeckchen.

»Tomaten und frisches Basilikum«, sagt sie. »Und natürlich kann ich dafür keinen Ruhm in Anspruch nehmen. Das ganze Abendessen ist Hetties Werk. Ich habe nur das Basilikum gepflanzt, irgendwann.«

James lächelt milde, als er die Suppe kostet. »Es gibt Talente, die mehr Lob verdienen als die der Küche«, sagt er, und die beiden tauschen ein liebevolles Lächeln. Ich frage mich, ob sie ein Paar sind oder früher einmal waren. Anne mag eisig erscheinen, aber ihre Romane zeugen von ungeheurer sexueller Erfahrung. Sie haben alle einen erotischen Faden, der so echt wirkt, dass er aus dem Leben gegriffen sein muss.

»Und wie steht es mit Genevieve?«, sagt er, zu mir gewandt. »Welche Talente haben Sie, meine Liebe?«

Ich zucke verlegen die Achseln. Wie Anne weiß, habe ich eigentlich keine, und in Anbetracht dessen, wäre ich, wenn ich mit James allein wäre, versucht, etwas zu erfinden, um ihn zu beeindrucken oder nur um über etwas reden zu können, doch in ihrem Beisein fühle ich mich erstickt, von der banalen Wahrheit gefangen.

Doch Anne kommt mir zu Hilfe. »Genevieve hofft, einmal Schriftstellerin zu werden«, sagt sie.

»Aaaah«, sagt James und nimmt einen Löffel voll Suppe.

»Ein Klischee, ich weiß«, sage ich entschuldigend.

Er greift über den Tisch – er sitzt mir gegenüber – und tätschelt mir die Hand. »Leider wahr«, sagt er. »Aber wenn Sie wirklich Talent und etwas zu sagen haben, dann lassen Sie sich nicht entmutigen. Worüber schreiben Sie denn, junge Dame?«

Ich blicke auf meine Hand. Er hat sie nicht losgelassen. Er schiebt seine leere Schale mit der freien Hand beiseite. Ich blicke Anne an, um zu sehen, ob sie bemerkt, was passiert, aber sie hat sich abgewandt, um die angewärmten Teller aus dem Herd zu nehmen und ein Rinderragout aufzuschöpfen. Als sie an den Tisch zurückkommt, kann sie es nicht übersehen, aber sie reagiert überhaupt nicht.

Durch das Servieren des Hauptgangs scheine ich, zumindest was James' letzte Frage angeht, noch einmal davonzukommen, und nachdem Anne sich mit dem dritten Teller gesetzt hat, langen wir alle kräftig zu. James, der meine Hand losgelassen hat, um essen zu können, schenkt den letzten Champagner ein, und als wir den getrunken haben, gießt er uns allen aus einer teuer aussehenden Flasche großzügig Rotwein ein. Da ich es nicht gewohnt bin, viel zu trinken, fühle ich mich bereits leicht beschwipst.

Ein paar Minuten lang – vielleicht spüren Anne und James mein Unbehagen und auch meine drohende Trunkenheit und beschließen, mir ein bisschen Zeit zu lassen – genieße ich eine Atempause, solange Anne ihren Gast zu einer bevorstehenden Reise zu Universitäten befragt, bei der er sein neues Buch vorstellen will, das, wie ich erfahre, *Der Wüstling in der französischen Kunst des 19. Jahrhunderts* heißt. Ich grinse bei dem Titel. Gehört James trotz seines Alters zu den Wüstlingen, über die er schreibt? Nicht, dass daran etwas Verkehrtes wäre – teils bewundere ich die Leute, die so gut auf sich geachtet haben, die sich ihren Appetit erhalten, anstatt sich in die Welt der Tabakpfeifen und Pantoffeln zurückzuziehen. Aber es ist lustig, dass er den Wüstlingen einer Epoche und Nation ein ganzes Buch widmet und ihm einen kunsthistorischen Dreh gibt.

»Das würde ich gern mal lesen«, sage ich, bevor ich mich eines Besseren besinne, und James lächelt mich über den Tisch hinweg an.

»O gut«, haucht er, »wenigstens einer hat Interesse. Ich werde Ihnen irgendwann ein Exemplar geben.«

Währenddessen landet seine Hand wieder auf meiner, und ich spüre seine etwas ledrige Haut auf meinem Handrücken. Kein unangenehmes Gefühl, aber ich schieße Anne einen weiteren Blick zu, die es diesmal ganz bestimmt nicht übersehen haben kann. Zu meiner Überraschung lächelt sie, wenn auch ein wenig abwesend, und ihr Blick ist zustimmend. Um den

Ausdruck zu unterstreichen, nickt sie mir zu. Es scheint, als hätte ich ihre Erlaubnis, mir James' Annäherungen gefallen zu lassen.

Plötzlich fühle ich Panik durch meine Adern schießen. Will ich ihn? Ich habe noch nie erwogen, mit einem älteren Mann zu schlafen, mit einem so alten Mann, andererseits hat sich auch keine Gelegenheit ergeben. Jedenfalls habe ich noch keinen so viel älteren Mann auf der Straße angeschaut und Verlangen gehabt. Aber nicht alle älteren Männer sind wie James Carnaby. Er hat eindeutig etwas Verlockendes. Oder liegt das nur am Wein oder an dem Kitzel, von einem bekannten Autor beachtet zu werden? Verwechsle ich Dankbarkeit mit Lust?

Zum Dessert gibt es einen kleinen Käse, und danach nimmt James meine Hand und führt mich nach vorn ins Wohnzimmer, wo in einem roten Glas auf dem dunklen Sofatisch eine Kerze brennt. Als er mich zu dem niedrigen Sofa dirigiert, sehe ich mich kurz in dem Spiegel über dem Kamin: meine Wangen glühen. Ich bin voll mit rotem Wein und rotem Fleisch, und mein Blut strömt kräftig durch meine Adern in Erwartung des Kommenden. Ich kann nicht leugnen, dass ich sexuell erregt bin, jenseits meiner wildesten Vorstellungen.

Anne kommt, als wir uns auf das Sofa setzen, und lässt sich uns gegenüber in einem Sessel nieder. Sie hält ein halbvolles Weinglas in der Hand und lächelt milde, als wären wir zwei etwas unartige, aber liebenswerte Kinder, deren Launen sie amüsieren.

James hat einen Arm um meine Schultern gelegt, seine Hand hängt über meinem Brustansatz. Ich versteife mich, als er sie sinken lässt und mit dem Saum des Ausschnitts spielt. Dann schiebt er sie hinein. Seine Finger gleiten in meinen schwarzen Spitzen-BH, schließen sich um die Brustwarze, streichen über ihre Spitze. Ich stoße einen Seufzer aus, der sich schon mehr nach Stöhnen anhört.

Ich öffne die Augen und sehe ein bisschen verschämt zu Anne, doch ihr Blick ist auf meine Brüste gerichtet und darauf, was James mit ihnen macht. Ihre Lippen sind leicht geöffnet. Sie trinkt einen Schluck Wein, und ich sehe sie unter der etwas schlaffen Haut des Halses schlucken. Davon abgesehen ist ihr Gesicht ausdruckslos.

Benebelt lehne ich mich gegen James' Torso und schiebe seine Hand zwischen meine Beine. Ich kann gar nicht anders. Ich habe noch nie so wenig Kontrolle über mein Tun gehabt, und in einem dunklen Winkel meiner selbst, von dem ich keine Ahnung hatte, gefällt es mir. Ich kann es nicht einmal auf den Alkohol schieben: Ich habe schon häufiger mehr getrunken als jetzt und bin noch bei klarem Verstand. Aber es ist, als würde mich eine Flut davontragen, und ich könnte nichts anderes tun, als mich ihr zu überlassen.

James zieht mich auf seinen Schoß, und ich spüre durch seine Hose die harte Schwellung seiner Erektion, die sich zwischen meine Pobacken zwängt. Ich bin jetzt sehr nass und begierig, dass er es mir besorgt. Der Gedanke lässt mich innehalten, und plötzlich kommt mir alles unwirklich vor. Die ganze Situation ist verrückt, mehr als verrückt. Aber jetzt kann mich nichts mehr aufhalten. Ich will nicht, dass es endet, bevor ich James in mir gehabt habe. Vielleicht sollten wir uns nur irgendwohin zurückziehen?

James hält offenbar nichts davon, denn er zieht mir den Rock über die Oberschenkel hoch. Als Reaktion, ganz automatisch, mache ich die Beine breit. Ich wage nicht, Anne anzusehen – es beschämt mich, dass meine Begierde die Oberhand hat und dass ich gezeigt habe, wie weit ich vor ihren Augen zu gehen bereit bin.

James greift mir zwischen die Beine. Einen Moment lang fingert er am nassen Zwickel meines Höschens; bestimmt spürt er durch den dünnen Stoff die harte kleine Knospe meiner Klitoris, die unbedingt berührt werden möchte. Dann zieht er den Zwickel zur Seite, entblößt meine nassen Lippen, meine geöffnete Muschi.

Anne muss von gegenüber einen frontalen Blick darauf haben, wie er meine Klitoris massiert. Aber ich kann nicht zu ihr hinsehen. Ich lege den Kopf in den Nacken auf James' Schulter und kreise mit den Hüften, drücke mich fester gegen seine Finger, bis er schließlich drei oder vier hineinschiebt. Als er mit dem Daumen in meinem Schlitz hin und her wackelt, komme ich so heftig, dass ich Sterne sehe.

Eine Weile ist alles still. Ich liege mit geschlossenen Augen an ihn gelehnt, keuchend und mit gespreizten Beinen, bis meine Kontraktionen nachlassen. James hält mich an sich gedrückt, eine Hand um eine Brust, und schnüffelt an meinem Nacken, setzt kleine spitze Küsse darauf. Sein Schaft liegt hart und pochend an meinem Po, und ich weiß, ich will nicht, dass es hier endet.

Ich spüre eine Hand auf meinem Oberschenkel. Ich blicke auf, und es ist Anne, die mich rätselhaft anlächelt.

O nein, denke ich und überlege, wie ich ihr sagen soll, dass ich definitiv zu keinem Dreier bereit bin, dass ich vielleicht auf James stehe, aber nicht auf sie.

Sie scheint meine Gedanken zu lesen, denn sie schüttelt den Kopf. »Ihr werdet es oben bequemer haben«, sagt sie. Sie nimmt meine Hand und hilft mir auf. Mein Rocksaum fällt über meine Beine. Die Schuhe bleiben liegen, wo sie hingefallen sind. Ich lasse mich zur Treppe geleiten, fest in Annes Hand. Sie sagt kein Wort und ich auch nicht.

Am Ende der ersten Treppe öffnet sie eine Tür und winkt

mich in das Zimmer, das ich angesichts der fehlenden persönlichen Gegenstände für ein Gästezimmer halte. Die Vorhänge sind zugezogen, und auf dem Kaminsims brennt ein Räucherstäbchen – es ist klar, dass sie den Raum vorher hergerichtet, das Geschehen sorgfältig in die Wege geleitet hat. Sie scheint ziemlich sicher gewesen zu sein, dass ich James' Annäherungen nachgeben würde.

»Mach es dir bequem«, sagt sie, weist auf das Bett und bricht damit das Schweigen. Auf dem Bett sehe ich einen rotseidenen Morgenrock, der farblich zur Bettwäsche passt. Ich blicke sie ängstlich an, und empfinde trotz allem, was sie soeben miterlebt hat, eine lächerliche Scheu, vor ihren Augen aus meinem Kleid zu schlüpfen. Wenn James nicht dabei ist, liegen die Dinge irgendwie anders.

Als ob sie meinen Stimmungsumschwung, mein Zögern spürt, tritt Anne zurück und verschwindet aus dem Zimmer.

»Entspanne dich«, höre ich sie im Hinausgehen leise sagen. »James steht in dem Ruf, zu wissen, wie man einer Frau Freude macht. Du bist in sicheren Händen.«

Als sie die Tür hinter sich zuzieht, setze ich mich auf die Bettkante und befühle den Morgenmantel. Er ist von erstklassiger Qualität, und ich stelle mir vor, wie Anne in Knightsbridge shoppen geht – bei Harrod's vermutlich – und ihn von der Stange zieht. Er sieht ungetragen aus, und ich überlege, ob sie ihn eigens für mich gekauft hat.

Beim ersten Geräusch auf der Treppe ziehe ich mich eilig aus, falte meine Sachen zusammen und lege sie als ordentlichen Stapel auf den Polstersessel in der Ecke. Ich schlüpfe in den Morgenmantel. Er fühlt sich auf nackter Haut köstlich an. Ich setze mich wieder aufs Bett und lehne mich zurück, bis ich mit dem Kopf auf das weiche Kissen sinke und ausgestreckt, die Füße auf dem Boden, daliege.

James erscheint, eine große, schlanke Gestalt im Türrahmen. Gegen das helle Flurlicht ist er nicht mehr als eine geheimnisvolle Silhouette und nur umso verlockender. Ich bin froh, ihn allein zu haben. Ich lächle ihn scheu an und wundere mich, was ich hier eigentlich tue, was ich hier soll.

Einen Moment lang sehe ich Nate vor meinem inneren Auge. Ich habe Anne nicht belogen, als ich sagte, dass ich ihn geliebt habe, und in gewisser Hinsicht habe ich nicht aufgehört, ihn zu lieben. Aber ich frage mich jetzt doch, ob es für mich gut gewesen ist, dass ich ihn so jung getroffen habe, so lange nur mit ihm zusammen gewesen bin, mich selbst verleugnet habe.

James setzt sich auf das Bett, legt eine Hand auf mein Fußgelenk, umschließt es. Schon diese kleine Geste entlockt mir ein freudiges Schnurren. Er ist nicht einmal ausgezogen und schon tropfe ich unter mir auf den Morgenmantel, so sehr törnt er mich an. Und das bei einem über Fünfzig- oder Sechzigjährigen! Was würde Nate denken, wenn er mich jetzt sehen könnte? Was hätte ich selbst gedacht, wenn mir das jemand vorhergesagt hätte?

Und doch liege ich hier, lasse mich völlig gehen, bereit, mich von James überall hinführen zu lassen. Er jedoch scheint es hinauszuzögern, streichelt meine Schienbeine, knetet meine Waden mit kräftigen, selbstsicheren Fingern. Das ist natürlich schön, aber ich will viel mehr als das und weiß nicht, ob ich noch länger warten kann. Ich spreize die Beine und ziehe den Morgenmantel weg. James soll wissen, wie sehr ich ihn will.

Es klopft leise an der Tür, und bis James »herein« ruft, ohne die geringste Überraschung im Ton, ist Anne schon halb im Zimmer. Sie geht zu dem Korbsessel am Fenster und setzt sich wortlos hin.

Ich starre sie an, aber mein natürlicher Impuls, die Beine zu schließen, wird von James behindert, der meine Knie festhält. Eigentlich möchte ich mich aufsetzen und Anne sagen, sie soll sich verziehen und uns allein lassen. Aber das ist ihr Haus. Ihr Bett, ihr Freund. Ich bin ziemlich sicher, dass sie, wenn ich ablehne, die ganze Angelegenheit beendet, und das könnte ich nicht ertragen, nicht jetzt, wo ich so nah daran bin, James in mir zu haben. Er blickt seinerseits über die Schulter zu Anne und wartet augenscheinlich auf Anweisung. Die erwidert seinen Blick und nickt.

James rückt auf das Bett, umfasst meine nachgiebigen Schenkel und fängt an, meine Muschilippen mit der Zunge anzustoßen, lässt sie über meine Klitoris flitzen, leckt an meinen Säften. Ich hebe das Becken seinem Mund entgegen, um ihn willkommen zu heißen, und er schiebt die Hände stützend unter meine Pobacken, jede fest im Griff. Als sich der Morgenmantel weiter öffnet, nehme ich meine Brüste in die Hände und drücke die harten Nüsschen meiner Brustwarzen. Ich bin noch nie so geil gewesen.

Es ist nicht, als hätte ich vergessen, dass Anne da ist, das wäre unmöglich – ich wimmere und fluche abwechselnd. Und dennoch ist es in gewisser Weise unwichtig. Was James mit mir macht, ist alles, was zählt, er hat mich von anderen Belangen völlig losgelöst. Ich wusste nicht, dass man so erregt sein kann und lasse ihn nicht aufhören.

Unter seiner geschickten Zunge erbebe ich bei drei, vier Orgasmen, meine Fingerspitzen bohren sich in seine Schultern durch sein frisches, elegantes Hemd. An den Fingerknöcheln habe ich Abdrücke meiner Zähne, und die Tränen laufen mir über die Wangen. Es ist, als würde ich von einer Naturgewalt überfallen. Und das nur durch seine Zunge! Was wird passieren, wenn er in mir drin ist?

Wie es scheint, werde ich das nicht herausfinden. Anne erscheint neben uns wie aus dem Nichts und fasst James leicht an der Schulter.

»Dein Taxi wird gleich hier sein«, sagt sie leise wie zu einem Schlafwandler oder zu einem Hypnotisierten.

James setzt sich wortlos auf, wirkt aber gar nicht ärgerlich oder als fühlte er sich betrogen wie ich. Annes Hand ruht auf seiner Schulter, während seine auf ihrem Unterarm liegt. Einen Moment lang sehen sie sich an – freundlich, wie mir scheint.

Wie ich da liege auf meinem durchnässten Morgenmantel, noch völlig auf Sex geschaltet, komme ich mir lächerlich vor und unvermittelt kaltgestellt, unsicher in meiner Rolle. Ich war James' Geliebte, aber offenbar nur so lange, wie Anne es erlaubte. Nun hat sie entschieden, dass es vorbei ist, und ich kann nichts dagegen tun. Ich kann ihr nicht sagen, wie sehr, nein, wie verzweifelt ich mir wünsche, James nackt zu sehen, den Mann, bei dem ich so heftig gekommen bin. Kann ihr nicht sagen, wie neugierig ich auf den Körper dieses Mannes bin, der imstande war, mir solche Empfindungen zu verschaffen, und wie neugierig ich darauf bin, wie es ist, seinen Schwanz in mir zu haben. Ich wüsste nicht, mit welchen Worten.

James dreht sich zu mir um, sieht mich zärtlich an, streicht mir die Haare zurück, die an meiner schweißnassen Stirn kleben, und küsst mich auf den Mund. Nur mit einem Hauch von Zunge – nur ein Hauch, aber genug, dass ich hoffe, es ist noch nicht vorbei. Dann steht er auf und geht mit Anne aus dem Zimmer auf den Treppenabsatz.

Ich liege auf dem Bett und horche auf ihre Schritte, als sie die Treppe hinuntersteigen. Eine Weile höre ich sie im Flur leise reden, doch während ich versuche, das eine oder andere

Wort zu verstehen, werde ich immer schläfriger. Ich spiele an meinen Muschilippen, und es dauert nicht lange, da ziehe ich die Knie an und beiße mir in den Handrücken, als ich mit den Gedanken bei James' Zunge zum Rhythmus meiner Finger komme.

Als ich aufwache, ist es mitten in der Nacht, und ich habe einen höllischen Durst. Die Tür ist geschlossen, und ich bin zugedeckt, aber die Hand habe ich noch zwischen den Beinen. Auf dem Nachttisch neben mir steht ein Glas Wasser. Ich trinke gierig und beschließe, in mein Zimmer zu gehen. Doch anstatt es zu tun, lege ich mich zurück und sinke wieder in den Schlaf.

3: Der Morgen danach

Am nächsten Morgen schlafe ich lange und springe erschrocken aus dem Bett, aus Angst, Anne könnte auf mich sauer sein. Es ist erst mein zweiter Tag hier, und schon schreitet sie vielleicht im Arbeitszimmer oder in der Küche auf und ab, den Kopf voller Gedanken an die Briefe, die diktiert werden müssen, oder an andere Dinge, für die sie mich angestellt hat.

Ich dusche eilig und putze mir die Zähne, ziehe eine frische Bluse und eine Jeans an und gehe nach unten. Ich habe mir die Haare aus dem Gesicht gebunden und bin ungeschminkt. Trotzdem und obwohl ich mich unter dem Wasserstrahl geschrubbt habe, fühle ich mich schmutzig. Auf der Treppe fürchte ich mich, Anne nach dem Geschehen des gestrigen Abends, wo sie meine Hemmungslosigkeit erlebt hat, wiederzusehen.

Sie ist nicht da, und ihre Schlüssel liegen nicht auf dem kleinen Emailleteller auf dem Bücherregal neben der Haustür, wo sie sie hinlegt, wie mir aufgefallen ist. Daraus schließe ich, dass sie das Haus verlassen hat. Ich bin entschieden erleichtert, obwohl mir klar ist, dass das nur ein Aufschub des Unvermeidlichen sein kann und dass es in vieler Hinsicht besser wäre, die Sache hinter sich zu bringen, als sich den Tag davon verderben zu lassen, von diesem lauernden Unbehagen, das mir wie eine drohende Übelkeit in der Magengrube liegt. Es führt dazu, dass ich den Toast nicht aufesse, den ich mir in der Küche gemacht habe, aber immerhin bringe ich eine Tasse Tee hinunter, die mir den Kopf ein wenig klärt.

Dann, weil ich durch Annes Abwesenheit nichts zu tun habe – ich sehe mich nach einem Zettel um, aber sie hat mir keinen hingelegt, und aus dem Wohnzimmer höre ich den Staubsauger, was heißt, dass Hettie beim Saubermachen ist – beschließe ich, durch den Park zu joggen, um ein wenig Sauerstoff durch die Adern zu pumpen und wieder ein sauberes Gefühl zu bekommen.

In Trainingshose und Trägerhemd, eine Flasche Wasser in der Hand und den iPod an der Hüfte und in den Ohren, verlasse ich das Haus und wende mich nach rechts zum Park. Es ist ein strahlender Vormittag, vielleicht ein bisschen zu warm zum Joggen, aber ich beginne mit einem gemächlichen Lauf und beschließe, ihn auf zwanzig Minuten auszudehnen, an nichts als meinen Körper zu denken, an das Strecken und Entspannen meiner Muskeln, das Füllen und Leeren der Lunge. Ich will überfließen von schönen Bildern und die Gedanken an Anne und James Carnaby verbannen.

Ich komme via Orme Square Gate in die Kensington Gardens und laufe nach Osten parallel zur Bayswater Road an den kreischenden Kindern auf dem Diana-Memorial-Spielplatz vorbei. Die Kinder klettern in der Takelage des Piratenschiffs, von dem ich ein Stück durch die Bäume sehen kann.

Unten bei den Brunnen in der Nähe des Lancaster Gates mache ich Halt für einen Schluck Wasser und um einen Schnürsenkel zu binden, dann biege ich entlang des Long Water ein und laufe an der Peter-Pan-Statue vorbei, ehe ich den Bogen nach Westen schlage und um den Round Pond ziehe, um an den Ausgangspunkt zurückzugelangen.

Ich bin kein geborener Jogger, und eine gleichmäßige, regelmäßige Atmung beizubehalten ist so anstrengend für mich, dass ich wirklich nicht die geistigen Kapazitäten frei habe, um an Anne und James zu denken. Wenn solche Gedanken drohen, beschleunige ich und strenge mich ein bisschen mehr an, um sie über den Rand des Bewusstseins zu schubsen, auch wenn ich weiß, dass sie trotzdem weiter in meinem Kopf rumoren.

Als ich mich endlich gereinigt fühle, verlasse ich den Park und gehe den Queensway hinunter an der Eishalle und den Rollerbladeplätzen vorbei und weiter zum Whiteley's, dem glasgewölbten Einkaufszentrum. Ich biege links auf den Westbourne Grove ein und halte auf die libanesische Saftbar zu, wo ich mir eine Mischung aus frisch gepresstem Orangensaft, Mango und Papaya bestelle, um mich wieder mit Flüssigkeit zu versorgen. Während ich langsam durch einen Strohhalm trinke, schaue ich aus dem Fenster und sehe die Leute vorbeilaufen. Als sich die Erinnerungen an den vorigen Abend anschleichen, nehme ich eine Zeitung von der Theke und versuche, mich darauf zu konzentrieren.

Zehn Minuten später, als ich einmal aufblicke, sehe ich Anne vorbeigehen, fast als hätten meine Gedanken sie herbeigerufen. Während sie das Schaufenster passiert, denke ich, wie gewöhnlich sie aussieht. Natürlich hat sie den gewissen Schick, dieses Französische eben. Aber in London sind viele schick. Und viele stammen aus dem Ausland. Sie ragt in keiner Weise heraus. Und ganz sicher sieht sie nicht wie jemand aus, der gestern Nacht zwei Leuten beim Sex zugesehen hat.

Ich denke wieder daran, wie sie auf meine Brust gestarrt, wie sich ihr Hals beim Schlucken bewegt hat, und ich bekomme eine trockene Kehle. Was habe ich getan?, stöhne ich innerlich. Was hab ich mir nur dabei gedacht? Wie soll ich je wieder in ihr Haus gehen können?

Ich bestelle mir ein Stück Baklava aus der verführerischen

Vitrine mit libanesischen *Mezze* und Desserts, aber wie bei dem Toast stochere ich nur daran herum, und die Schmetterlinge in meinem Bauch gewinnen die Oberhand über den Hunger. Ich muss Anne gegenübertreten, sage ich mir schließlich. Selbst wenn das heißt, dass sie mich feuert. Ich sollte jetzt bei der Arbeit sein, und stattdessen schwänze ich, auch wenn ich mir zugute halten kann, dass ich nach einem Zettel mit Anweisungen geguckt habe. Ich hätte wenigstens eine Nachricht hinterlassen können, wohin ich gehe.

Nein, ich komme nicht daran vorbei, zurückzugehen und mich ihr zu stellen; mir ist eher nach Davonlaufen, aber meine Sachen liegen bei ihr im Dachzimmer. Wenn ich ihr nicht folgen und warten will, bis sie wieder das Haus verlässt, um dann die Treppe raufzustürmen, meine Sachen zu holen und abzuhauen, ehe sie zurückkommt, dann bleibt nichts anderes als irgendeine Art von Konfrontation. Ich lege eine Handvoll Münzen als Bezahlung und Trinkgeld auf den Tisch, stehe auf und gehe.

Mit heftigem Herzklopfen schließe ich die Haustür auf und höre Radio 4 aus der Küche schallen, was darauf hindeutet, dass Anne tatsächlich zu Hause ist – Hettie ist dem Geräusch nach oben beim Staubsaugen.

Mein erster Impuls ist, nach oben zu rennen, meine Sachen zu schnappen und einfach zu gehen, aber eine innere Stimme mahnt, was ich bei diesem Job in der Gesellschaft einer Schriftstellerin alles lernen könnte. Wir haben alle zu viel getrunken, rede ich mir ein. Wir haben uns hinreißen lassen. Nach ein oder zwei Tagen wird alles vergessen sein. Ich betrete die Küche.

Anne steht an der Spüle. Als sie mich hört und einen kleinen Huster entlässt, dreht sie sich um und begegnet meinem

Blick ohne eine Spur von Verlegenheit. Meine Wangen glühen, das spüre ich. Meine Beine sind wie Pudding, mein Mund ist schmerzhaft trocken.

Anne sagt keinen Ton, was mir nicht weiterhilft, und blickt mich stattdessen fragend an, als wartete sie eigens, dass ich als erste spreche.

»Es … es tut mir leid«, stammele ich.

»Was tut dir leid?«

Anne ist keine Frau, die Bockmist redet, sage ich mir. Sie hat nicht die Absicht, es anderen leichter zu machen, sich auf Nettigkeiten zu verlegen, um jemandem über eine Situation hinwegzuhelfen. Sie ist geradeheraus bis an die Grenze der Brutalität. Teils bewundere und teils verabscheue ich sie dafür. Wie kann sie nur so kalt und ungerührt bleiben, wo sie doch sieht, wie schwer es für mich ist?

»Weil … eh … ich habe geguckt, ob eine Nachricht daliegt, aber …«

»Aber was?«, fragt sie mit leiser Ungeduld im Ton. Sie hält mich für blöd.

»Ich … war joggen. Es schien nichts … Sie haben mir nicht gesagt, was ich tun soll.«

»Was du tun sollst?« Kurz macht sie ein verwirrtes Gesicht, dann lächelt sie – ein hartes, verkniffenes, ja mitleidiges Lächeln. »Ach, ich verstehe. Du meinst arbeiten.« Sie sieht sich um. »Das Joggen ist in Ordnung. Im Augenblick gibt es sowieso nicht viel zu tun.«

Ihr Blick landet auf einem Haufen von Büchern und Papieren auf der Anrichte, der offenbar vom Küchentisch dorthin verschoben worden ist, bevor wir mit James zu Abend gegessen haben. »Vielleicht …«, beginnt sie ein wenig abwesend, »vielleicht kannst du da etwas Ordnung hineinbringen.«

»Was soll ich damit machen?«, frage ich und versuche,

meine Enttäuschung über diese lästige Aufgabe zu unterdrücken.

Achselzuckend beäugt sie die Stapel. »Oh, ich weiß auch nicht«, sagt sie sorglos und mit einer Geste, als wollte sie eine Fliege verscheuchen. Ich sehe, dass sie dieses Chaos eigentlich nicht interessiert, dass es sich schon über Monate angesammelt hat und sie mir nur etwas zu tun geben will, etwas, das mein Hiersein rechtfertigt, den Lohn, den sie mir zahlt.

»Gut«, sage ich, um sie aus der Verlegenheit zu befreien. »Wie wär's, wenn ich die Bücher ins Regal räume und die Papiere zu Stapeln ordne? Dann können Sie feststellen, ob dazu etwas getan werden muss, und sagen mir, wenn ich mich darum kümmern soll. Alles andere hefte ich ab.«

»Klingt wunderbar«, sagt sie, wendet sich aber bereits ab, weil ihr, während ich das vorschlage, etwas anderes eingefallen ist. Ich betrachte sie ein bisschen neidisch. Kreative Impulse und Ideen zu haben und das Talent, ihnen zu folgen – welche Freude muss das sein. Ich denke wieder an meine misslungenen Anfänge in den Cafés, an meine Bemühungen, ein Thema zu finden, über das es sich zu schreiben lohnt. Anne hat anscheinend recht – ich habe noch nicht genug erlebt, als dass ich etwas mitzuteilen hätte. Umso mehr sollte ich für diese Stelle und mein Glück, sie gefunden zu haben, dankbar sein und sie nicht sausen lassen wegen meiner kleinlichen Haltung zum gestrigen Abend.

Der Alkohol stellt komische Dinge mit den Menschen an. Ich hoffe nur, die anderen beiden haben so viel Wein getrunken, dass ihre Erinnerung nebelhaft ist, dass sie mit der Zeit verblasst wie ein Traum, bis nichts mehr übrig ist als verschwommene Bilder.

Anne ist aus der Küche gegangen. Bestimmt hat es sie in ihr Arbeitszimmer gezogen. Ich starre auf den Tisch und verkneife mir einen Seufzer. Ich habe von einer kreativen Atmosphäre geträumt, und Aufräumen und Abheften ist nicht gerade das, was mich erleuchtet. Doch es wird noch genug Zeit sein, mehr mit der kreativen Seite der Arbeit zu tun zu haben, wenn Anne mit ihrem Roman erst einmal vorangekommen ist. Sie hat erwähnt, dass sie noch im Entwurfsstadium steckt, und wahrscheinlich wird mein Betätigungsfeld später noch größer und interessanter werden.

Es dauert nicht lange, bis ich mich durch Annes Papierberge gearbeitet habe. Das meiste kann sofort in den Papierkorb fliegen – die Rundschreiben von Parteien, veraltete Theatervorschauen, Annes Gedächtnishilfe für Veranstaltungen, die inzwischen der Vergangenheit angehören. Das Übrige – unbezahlte Rechnungen, Briefe von Lesern, die ihr Verleger weitergeleitet hat, Literaturzeitschriften, die noch in der Cellophanhülle stecken – lege ich zu Stapeln und sortiere sie nach Dringlichkeit auf dem Tisch. Auf jeden Stapel lege ich einen Zettel: »Offene Rechnungen – DRINGEND«, steht auf dem ersten. Dann wende ich mich den Büchern zu.

Anne rezensiert englischsprachige Romane für eine Handvoll Zeitschriften in Paris oder anderswo in Frankreich, und ein großer Anteil Papier besteht aus ungebundenen Leseexemplaren, die die Verlage ihr zuschicken. Bei einem Blick auf die Titel sehe ich, dass einige zu alt sind, um noch für eine Rezension in Frage zu kommen. Die lege ich zu einem separaten Stapel an die Wand mit einem entsprechenden Zettel darauf. Die übrigen sortiere ich nach Datum und lege sie in die Tischmitte.

Bücher, die mir keine Rezensionsexemplare zu sein scheinen, sondern die Anne sich gekauft und nur noch nicht gelesen hat, trage ich ins Wohnzimmer, um sie in die Regale einzugliedern. Möglich, dass sie sie im Arbeitszimmer haben möchte, aber wenn ich sie das erst fragen muss, kann sie es auch selbst erledigen. Ich weiß schon, dass es zu meiner Rolle gehört, bestimmte Entscheidungen selbst zu fällen. Ich sage mir, wenn es ihr so wichtig wäre, hätte sie sie nicht wie Kraut und Rüben auf dem Tisch liegen lassen.

Die Romane schiebe ich ins Regal, wo immer ich Platz finde – ein kurzer Blick sagt mir, dass Anne nicht die Art Mensch ist, die ihre Bücher alphabetisch sortiert, oder nach Thema oder sonstwie. Ich präge mir ein, wo ich sie hingelegt habe, für den Fall dass sie mich künftig danach fragen sollte, aber ich rechne eigentlich nicht damit. Ich bin froh, dass ich mich auf etwas konzentrieren kann, bei dem ich nicht mehr an gestern Abend denken muss. Nachdem ich mit Anne gesprochen habe, bin ich schon nicht mehr so empfindlich deswegen und beschließe, einfach meine Arbeit zu machen und unseren ersten Abend als verrückten Vorfall abzuschreiben.

Dann komme ich zum Grund des Stapels und stoße auf ein Buch, das ich beim Sortieren gar nicht beachtet habe. Es ist ein großer, hübscher Band mit dem Titel *Peek: Photographs from the Kinsey Institute*. Auf dem Buchdeckel ist das bräunliche Foto einer Frau mit zurückgebogenem Kopf, das Kleid ist weit geöffnet, vor die nackten Brüste hält sie einen leeren Bilderrahmen, der sie eigens hervorhebt.

Nach einem schnellen Blick zur Tür schlage ich das Buch auf und blättere darin, als wäre ich ein ungezogenes Schulmädchen. Ich sehe mir eine Frau an, die als Domina gekleidet die Peitsche vor einem Plüschhündchen schwingt, das aufrecht sitzt und bettelt. Dann einen Fächer aus nackten Beinen, von oben fotografiert in Mehrfachbelichtung; eine Gruppe nackter Männer, die eine Säule stützen, sodass sie aussehen wie griechische Statuen. Ich gehe und schließe die Tür zum Flur, setze mich aufs Sofa und wende mich dem Vorwort zu.

Das Kinsey Institut, so erfahre ich, ist eine Forschungsgruppe der Indiana University zur Untersuchung der menschlichen Sexualität. In den 1930er Jahren begann ihr Gründer, Alfred C. Kinsey, mit der Sammlung von Fotos und Kunstwerken zum Zweck einer Dokumentation, die die »Erhebungen« seiner Forschungsgruppe ergänzen sollte. Sie datieren von 1870 an und stammen aus allerlei Quellen, von Künstlern wie auch aus Polizeiarchiven, weshalb die Sammlung so eklektisch wirkt. Das letztendliche Ziel war ein detailliertes Klassifikationsschema sexueller Praktiken.

Ich blättere noch einmal durch: einige Abbildungen (die Crème einer Sammlung von etwa fünfzigtausend) sind subtil und beziehungsreich, andere anschaulich bis an die Grenze des Brutalen. Diesmal verweile ich bei denen, die mir ins Auge springen: französische erotische Postkarten aus dem späten neunzehnten Jahrhundert, einen prachtvollen männlichen Akt aus den Fünfzigern, das Foto eines Naturisten beim Bogenschießen – ziemlich surreal. Es gibt auch einen sehr interessanten Aufsatz über erotische Fotografie von einem Experten dieses Fachs. Ich werde ihn lesen, sobald ich mehr Zeit habe.

Ich schaue über die vielen Regale, um eine Stelle zu finden, wo der Band noch hineinpassen könnte. In einer Zimmerecke am Boden eines robusten Regals bemerke ich ein Brett mit doppeltem Abstand für großformatige Kunstbände. Ich schlendere hinüber, neige den Kopf zur Seite und wandere über die Buchrücken: *Paul Gauguin – an Erotic Life; Gustav Klimt – Erotic Sketchbook; Ars Erotica – Best Modern Erotic Art; Venus – Masterpieces of Erotic Photography; Private Collection – A History of Erotic Photography 1850–1940*. Anscheinend denkt meine Arbeitgeberin ein bisschen einspurig, wenn es um Kunst geht.

Ich schiebe den Kinsey-Band ins Regal und ziehe wahllos einen anderen heraus, mit dem ich mich zum Sofa begebe. Ich schlage ihn auf, und mein Blick fällt auf das Foto eines älteren Mannes in einem Lehnstuhl, der in die Kamera sieht. Es ist ein Schwarz-Weiß-Foto, wie fast immer bei guten Nacktaufnahmen, und seine Haut schimmert wie Elfenbein. Sein Geschlechtsteil sieht man nicht, aber sein Blick ist stolz und provokant.

Er weiß, dass er noch immer begehrenswert ist. Unausweichlich muss ich an den gestrigen Abend denken, an James' Gesicht zwischen meinen Beinen, an seine Zunge, die mich immer wieder kommen ließ. Mein Wunsch, ihn nackt zu sehen, ist so stark gewesen, dass es mich schockiert hat. So etwas zu wollen, hätte ich mir nie vorstellen können. Als ich diesen Fünfzigjährigen in dem Buch sehe, fühle ich mich erneut betrogen.

Ich lasse das Buch in den Schoß sinken, beiße mir auf die Lippe und spähe wieder zu der geschlossenen Tür. Ich schiebe die Hand zwischen die Beine, drücke sie an meine Muschi und stöhne frustriert auf. Ich habe James so sehr gewollt. Ich kann nicht glauben, dass Anne uns so weit hat gehen lassen, um ihn dann von mir wegzuscheuchen. Und dass er sich ihr darin gefügt hat. War er nicht auch scharf auf mich? Die Frage brauche ich gar nicht zu stellen: Sein Schwanz hat an mir gepocht wie ein kleines Herz, selbst als wir noch unten saßen.

Stöhnend reibe ich mich durch die verschwitzte Trainingshose, während mir mit einem bitteren Geschmack im Mund diese Gedanken durch den Kopf gehen. Was hat James von der Sache? Sicher, er konnte mich lecken, aber war er beim Hinausgehen nicht genauso scharf, genauso frustriert wie ich? Er sah nicht so aus; er wirkte ruhig und gefasst.

Mir dämmert, dass James, schon bevor wir anfingen, gewusst haben muss, was passieren würde. Er hat vorher gewusst, dass Anne ihn nicht den ganzen Weg gehen lassen würde. Was hat er also davon?

Ich nähere mich bereits dem Orgasmus, als mir ein anderer Gedanke, ein noch abstoßenderer, durch den Kopf schießt – die Erkenntnis, dass ich ihn das Haus gar nicht habe verlassen hören, nachdem sie beide aus dem Zimmer gegangen sind. Ich habe Stimmen im Flur gehört, aber dann habe ich mich selbst bedienen, mich wieder runterbringen müssen von der schieren Frustration, weil ich um James' Schwanz betrogen worden bin.

Dann bin ich erschlafft und befriedigt weggedöst. Und wenn es nur ein Appetitanreger gewesen ist, was James und ich getan haben – Annes Methode, ihn anzuheizen, damit er sie befriedigt? Könnte es sein, dass es ihr Verlangen steigert, wenn sie ihre Liebhaber mit jemand anderem am Werk sieht? Wenn ja, dann bin ich auf die schäbigste Weise benutzt worden.

Das Klingeln des Telefons unterbricht mich, und ich bin froh. Ich stand kurz vor einem traurigen, sauren, knickrigen Orgasmus, einer mickrigen Kompensation dessen, was ich hätte haben können. Plötzlich will ich an James nicht mehr denken, an seine Komplizenschaft bei Annes krummen Spielchen, an einen Mann, der dem Alter nach mein Großvater sein könnte.

Ich stelle das Buch weg, gehe in die andere Ecke des Raumes zum Telefon. Ich weiß schon, dass Anne nicht rangeht, dass sie im Arbeitszimmer keinen Apparat hat, damit sie nicht gestört wird, wenn die schöpferischen Säfte fließen. Und Hettie ist draußen im Garten und hängt Wäsche auf die Leine. Natürlich gibt es einen Anrufbeantworter, aber ich habe plötzlich wieder Schuldgefühle – ich bin hier, um zu arbeiten, als

Annes Assistentin, nicht um herumzusitzen und nackte Männer auf Fotos zu begaffen und mir einen runterzuholen.

»Hallo, hier Genevieve«, sage ich in den Hörer, weil mir der zweifelnde Gedanke kommt, ob es so gut ist, am Telefon Annes Namen zu nennen, zum Schutz ihrer Privatsphäre. Werden Romanautoren von Fans belästigt?

Es folgt eine Pause am anderen Ende der Leitung, ein Luftholen, und dann macht mein Magen einen Sprung, als ich die bekannte Stimme höre.

»Genevieve«, sagt James leise, und einen Moment lang stelle ich mir vor, wie er sich meinen Namen im Mund zergehen lässt.

»Tag«, antworte ich, als klar ist, dass er nichts weiter sagt. Ich höre mich ulkig an: fiepsig und heiser. »Eh, Anne ist oben. Ich weiß nicht ... kann man sie stören?«

»O nein«, sagt James, und seine Stimme kommt wie flüssiger Honig durch die Leitung. »O nein, Sie dürfen Anne nicht stören, nicht während sie arbeitet. Ich wollte nur eine Nachricht auf dem Dings hinterlassen.«

»Dann werde ich es ihr ausrichten«, sage ich kleinlaut. »Ich hole nur schnell einen –«

»Nein, nein«, sagt er hastig, aber weiterhin leise. »Es war nichts Wichtiges. Eigentlich ...« Er stockt, als wisse er nicht, ob er den folgenden Satz aussprechen darf. »Eigentlich bin ich ... bin ich froh, dass Sie abgenommen haben.«

Er stockt wieder, und ich mache den Mund auf, um etwas zu sagen, aber kein Ton kommt heraus. Das Schweigen ist so tief, dass ich das Blut in meinen Ohren rauschen höre.

Dann redet James weiter. »Ich habe mich gefragt ... Sie werden mich für einen alten Narren halten, aber ich habe mich gefragt, ob wir uns treffen könnten.«

Ich atme scharf ein. Damit habe ich nicht gerechnet, und die

Vorstellung löst in mir Furcht und Verlangen aus. Aber zwischen uns steht eine unerledigte Sache, und ich weiß, wenn ich die Einladung nicht annehme, werden mich den Rest meines Lebens Was-wäre-wenn-Fragen quälen.

»Klar. Wann ... wo?«

»Sind Sie heute Abend frei?«

»Ich schätze, ja. Sie hat nicht ...«

Ich zögere, und er fährt an meiner Stelle fort. »Sie sind nicht ihr Eigentum, nur weil Sie in ihrem Haus wohnen. Ihre Zeit gehört Ihnen, an den Abenden.«

Ich nicke, sage aber nichts.

»Also sagen wir acht Uhr? Wir können einen Happen essen, wenn Sie möchten. Ich habe auch nicht vergessen, dass ich Ihnen ein Exemplar meines Buches versprochen habe.«

»Also gut, das wäre schön.«

Ich muss wohl zögerlich klingen, denn er fügt hinzu: »Machen Sie sich keine Gedanken. Ich werde diskret sein. Mir ist klar, dass Sie nicht mit einem so alten Mann gesehen werden wollen. Ich weiß das perfekte Lokal – kennen Sie das Prinz Alfred in der Formosa Street in Little Venice?«

»Ein Pub?«

»Ja. Mit einem Straßenverzeichnis ist er leicht zu finden, falls Sie die Gegend nicht kennen. Wenn Sie da sind, werden Sie verstehen, was ich mit ›diskret‹ meine. Bis dann.«

Er legt auf, und einen Moment lang stehe ich da mit dem Hörer in der heißen, schwitzigen Hand. Dann fahre ich bei einem Geräusch auf dem Flur zusammen, und nachdem ich den Hörer hastig aufgelegt habe und mich herumdrehe, sehe ich Anne kommen, die gezupften Brauen hochgezogen.

»Habe ich dich telefonieren hören?«, fragt sie.

»Eh, ja«, sage ich und habe Mühe, nicht zu stammeln oder wieder fiepsig zu klingen. »Das war nur so ein ärgerlicher

Werbeanruf, eine Bandaufnahme. Ich habe aufgelegt. Brummen die Ihnen nicht die Kosten auf, obwohl sie es sind, die angerufen haben?«

»Ach, so etwas«, sagt sie. »Ich habe keine Ahnung von dieser modernen Technik.« Und schon schwebt sie aus dem Wohnzimmer in die Küche, um Hettie nach dem Mittagessen zu fragen.

Ich ziehe eine Grimasse, als ich sie dort höre. Mein zweiter Tag, und schon habe ich Geheimnisse vor ihr. Dieser Job wird anscheinend viel schwieriger, als ich mir vorgestellt habe.

4: Sugardaddy

Ich liege auf meinem Bett und versuche ins Gleichgewicht zu kommen. Nachdem Anne sich etwas zu essen geholt hat, ist sie wieder in ihr Arbeitszimmer verschwunden, ohne mir etwas aufzutragen. Vielleicht ist ihr entgangen, dass ich die Anrichte fertig aufgeräumt habe, und ich hätte sagen sollen, dass ich nichts mehr zu tun habe. Aber dann überfiel mich ein Schwindelgefühl, und ich musste in mein Zimmer gehen und versuchen, meinen rotierenden Verstand zu beruhigen.

Eine Weile fühle ich mich wirklich ratlos und verfluche es, dass ich auf diese Jobanzeige gestoßen bin. Ich spiele mit dem Gedanken, hinunterzugehen, mir bei der Auskunft James' Nummer zu besorgen und ihn anzurufen, um die Verabredung abzusagen. Schon bei dem Gedanken »Verabredung« schaudere ich.

Ein Mädchen wie ich, frisch von der Uni, geht zu einer Verabredung mit einem Sechzigjährigen? Ich sehe Vrons Gesicht vor mir, zuerst ungläubig, dann spöttisch. *Was soll das denn plötzlich?*, würde sie schreien. Es hätte keinen Zweck, ihr zu sagen, dass er kein gewöhnlicher Sechzigjähriger ist, ich bräuchte ihr gar nicht erst zu erzählen, dass es sich angefühlt hat, als wäre die lebenslange Erfahrung eines geübten Verführers zu dem einen Moment kondensiert, in dem er die Zunge an meine Klitoris setzte.

Doch dann blende ich Vrons Gesicht aus, blende Nates Gesicht aus – Letzteres verwirrt, verletzt und ungläubig. Diese Sache hat nichts mit ihnen zu tun. Das geht nur mich etwas an. Und ich meine, dass mir ein Happy End zusteht, nachdem Anne unser erstes Zusammentreffen vermasselt hat. Selbst wenn heute Abend nichts zwischen James und mir passiert, will ich wenigstens das Resultat unserer kleinen Geschichte erfahren. Will wissen, was zwischen uns ist, ohne dass Anne dazwischenfunkt.

Und da ist auch etwas in mir, das ich vielleicht noch nie so gefühlt oder als Teil meines Charakters wahrgenommen habe: blanke Neugier. Neugier auf diesen älteren Mann und die Gefühle, die er in mir auslöst. Aber auch Neugier auf ihn selbst, auf seinen Körper und wie er ihn einsetzt. Mir fällt auf, dass ich immer die sichere Option, den naheliegenden Weg gewählt habe.

Mit einem so viel älteren Mann zusammenzusein ist mir noch nie in den Sinn gekommen, was meine mangelnde Vorstellungskraft verrät. Doch jetzt, wo mein Interesse geweckt ist, will ich wissen, wie das ist.

Entschlossen, mir nichts aufgrund von Bedenken entgehen zu lassen, nehme ich mir vor, früh zu dem Pub zu gehen und schon vorher ein, zwei steife Wodka zu trinken, um dem ganzen die Schärfe zu nehmen, und fühle mich gleich stärker. Meine gute Stimmung kehrt zurück – und damit auch meine Libido.

Durch meine Adern strömt neue Energie, die mich aufmöbelt, und mir fallen die Bilder in Annes Buch wieder ein, besonders der provokante Blick dieses älteren Mannes. Ich mag seine Furchtlosigkeit, seinen offensichtlichen Stolz auf den gut erhaltenen Körper und darauf, dass er sich nicht vor den Blicken seiner Mitmenschen zurückgezogen hat, nur weil er nicht mehr jung ist.

Wie engstirnig bin ich gewesen. Die Welt muss voll sein von attraktiven alten Männern, die ich ignoriert habe, weil ich auf andere Männer fixiert gewesen bin, Männer, die altersmäßig ›passten‹. Als ich mit Nate zusammen war, habe ich andere kaum angesehen, geschweige denn in meine Fantasien eingebaut. Doch jetzt wird mir klar, dass ich selbst noch nach unserer Trennung immer nur nach Männern Ausschau gehalten habe, die ihm ähnlich sind. Es ist, als hätte ich mir einen bestimmten Typ aufgezwungen, nur weil ich Nate einmal anziehend gefunden habe. Dadurch habe ich mich um einen Lebensstil betrogen, der viel interessantere Möglichkeiten bietet.

Ich schließe die Augen. Bedauern führt zu nichts, wie ich neulich zu Anne gesagt habe. Und was auch bei dieser verrückten Situation herauskommen wird, bei diesem sonderbaren Job in dem sonderbaren Haushalt dieser sonderbaren Frau, ich habe bereits etwas über mich erfahren, das mich als Person weitergebracht hat. Das kann nicht schlecht sein.

Eine Zeit lang döse ich, lasse die Finger müßig über meinen Schritt wandern. Träge zerre ich mir die Trainingshose hinunter – ich trage keinen Slip, damit er sich nicht abmalen kann – und schiebe die Finger zwischen die Schamlippen und in mein nasses Loch. Mit dem Daumen reibe ich sanft an der Klitoris, dann steigere ich nach und nach Druck und Geschwindigkeit.

Ich wage es nicht, mir vorzustellen, was gestern Abend mit James hätte sein können, darum denke ich an den Mann mit der Alabasterhaut aus dem Buch. Zwischen den übereinander geschlagenen Beinen lugte ein winziger Streifen Schamhaar hervor. Ich sehe immer noch seinen offenen, einladenden Blick vor mir.

Als ich ihn ansehe, steht er vom Stuhl auf, und sein Penis, der so stolz ist wie sein Blick, wippt herausfordernd. Er kommt auf mich zu. Ich stöhne, reibe härter an der Klitoris und ein bisschen schneller. Ich spreize die Beine, stoße die Finger tiefer hinein, damit das Gefühl anhält, bevor ich über die Klippe gehe und auf der Woge meines Orgasmus reite. Ich versuche, leise zu sein, doch kleine heisere Schreie blubbern aus meiner Kehle.

Jetzt beugt er sich über mich, der Mann auf dem Foto, und meine Finger werden zu seinem Schwanz, mein Daumen an der Klitoris wird zu seinem. Ich werfe ekstatisch den Kopf in den Nacken und genieße das Gefühl der Erlösung, als mein Orgasmus einsetzt.

Die Hand auf dem Schamhügel, liege ich keuchend da. Als ich leiser werde, meine ich, vom Treppenabsatz Geräusche zu hören. Ich halte den Atem an, den Blick auf die Tür geheftet. Anne steht da, denke ich und rechne fest damit, dass sie hereinkommt. Ich setze mich auf und ziehe mir die gebauschte Hose von den Knien hoch. Ich starre auf den Türknauf in der Erwartung, dass er sich dreht. Meine Tür hat kein Schloss, stelle ich fest – was mir gestern Nacht nicht aufgefallen ist –, aber ich hätte wahrscheinlich sowieso nicht ans Abschließen gedacht.

Nichts passiert. Ich schwinge die Beine über die Bettkante, stehe auf und greife nach einem Handtuch, um es zum Duschen mitzunehmen. Es war nur die Katze, sage ich mir bei einem schnellen Blick zur Tür. Es ist wirklich niemand da gewesen.

Ich habe vor James im Prince Alfred sein wollen, um Zeit für zwei steife Drinks zu haben, aber der Weg von Bayswater nach Little Venice dauert länger als erwartet. Oder vielmehr sehe ich mich unterwegs ein bisschen aufgehalten durch die vielen schicken, neuen Wohnhäuser und die Bars, die rings um Paddington Basin und am Kanalufer aufgemacht haben. Es ist ein herrlicher Sommerabend – warm, aber es weht ein frischer Wind – und eine Zeit lang sitze ich auf einer Bank und sehe den vorbeifahrenden Booten zu, recke das Gesicht in die Sonne, die auf den Horizont zusteuert.

Währenddessen bummelt ein Pärchen Arm in Arm vorbei und lächelt sich verliebt an. Das gibt mir einen Stich – genau das habe ich lange Zeit mit Nate gehabt. Ich würde alles tun, um dieses Gefühl von Sicherheit und Schutz zurückzuerlangen, das Gefühl, mit jemandem völlig im Einklang zu sein und sei es auch nur für einen Abend. Aber das kann ich von meinem Treffen mit James nicht erhoffen. Ich kann hoffen, dass der Funke zwischen uns noch glimmt – dass es einen Funken gab und nicht nur die Wirkung des Weins. Doch die unbeschwerte Kameradschaft, die ich bei meinem ersten Geliebten und Seelenfreund gehabt habe, erscheint mir angesichts der Umstände für James und mich unerreichbar.

Es liegt nicht einmal am Altersunterschied, sondern daran, wie die Dinge angefangen haben: mit einer Feuersbrunst. Bei Nate war es so, dass wir monatelang miteinander geflirtet und uns umworben haben, uns zentimeterweise an den Sex herangearbeitet haben, weil unsere Angst davor genauso groß war wie unser Verlangen. Es war, als wäre uns beiden bewusst gewesen, wie kostbar die Sache zwischen uns war, als hätten wir die Befürchtung gehegt, sie könnte zerstört werden, wenn wir uns körperlich einander hingeben, und das Geheimnis, das wir füreinander darstellten, könnte zerstieben.

Bei James hat die Sache mit einem Feuer begonnen, mit Ungestüm. Es hat keinen romantischen Auftakt, kein emotionales Vorspiel gegeben, sondern ich saß plötzlich auf seinen Knien, hatte seine Hand zwischen den Beinen und seinen Schwanz in meiner Pokerbe. Selbst wenn die Sache weitergeht, wird es nie dieses langsame Schwelen, dieses allmähliche Wachsen der Intimität geben, das ich mit Nate gehabt habe.

Meine Augen folgen dem Paar das Ufer entlang. Nachdem ich die Tränen weggeblinzelt habe, stehe ich auf und überquere die Brücke, die mich zum Pub bringen wird. Ich sehe auf die Uhr. Es ist zwei Minuten vor acht. Bei dem Gedanken, dass James vielleicht schon auf mich wartet, durchschießt mich eine Mischung aus Aufregung und Angst.

Ich gehe hinein und bin kurz verwirrt – der Pub scheint winzig zu sein. Beim zweiten Hinsehen erkenne ich meinen Irrtum: der Raum ist rings um die zentrale Theke in Klausen aufgeteilt, in die hölzernen Zwischenwände sind hüfthohe Durchgänge eingelassen, sodass man sich zwischen ihnen hin und her bewegen kann. In einer stehe ich und recke den Hals über die Theke, um in die anderen Nischen spähen zu können und zu sehen, ob James schon da ist. Plötzlich legt mir jemand von hinten die Hände an die Hüften und flüstert mir in den Nacken – ich habe mir die Haare zum Knoten gebunden, was zu meinem schlichten, aber hoffentlich sexy wirkenden Outfit passt: enger, schwarzer Rock, schwarze Bluse mit weißem Kragen.

»Genial, *n'est-ce pas?*«, höre ich von hinten. Ich drehe mich um und lächle scheu in James' Gesicht.

»Hallo«, sage ich atemlos.

Er deutet auf unsere Umgebung. »Jetzt sehen Sie, warum ich dieses Lokal gewählt habe. Finden Sie nicht auch, dass es an Zugabteile erinnert?«

»Ja, jetzt, wo Sie es sagen. Was ... warum ...?«

»Das geht auf die viktorianische Zeit zurück, als man die Geschlechter und Klassen voneinander trennen wollte. Früher hingen auch sogenannte Snobscreens, eine Art Sichtschutz, über der Theke, der für mehr Abgeschiedenheit vor dem Thekenpersonal sorgte. Jetzt ist das natürlich das ideale Lokal für ein Stelldichein an einem ruhigen Wochentagsabend.«

Mein Bauch macht einen Satz. Ist es das, ein Stelldichein? Plötzlich kommt mir mein Leben aufregend vor, passend für eine angehende Schriftstellerin. So sehr ich mir das gewünscht habe, so sehr zittern mir jetzt die Beine. Ich fürchte, was vielleicht passieren wird. Werde ich eine Affäre mit James Carnaby haben? Und wenn ja, was sieht er in mir? Was kann ich einem Mann wie ihm bieten?

Er dreht sich seitlich zur Theke, während er mich weiter anblickt, und fragt mich, was ich trinken möchte. Mein erster Gedanke ist ein Staropramen mit einem Wodka zum Kippen, aber ich finde das ein bisschen zu studentisch und ganz bestimmt unweiblich und bitte um ein großes Glas Weißwein. Sofort ärgert es mich, dass ich glaube, vor dem, was ich wirklich will, noch einen guten Eindruck machen zu müssen, weil ich fürchte, was James von mir denken könnte. Warum kann ich mich nicht entspannen und ich selbst sein? Warum habe ich immer das Bedürfnis, den Erwartungen der Leute zu entsprechen?

James kehrt mit zwei Gläsern in der Hand zu mir zurück, eines davon ein hohes mit schäumendem bernsteingelbem Bier. Es sieht köstlich aus. Ich könnte mir in den Hintern treten.

»Alles in Ordnung?«, fragt er, weil er spürt, dass mich etwas ärgert, und zum ersten Mal sehe ich ihm in die Augen. Ich habe das Gefühl, als würde ich in ein schwarzes Loch gesaugt. Das Bier ist vergessen, und ich habe Mühe, die Fassung zu bewahren. James hat hinreißende, warme, braune Augen, die Vertrauen wecken. Wie er so dasteht und mich fragend ansieht, hat es den Anschein, als wäre es ihm wirklich wichtig.

»Ja, alles in Ordnung«, bringe ich schließlich heraus.

»Wollen wir?« Er deutet mit dem Kopf nach rechts, und ich folge ihm, als er sich durch die Luke duckt und dann durch noch eine, um eine einsame Klause zu finden. In der hintersten angelangt, stellt er die Gläser auf den Tisch und dreht sich um, um den Durchlass vor dem Rest der Welt zu schließen.

Ich beobachte ihn. Er bewegt sich athletisch und für einen Mann seines Alters überraschend geschmeidig. Vermutlich geht er regelmäßig ins Fitnessstudio, um so schlank und biegsam zu bleiben. Seine Haare sind zwar durch und durch grau, aber exzellent geschnitten und im Nacken rasiert, was ihm ein frisches, jugendliches Aussehen verleiht. Seine Kleidung ist leger, aber elegant: gut sitzende Paul-Smith-Jeans und ein helles Leinenjackett über einem cremefarbenen Hemd. An den Füßen glänzen Budapester von untadeliger Qualität. Er ist ganz offenbar ein Mann mit gutem Geschmack, der sein Geld klug ausgibt. Ein Mann, der weiß, was ihm steht und wie er sich vorteilhaft hervortut. Zum ersten Mal frage ich mich, was für Frauen es in seinem Leben gibt.

Ich weiß so gut wie nichts über ihn, wie mir gerade auffällt, obwohl er ein Autor mit einigem Ansehen ist. Er hat anerkannte Wälzer zu verschiedenen Themen der Kunstgeschichte geschrieben, darunter auch einen ganz berühmten über die Aktdarstellung in der abendländischen Kunst, und hat zahlreiche Ausstellungen kuratiert. Doch von seinem privaten Leben weiß ich nichts. Ist er vielleicht Witwer? Und wie kommt es, dass er bei seinem Aussehen, Ruhm und Reichtum ungebunden ist? Oder ist er gar nicht ungebunden?

Meine Überlegungen müssen mir anzusehen sein, denn James greift herüber und tätschelt mir beruhigend die Hand, und wie gestern in Annes Küche hält er sie fest, während er mich forschend ansieht.

»Wie war Ihr Tag?«, fragt er, und ich überlege, was ich Vernünftiges antworten könnte. Ich kann ihm schlecht erzählen, dass ich mir Nacktfotos angesehen und dabei an ihn gedacht habe, dass ich anschließend in meinem Zimmer onaniert habe, während Anne – je mehr ich darüber nachdenke, desto mehr bin ich überzeugt, dass sie da gewesen ist – mir dabei zugehört hat.

»Arbeitsreich?«, gibt er mir als Stichwort. »Gibt Anne Ihnen viel zu tun?«

Ich zucke die Achseln. »Eigentlich nicht. Ich habe ihren Papiermist geordnet.«

»O gut.« Er lacht. »Diese scheußliche Küche. Ein Albtraum. Anne hat für den Haushalt wirklich nicht viel übrig, und trotz Hettie ist es ein verlorener Kampf. Was haben Sie sonst noch angestellt?«

»Ich ... ich bin joggen gewesen. Sie war nicht da, und ich wusste nicht, was ich sonst tun sollte. Sie ... um ehrlich zu sein, ich bin mir nicht sicher, was sie von mir will.«

James trinkt einen Schluck Bier, und seine Augen wandern zum Fenster. Ich folge seinem Blick. Durch das ziselierte Milchglas sieht man die Zweige eines Baumes im auffrischenden Wind hin und her wedeln.

»Oh«, sagt er ein wenig abwesend, als wäre er mit den Gedanken woanders, »ich bin sicher, das wird beizeiten klar werden. Anne hat ganz bestimmt Pläne mit Ihnen.«

Ich starre ihn an. Plötzlich hat alles einen unheilvollen Anstrich: sein Ton, dieses Treffen, der Telefonanruf. Mir fällt wieder ein, wie dieser selbstsichere, weltgewandte Mann auf der Höhe unserer sexuellen Erregung sich bereitwillig Annes Wünschen gefügt hat, und wieder frage ich mich, was er davon hat. Ist das wirklich ein Rendezvous oder treibt er ein Spiel mit mir?

»Wie zum Beispiel?«, frage ich, selber überrascht von meinem harschen Ton. »Was für Pläne?«

Er wendet mir das Gesicht wieder zu, scheint mich aber nicht zu sehen. »Woher soll ich das wissen?«, erwidert er. »Aber sie hätte die Anzeige nicht aufgegeben, wenn sie keine Hilfe bräuchte, meinen Sie nicht? Sie werden bestimmt bald herausfinden, welche Aufgaben Anne Ihnen übertragen will.«

»Ja«, murmele ich, blicke auf den Tisch und zeichne mit dem Finger den nassen Kreis auf dem Bierdeckel nach, wo mein Glas gestanden hat.

Da er spürt, dass ich mich von ihm entferne, dass die gute Laune, mit der wir begonnen haben, zu kippen droht, beugt er sich zu mir, und ich spüre seinen Atem im Gesicht, minzig und frisch, aber ein bisschen nach Bier riechend. Ich muss mich bremsen, um nicht zu schwelgen. Meine Hand schließt sich um seine, als er unter dem Tisch an mein Knie fasst, mir den Rock hochschiebt und am Innenschenkel hinaufwandert.

Ich nehme mein Glas und trinke einen großen Schluck von dem honigfarbenen Chardonnay, dann noch einen.

»Ihre Beine zittern«, sagt James leise.

Ist das denn ein Wunder?, will ich rufen, doch stattdessen blicke ich erschrocken zum Abschnitt der Theke, der unserer Klause gegenüberliegt. Zum Glück sind wir in der allerletzten, und das wenige Personal an diesem ruhigen Abend scheint sich am anderen Ende versammelt zu haben, wo die Tür zu Straße ist. Niemand kann uns sehen, Gott sei dank.

Er neigt sich näher heran und küsst meinen Hals, dass ich stöhne und bebe und am ganzen Körper zucke. Das ist die Stelle, wo es mich wirklich erwischt, und er hat sie gefunden –

meine wichtigste erotische Zone, die Stelle, wo der Wahnsinn anfängt. Mit einer Hand stütze ich mich an der Wand ab, mit der anderen greife ich wild um mich nach einem Halt, der mich mit der Erde verankert, und stoße beinahe mein Glas um. Ich habe den Kopf in den Nacken gelegt und liefere mich seiner Gnade aus, total, obwohl ich weiß, dass wir jederzeit von einem Mitglied der Thekenmannschaft gesehen werden können. Doch ich bin unfähig, Einhalt zu gebieten, unfähig zu verlangen, dass wir uns irgendwohin zurückziehen.

Zwischen Wand und Tisch gestützt, ziehe ich ein Knie an, streife den Schuh ab und schiebe die nackten Zehen zwischen James' Oberschenkel, um ihm an der Ausbuchtung der Jeans über Penis und Hoden zu streicheln. Er holt scharf Luft, und sein Atem an meinem Hals beschleunigt sich und wird unregelmäßig. Ich lasse die Tischkante los und ziehe ihm gewandt den Reißverschluss auf, dann schiebe ich die Hand in seine Unterhose. Sein blutwarmer, steifer Penis wird noch härter, als ich ihn in meine feuchte Hand nehme. Ich ziehe daran.

»Ich will dich«, flüstere ich drängend. »Ich will dich jetzt.«

Er hebt ein wenig den Kopf und wirft einen Blick über die Schulter.

»Mach dir keine Gedanken«, verlange ich, »hier ist niemand.«

Ich lasse seinen Schwanz los, um mir zappelnd den Slip ein Stück hinunterzuziehen und ihm reif und bereit meine ganze durchnässte Pracht zu enthüllen. Doch er ist abgelenkt, mit den Gedanken woanders. Diesmal bin ich die treibende Kraft, obwohl er es war, der das Treffen initiiert hat.

Ich lasse meinen Slip, wo er ist, fasse ihn um den Nacken und versuche ihn zu mir zu ziehen. Mir ist inzwischen gleichgültig, wo wir sind oder ob Möbel und Gläser in Mitleidenschaft geraten.

Dann ist mir plötzlich klar, warum James' Verhalten sich geändert hat. Es ist, als wäre ein sechster Sinn in mir angesprungen, und ich weiß, ich weiß mit völliger Sicherheit, dass Anne Tournier auf der anderen Seite der Trennwand ist und uns belauscht. Keine Ahnung, wieso ich das weiß, aber da ist etwas in James' Gesichtsausdruck, an der Art, wie er sich bewegt, als er sich umsieht, wie seine Aufmerksamkeit mehr auf die Nachbarklause gerichtet zu sein scheint als auf die Bar, wie man erwarten könnte, und das verrät die Sache.

Und damit kommt auch der Verdacht, dass das alles abgekartet war – dass James mich mit Annes Wissen oder vielleicht sogar auf ihren Wunsch angerufen hat, in der Hoffnung, dass ich drangehe, damit er das Treffen vereinbaren kann. Das war zu keiner Zeit ein Stelldichein im Sinne eines heimlichen Treffens. Stattdessen war es ein Treffpunkt zur Jagd, was unser englisches Wort *tryst*, das sich aus dem alten französischen *triste* gebildet hat, ursprünglich bedeutet, so habe ich es an der Uni gelernt. Denn was hier vor sich geht, kann nur bedeuten, dass Anne in einer Weise, die über meinen Verstand geht, mich als Beute ausersehen hat.

Natürlich kommen mir diese Gedanken kurz wie ein Blitzlicht oder erst im Nachhinein, denn ich bin völlig eingenommen von der plötzlichen Gewissheit über Annes Anwesenheit hinter der Zwischenwand und von dem Bewusstsein der Lächerlichkeit dessen, was ich soeben habe tun wollen – nämlich James hier in diesem Pub ficken, mit gespreizten Beinen an einen von Bier klebenden Tisch gelehnt. Ich habe mich bis zu dem Maße völligen Leichtsinns und der Missachtung jeden gesellschaftlichen Anstands hinreißen lassen, und jetzt holt die Wirklichkeit mich ein, und ich fühle mich lächerlich und bloßgestellt.

Ich ziehe meinen Rock nach unten, mein Slip ist noch um

meine Oberschenkel gerollt. »Sie ist da drüben, stimmt's?«, zische ich, und James blickt zu der halbhohen Tür und nickt.

Als ich seinem Blick folge, öffnet sie sich langsam. Obwohl ich mit ihrem Gesicht rechne, durchfährt es mich bei dem Anblick wie ein elektrischer Schlag.

»Was –?«, setze ich an, doch ehe ich weitersprechen kann, geht James, der sich hastig den Reißverschluss zugezogen hat, auf Anne zu und hält ihr die Tür auf. Seine Körperhaltung verrät weder Bestürzung noch Überraschung.

Anne schlüpft gebückt hindurch und richtet sich auf. Ihre Augen sind auf James geheftet, und zwischen ihnen geht etwas vor, Informationen werden in einer Sprache übermittelt, die ich nicht verstehe, die mir fremd ist. Auf James' Seite sehe ich weder Belustigung noch Verlegenheit, sondern etwas, das von jahrelanger Freundschaft spricht und eine Tiefe hat, die ich nicht einmal erahne. Das sind Blicke, übervoll von Geheimnissen.

Als fiele ihnen plötzlich wieder ein, dass ich auch noch da bin, sehen sie mich an, wie ich neben dem Tisch stehe.

»Hallo, Genevieve«, sagt Anne kalt, als wäre ihr Eindringen völlig normal. Es wird keine Erklärung vorgebracht. Ich bin so sprachlos, dass ich darauf nichts erwidern kann.

James übernimmt die Führung. »Wie wär's, wenn wir zu mir gingen?«, schlägt er vor, und Anne nickt.

»Wie nett«, sagt sie. »Ich hoffe, du hast noch etwas von diesem Hennessy, dem Private Réserve?«

James lächelt und hält uns die Tür auf, die direkt aus unserer Klause auf die Straße führt. »Den habe ich nur für dich reserviert«, sagt er. »Er gebührt nur einer ganz besonderen Dame.«

Anne lacht, ein hohes, leicht gezwungenes oder falsches Lachen, wie mir scheint. »Ausgezeichnet«, sagt sie und hakt sich bei ihm unter. »Genevieve, du musst ihn unbedingt probieren. Er ist phantastisch, eine Mischung aus trockenen Orangen und Rosen, gerösteten Mandeln und Vanille.« Sie sieht mir eindringlich und streng in die Augen, als wollte sie mir etwas sagen, und gleichzeitig ist ihr Blick eigentümlich ausdruckslos. Mein Magen sackt mir weg, kurz ist mir, als würde ich in einen Abgrund blicken.

»Vanille«, redet sie weiter, »ist natürlich ein Aphrodisiakum.«

Ich sehe sie an und bin noch immer sprachlos.

James kommt mir, absichtlich oder nicht, zu Hilfe. »Bei dem Heidengeld, das er kostet, sollte er auch etwas Besonderes sein«, sagt er. Jetzt ist er es, der mir eindringlich in die Augen sieht. »Fünfundsiebzig Pfund pro Flasche ist der Preis für die kleine Schönheit. Ihre Chefin hat einen teuren Geschmack.«

Anne lacht wieder wenig überzeugend; in der verlassenen Straße klingt es wie eine überlaute Glocke.

»Aber ich bin es wert, nicht wahr?«, sagt sie und verdreht die Augen erst nach James, dann nach mir.

Unterwegs bin ich froh, dass es in Little Venice heute Abend so still ist. Wir müssen ein ziemlich seltsames Trio abgeben, ich, Anne und James. Ein schüchternes junges Ding von Anfang zwanzig, eine reizlos gewordene, weltmüde, französische Schriftstellerin über fünfzig und ein distinguiert aussehender Kunsthistoriker von vermutlich sechzig Jahren. Aber ein Passant würde natürlich denken, dass ein Mädchen – eine Studentin oder junge Akademikerin – mit ihren Eltern einen Abendspaziergang macht.

Doch genauer gesagt ist es ein Dreier, auf den ich wohl zusteuere. James' Anruf war bloß ein Trick – das Mittel, um mich aus dem Haus zu locken, damit Anne mir folgen konnte, um ihre Art von Kitzel zu bekommen. Ich kann mir nicht vorstellen, warum es sonst so eingefädelt wurde. Annes Erscheinen – die Unterbrechung – war ganz bestimmt kein Zufall oder Versehen, noch kann James behaupten, sie müsse unser Telefonat belauscht haben, denn er wirkte nicht im Mindesten überrascht bei ihrem Erscheinen. Nein, die zwei haben das untereinander ausgekocht, vielleicht wegen des reinen Neuheitswertes. Anne muss sich zu Hause jeden Tag langweilen.

Ich zucke nun schon schicksalsergeben die Achseln. Soll sie ihren Spaß haben, denke ich, und während mir dieser Gedanke durch den Kopf geht, bin ich überrascht: Es ist nicht so, dass ich zu viel getrunken hätte. Diese Entschuldigung hätte ich gestern anführen können, aber nicht heute. Oder noch nicht. Mir liegt schon der Geschmack auf der Zunge, das Brennen des Cognacs, der mir versprochen wurde, und damit der Reiz süßen Vergessens.

Nach zehn Minuten werden James und Anne langsamer und bleiben schließlich an einer breiten Straße vor einem imposanten Rotziegelbau mit Wohnungen stehen. James schüttelt seine Taschen auf der Suche nach dem Schlüssel und schließt die schwere Eingangstür auf, die er uns einladend aufhält. Als ich hinter Anne an ihm vorbeigehe, sehe ich ihm ins Gesicht, und es muss sich eine Frage bei mir abgemalt haben oder zumindest ein Zweifel oder Zögern, denn er lächelt mir beruhigend zu und fasst mir für einen Augenblick ganz leicht an die Schulter.

Wir nehmen einen funkelnden, modernen Aufzug zum obersten Stock, wo James seine Wohnung hat. Die Fahrt dauert nicht lange, aber die Atmosphäre ist fühlbar angespannter, seit wir das Haus betreten haben, oder vielleicht ist es nur der Umstand, dass wir nun auf beengtem Raum zusammen sind, wo wir uns beinahe berühren, unser Atem sich vermischt und ein Hauch von Schweiß in der Luft hängt – von einem oder allen dreien, wer weiß? Ich vermeide es, mir im Spiegel an der Hinterwand des Lifts in die Augen zu sehen, weil ich spüre, dass ich dann den Mut verliere. Oder vielleicht weil ich mich selbst nicht wiedererkennen würde. Und ist das nicht der erste Schritt auf dem Weg in den Wahnsinn?

Natürlich möchte ich eigentlich aufgeben, denn ich sehe wohl, wie lächerlich die Sache ist, und ich erkenne auch den erniedrigenden Charakter des Vorhabens – es ist längst klar, dass Anne mich als Marionette oder Spielzeug benutzt. Aber wenn ich alles sausen lasse, sage ich mir, dann ist meine neue Welt, die Chance auf ein neues Leben dahin, und das würde ich bedauern – zumindest wenn ich es übereilt tue, ohne mein Bestes versucht zu haben. Schließlich weiß ich nicht, was Anne und James vorhaben, und werde es auch niemals wissen, wenn ich vor der ersten Hürde scheue wie ein ängstlicher Gaul.

Wir steigen aus auf einen langen Flur, an dessen Ende James eine weitere Tür aufschließt, die uns in seine Wohnung bringt. Im Kontrast zur traditionellen Architektur des Wohnhauses sind die Innenräume aufgebrochen und mit großer Findigkeit modern gestaltet worden. Es gibt einen großen, offenen Wohnbereich mit einer Sitzecke aus verschiedenen dunklen Ledersofas und Sesseln, die zu einem Kreis arrangiert sind. Eine große Bogenlampe aus Edelstahl beugt ihren Kopf in die Mitte wie ein Schwan. Man denkt an Paris in den siebziger Jahren.

Es gibt keinen Fernseher, zumindest ist keiner zu sehen. Rechts auf der zur Straße gelegenen Seite befindet sich eine lange Frühstückstheke aus Edelstahl samt einer Küchenarbeitsfläche. Parallel dazu an der Wand stehen einige Schränke aus hellem skandinavischem Holz samt Herd, Kochfeld und Spüle – ebenfalls alles aus glänzendem Edelstahl. Die Küche ist makellos und wirkt unbenutzt. Nichts, nicht einmal eine Flasche Olivenöl oder Spülmittel steht dort und stört den minimalistischen Eindruck.

James beobachtet, wie ich mich umsehe und alles in mich aufnehme. »Willkommen in meinem kleinen Nest«, sagt er. »Es ist nichts Besonderes, aber für einen alten Junggesellen wie mich genügt es.«

»Es ist schön«, plappere ich, aber schon wirbelt mir der ›Junggeselle‹ durch den Kopf und weckt die unbeantworteten Fragen von vorher. Welche Rolle spielt James eigentlich in diesem Spiel, bei dem Anne eindeutig die Anführerin ist? Was gewinnt dieser weltläufige, erfolgreiche Mann, der trotz seines Alters wahrscheinlich jede Frau verführen kann, die er haben will?

Er zuckt die Achseln. »Mir genügt es«, sagt er mit falscher Bescheidenheit.

Inzwischen hat sich Anne in einem der weichen Ledersessel niedergelassen. »Wie wär's mit dem Cognac?«, ruft sie, die Lippen zu einem mageren Lächeln verkniffen, als hätte sie etwas gegen unseren Smalltalk. Macht endlich weiter, scheint ihre Miene zu sagen, und die Schmetterlinge flattern in meinem Bauch, als mir wieder bewusst wird, dass ich über ihre Motive und Absichten nichts weiß. Sehr dankbar nehme ich das Glas mit dem bernsteinfarbenen Inhalt, das James mir anbietet.

»Chin-chin!«, sagt er, nachdem er Anne ihr Glas gegeben und sich wieder dem Barschrank zugewendet hat, um sich seins zu nehmen. Er und ich stoßen an, dabei blickt er mir fest in die Augen, als wolle er mir eine telepathische Botschaft übermitteln. Ich lächle nervös, und er lächelt zurück. Dann deutet er auf die Sitzgruppe.

»Setzen Sie sich, Genevieve«, sagt er, und ich setze mich Anne gegenüber, ohne sie anzublicken.

James fummelt an einer protzigen Bosch-Stereoanlage, die in einer Zimmerecke auf einem niedrigen, orientalisch wirkenden Tisch steht. Nach ein paar Sekunden kommt eine weiche Musik, die zumindest auf meine klirrenden Nerven eine beruhigende Wirkung hat.

»Ah«, sagt Anne, und ich wage einen kurzen Blick in ihre Richtung. Sie sitzt angelehnt in ihrem Sessel, das Kinn leicht gehoben, die Augen halb geschlossen. Ich frage mich, welche Szenen sich hinter diesen Lidern abspielen.

»Górecki«, sagt sie ein paar Augenblicke später. »Genau das Richtige.« Sie nimmt einen Schluck Cognac.

Ich trinke ebenfalls, während ich sie beobachte, und dann gleich noch einmal.

James sieht, wie schnell ich mit dem Glas bin, und durchquert mit der Flasche den Raum, um mir nachzuschenken, was er sehr großzügig tut. Als er neben mir steht und den feurigen Hennessy aus der Flasche fließen lässt, legt er mir eine Hand auf die Schulter. Diesmal bleibt sie dort. Wir sehen uns an, und die Zeit scheint stillzustehen. Ich muss dich haben, denke ich und frage mich, ob er in meinen Augen meine Gedanken lesen, sie irgendwie hören kann.

Er nickt, und ich sehe, dass er verstanden hat. Er weiß, dass ich alles tun würde, um ihn zu bekommen, und das heißt, sogar zusammen mit Anne. Wenn sie ihn mir nur häppchenweise gewähren will, so sei es. Ich bin zu dem Opfer bereit.

Der Alkohol wirkt seinen Zauber, macht mich schamlos, denn ich fühle ein Kribbeln in den Adern, im ganzen Körper, und höre mich fragen: »Wo ist denn das Schlafzimmer?«

James deutet mit dem Kinn auf eine Wendeltreppe in der Ecke, die halb hinter einer großen, dichten Kübelpflanze verborgen ist. Ich stehe auf, und mir schwindelt bei dem Gedanken, dass ich es bin, die soeben die Ereignisse vorantreibt, die

Zügel in die Hand genommen hat. Es liegt Macht darin, aber auch Angst. Angst, die Rolle nun weiterspielen zu müssen, nachdem ich sie ergriffen habe.

Ich gehe mit großen Schritten auf die Treppe zu, zwinge Entschlossenheit in meine Bewegungen, trotz meiner puddingweichen Knie. James folgt mir nach. Ich steige die Stufen hinauf, und auf halber Treppe drehe ich den Kopf und mustere die Szene unterhalb.

Anne sitzt noch in dem Sessel und nippt an ihrem Cognac. Es scheint sie nicht zu kümmern, dass wir sie allein lassen, fast als hätte sie es nicht bemerkt, was natürlich nicht der Fall sein kann. Aber sie macht keine Anstalten, uns zu folgen. Vielleicht, so wage ich zu hoffen, ist sie diesmal mit dem bequemen Sessel und dem teuren Drink zufrieden.

Am Ende der Treppe stehe ich vor einer offenen Flügeltür, dahinter liegt ein rundes Zimmer, das, wie mir klar wird, in einem Turm liegen muss. Das Bett, ebenfalls rund, muss eine Maßanfertigung sein. Es ist ein erstaunlicher Raum mit gewölbter Decke und umlaufenden Fenstern – wie ein Horst, von dem man auf Straße und Park sehen kann. Der Himmel ist mittlerweile viel dunkler, und auf einer Seite des Turms schalten sich die Straßenlampen ein. Auf der anderen stehen die im Wind schwankenden Bäume als finstere Schatten.

Ich drehe mich zu James um, der mir die Treppe hinauf gefolgt ist, und setze mich aufs Bett. Unter den Händen fühle ich die allerfeinste Bettwäsche. James hat beim Ausstatten seiner Wohnung offenbar nicht geknausert. Ich sehe mich um und stelle fest, dass in dem Raum nichts steht außer dem Bett.

»Ist das Ihr Zimmer?«, frage ich.

Er nickt.

»Wo ist dann –?«

Er unterbricht mich. »Unten gibt es ein Ankleidezimmer neben dem Bad, mit Schränken und dergleichen. Es dient auch als Gästezimmer.«

»Wird Anne –«, beginne ich, doch er unterbricht mich wieder, indem er einen Finger an die Lippen legt. Dann, um auf meinen Gesichtsausdruck einzugehen oder als Einlenken wirft er einen Blick über die Schulter und sagt ganz leise: »Sie müssen das nicht tun, verstehen Sie.«

»Ja, ich weiß«, sage ich, »aber ...«

Aber ich will nicht, dass Anne dabei ist, wollte ich höchstwahrscheinlich sagen, doch ich befürchte, dass dann die ganze Sache abrupt abgeblasen wird, ohne jeden Aufschub. Anne ist, wie mir scheint, mein einziger Zugang zu James, und wenn ich ihren Ausschluss verlange, werde ich ihn gar nicht bekommen.

Schon ist James näher an mich herangetreten und drängt mich sanft auf das Bett. Seine großen, festen Hände stützen mich an den Schultern. Ich bin überzeugt, dass er mich nicht verletzten will, auch nicht emotional. In gleicher Weise ist sein Augenausdruck eine Garantie für seine Aufrichtigkeit. Er will mich, wie ich ihn will, egal auf wessen Betreiben die Situation entstanden ist.

Ich lege mich hin und breite mich behaglich auf dem Bett aus. Mit dem Kopf auf den Kissen und geschlossenen Augen überlasse ich mich James' liebkosendem Mund, der meinen Hals mit sachten Küssen sprenkelt. Er kommt zu meinen Ohrläppchen, wühlt sich an meine Schultern heran, während er gleichzeitig mit emsigen Fingern die Knöpfe meiner Bluse öffnet, sie zur Seite schiebt und unter mir hochzieht, um sich dann meinem BH zuzuwenden. Gekonnt greift er herum und hakt den Verschluss auf, sodass meine Brüste herausfedern.

Über mir kniend, zieht er Jackett und Hemd aus und wirft

die Kleidungsstücke auf den Boden. Die Art, wie er das tut – so ungezwungen, so achtlos, als wären es ein paar billige Fetzen und nicht die beste Kleidung, die man für Geld kaufen kann – macht mich an.

Er öffnet seine Jeans, zieht sie aber nicht aus, sondern hat es eilig, seinen Schwanz aus den Boxershorts zu holen. Es ist ihm genauso dringend wie mir. Ich reiße mir Bluse und BH vom Leib, dann ziehe ich den Rock hoch und mache mit dem Slip weiter, weil ich will, dass er in mich eindringt, bevor Anne intervenieren kann. James hilft mir, zerrt ihn ganz von meinen Beinen und wirft ihn zur Seite. Er landet auf seinen Sachen. Als Krönchen auf dem dunklen Anzug, in seiner ganzen gepunkteten Pracht, illustriert der Slip deutlich, wie weit James und ich voneinander entfernt sind. Und trotzdem und trotz der Jahrzehnte, die uns trennen, sind wir so scharf auf einander.

Während ich die Arme nach ihm ausstrecke, denke ich, dass ich zu gern seine Lebensgeschichte, seine erotische Laufbahn kennen würde. Vielleicht wird er sie mir eines Tages erzählen. Eines Tages, wenn das alles vorüber ist, werden wir vielleicht Freunde sein.

Diese Gedanken purzeln mir durch den Kopf, als ich die Knie anziehe, um mich ihm zu öffnen, und seinen Penis mit einer Hand zu mir hinlenke. Schon ganz begierig, habe ich die andere Hand an meinem Geschlecht und wackle mit zwei Fingern an der Klitoris. Obwohl ich Annes Aufmerksamkeit nun wirklich nicht erregen möchte, kann ich das Stöhnen nicht ganz unterdrücken, das mir durch die Kehle dringt.

Ich kann mich nicht erinnern, dass ich bei Nathaniel je so angeheizt gewesen bin, obwohl ich meine, dass es in der frühen Zeit ähnlich gewesen sein muss. Oder vielleicht auch nicht – vielleicht brauche ich das Gefühl der Übertretung, das aus unserem Altersunterschied entsteht, um richtig geil zu werden. Nate und ich waren Seelenverwandte und vielleicht darum unfähig, die wahre Erregung zu erleben, die Unterschiedlichkeit hervorbringt. Ich bin mir jetzt nicht mehr sicher, ob er je wirklich ein Geheimnis für mich war. Ich habe das nie vermisst, da ich es nicht gekannt habe. Doch jetzt erscheint das Geheimnisvolle plötzlich so begehrenswert.

Ich halte inne, bevor ich seine Erektion einführe, und mache die Augen auf. Er sieht mich fragend an. Es scheint ihn zu beschäftigen, was ich denke, und ich hoffe, dass ich für ihn rätselhaft bin. Mir kommt der Gedanke, er könnte vielleicht noch nie eine so junge Frau gehabt haben, nicht seit er selbst jung gewesen ist. Vielleicht ist das für ihn genauso neu wie für mich. Das Gefühl, auf der Schwelle einer Entdeckung zu stehen, ist greifbar.

Doch während mir das alles durch den Kopf gegangen ist, weiß ich plötzlich, genau wie in dem Pub, dass Anne in der Nähe ist. Ich habe ihre katzenhaften Tritte auf der Treppe nicht gehört, aber schließlich habe ich gegen meinen Willen gestöhnt, und das Rauschen der Bäume vor den Fenstern vermischt sich mit dem Rascheln des Bettzeugs.

Ich drehe den Kopf und sehe sie in der Tür stehen, doch ohne jede Enttäuschung. Die Zwangsläufigkeit, die all dem anhaftet, schließt das aus.

Anne erwidert meinen Blick leidenschaftslos, fast als wäre sie geistig abwesend, als wäre sie nur körperlich hier. Ich frage mich, was ihr durch den Kopf geht, welche Bilder dort sprießen. Denn es ist offensichtlich, dass die Situation für Anne eine komplizierte Sache ist, etwas jenseits von Lüsternheit und Voyeurismus. Schließlich ist sie die Autorin so vielschichtiger, emotional komplexer Romane wie *Nächtliche Bewegungen* und *Im Puppenhaus*. Für die Figuren ihrer Romane ist nie etwas einfach, besonders nicht, wenn es um Sex geht, und ich kann mir nicht vorstellen, dass das bei ihr anders ist.

James fragt sich nicht mehr, warum ich gestockt habe, warum meine Aufmerksamkeit von ihm abgewendet ist, woraus ich schließe, dass auch er nicht überrascht ist. Wie könnte es anders sein, nachdem Anne uns in sein Haus begleitet hat? Worum es sich auch handelt, das ist keine Sache zwischen James und mir, sondern eine zwischen ihm und Anne, zunächst einmal.

Ich bin es, die das nicht erkannt hat. Stattdessen habe ich mir eingebildet, ich könnte ihn für mich haben, wenn ich nur lange genug dranbleibe. Ich habe gedacht, dass Anne bei allem maßgeblich beteiligt ist, aber sie ist mehr als das – sie ist ein fester Bestandteil. Ohne sie würde sich gar nichts abspielen.

James sieht mir weiter ins Gesicht, aber ich stelle mich nicht seinem Blick. Ich kann es nicht. Ich will nicht, dass er sieht, wie gedemütigt ich bin, weil ich mich von dieser Woge aus Verlangen und Falschheit habe mitreißen lassen. Doch davon abgesehen bin ich wie gebannt von dem Gedanken an Anne und der Frage, was sie als Nächstes tun wird, jetzt da sie die Szene betreten hat, bei der sie Regie führt, als ob ein Autor in sein Buch tritt und die Handlung umstürzt. Wird sie nun doch noch ihre Reserviertheit aufgeben und sich uns anschließen? Soll ich meine Lieblingsschriftstellerin nackt sehen und es mit ihr treiben? Der Gedanke jagt mir panischen Schrecken ein.

Anne kommt ins Zimmer, und einen Moment lang wirkt sie wie in Trance. Doch dann kehrt wieder Leben in sie, und an dieser Stelle bemerke ich erst, dass sie etwas unter dem Arm trägt, einen ledernen Handkoffer, kastanienbraun und glänzend. Sie tritt ans Bett und legt ihn neben uns, ohne uns anzusehen.

Ein, zwei Minuten lang starrt sie James bloß an, und ich entdecke eine gewisse Wehmut oder gar Traurigkeit in diesen eisblauen Augen. Ich blicke forschend hinein, doch wie die See erscheinen sie uferlos und undurchsichtig und widersetzen sich meiner Neugier. Anne hat eine Vergangenheit, denke ich, die ich niemals ausloten werde. Desgleichen James. Was sie beide an diesen Punkt gebracht hat, werde ich nie so ganz begreifen.

James kniet noch über mir, sein Penis in meiner Hand. Mit den Gedanken bin ich zwar abgeschweift, doch durch die Spannung des Augenblicks behielt ich ihn fest im Griff. Endlich bringe ich es über mich, ihn anzusehen. Jetzt ist er es, der Anne beobachtet, und obwohl sein Körper starr ist, verrät mir sein Gesicht, dass er weiß, was kommt, zumindest in den Grundzügen. Er tappt nicht im Dunkeln wie ich. Ich sehe zu Anne.

Mit den achtsamen, präzisen Bewegungen eines Chirurgen zieht sie den Reißverschluss des Koffers auf und klappt ihn auseinander. Mir bleibt die Luft weg. Darin befindet sich eine Palette der ausgefallensten und raffiniertesten Sexspielzeuge, die ich je gesehen habe. Nicht, dass ich mich auf diesem Feld auskenne oder gar eine Liebhaberin dieser Dinge wäre.

Bisher beschränken sich meine Erfahrungen auf einen einfachen Vibrator, den Nate mir gekauft hat und der mir »Gesellschaft leisten« sollte, wenn er nicht da war. Ich habe ihn benutzt, aber nicht oft. Er war scharf darauf, dass ich ihn auch an ihm ausprobiere, aber es ist nie dazu gekommen. Ich schätze, wir waren beide ein bisschen verlegen. Komisch, wie schüchtern man bei jemandem sein kann, den man gut zu kennen meint, und wie ungeniert bei einem völlig Fremden.

Anne räuspert sich, wie um mich in die Gegenwart zu

holen. In der Trickkiste sehe ich etwas, das zum Schlagen gedacht sein muss, und eine Art Reitgerte. Es gibt auch schwarze Lederhandschellen und eine goldene Augenmaske, die auch aussieht, als wäre sie aus Leder. Doch was meinen Blick am meisten anzieht, ist ein auserlesener Dildo aus glänzendem Holz. Das Ende ist wie eine etwas langgestreckte Eichel modelliert, zur Mitte hin wird er dicker, verjüngt sich wie eine geschnürte Taille und läuft in drei Wülsten aus. Seine Glätte und die Art der Modellierung wecken in mir den Wunsch, ihn auszuprobieren.

Daneben zieht Anne eine kleine, eckige braune Flasche heraus, in der ich Öl vermute. Sie schraubt langsam den Deckel ab, und es duftet sofort nach Honig. Ich schlucke trocken, begierig, dass es weitergeht, wie immer sie es verfügt.

Sie hält die Flasche hoch und neigt sie, und während sie zusieht, wie das honigsüße Zeug langsam heraustropft, kommt es mir vor, als würde sie es genießen, mich warten zu lassen und diese Macht über mich zu haben. Oder bin ich bloß paranoid?

James verfolgt jede ihrer Bewegungen, und ein schiefes Lächeln verschiebt die untere Gesichtshälfte, während Übermut in seinen Augen aufleuchtet.

»Sieht aus, als hätte jemand unserem geheimen Ort einen Besuch abgestattet«, murmelt er und klingt heiser vor Begierde. Seine Worte zerschneiden die Stille; es ist, als würde ein Vorhang zerrissen und eine neue Welt enthüllt.

Anne lächelt ebenfalls auf ihre angespannte, geheimnisvolle Art. »Calla Lily«, antwortet sie so gedämpft, als wäre sie in einer Kirche. Und tatsächlich hat die Atmosphäre jetzt etwas Ehrfurchtsvolles wie bei einem heiligen Ritual. Etwas Erhabenes.

»Aber nein«, fährt sie lächelnd fort, ohne James anzublicken. »Ich hatte keine Möglichkeit zu gehen. Diesmal nicht. Darum habe ich online bestellt.«

Das Bild, das sich dabei einstellt, ist beinahe komisch: Anne, die große, wenn auch unterschätzte Schriftstellerin, in ihrem Arbeitszimmer, wird ganz heiß und feucht, weil sie im Internet nach Sexspielzeugen guckt, worauf sie einige Favoriten anklickt und ihre Kreditkartendaten eingibt. Ich stelle mir vor, wie sie mit besonderer Aufregung auf den Postboten wartet und mit welchen Wonneschauern sie die Tür öffnet und das Paket entgegennimmt, das diesmal zumindest etwas Unanständigeres enthält als die üblichen Neuerscheinungen zum Rezensieren.

Das Tropfen hört auf, und die Zeit scheint stillzustehen. James blickt auf Anne ein bisschen wie ein gehorsamer Hund, der auf Anweisung seines Herrn wartet. Er hat eine gewisse Ergebenheit im Blick, und etwas Unterwürfiges, bei dem ich mich von Neuem Frage, wieso er so passiv bei dieser Sache mitmacht und was hinter dem Szenario steckt.

Welche erotische Vergangenheit hat er, und ist er sich überhaupt seiner Motive und Wünsche bewusst, oder liegen sie tief unter einer undurchdringlichen Oberfläche?

Anne nickt, doch dabei wandert ihr Blick von James zu mir. Mich sieht sie an, als sie den Dildo mit ihren eleganten Fingern einölt und die schicken französisch lackierten Nägeln daran entlang streicht. Das ist zu viel, ich muss wegsehen.

Dann hält sie James das Gerät hin, der es wortlos entgegennimmt. Er wendet sich mir zu und führt die Hand an meine Muschi, da ich noch breitbeinig unter ihm liege und mich selbst beinahe vergessen habe bei dem ganzen spannenden Geschehen.

»Nein!«, sagt Anne gebieterisch, und wir sehen sie beide an. Sie steht neben dem Bett und sieht auf uns hinab.

»Sondern …?«, fragt James.

»Dreh sie um«, fordert sie knapp, und ich schaudere bei dem roboterhaften Klang ihrer Stimme. Wieder kommt sie mir vor wie in Trance, wie von einer fremden Macht gesteuert. Mir fällt ein, wie ich einmal den Film *Invasion der Körperfresser* gesehen habe und wie es mich jedes Mal grauste, wenn eine der Filmfiguren merkte, dass der Partner oder ein Freund nicht mehr derselbe war.

Aber Anne ist nicht von Außerirdischen übernommen worden. Anne handelt nach einem starken inneren Verlangen, nach einer Veranlagung, bei der sie geil wird, wenn sie zuschaut, das Geschehen beherrscht, ohne daran teilzunehmen. Ich gebe gern zu, dass ich, unerfahren, wie ich bin, keine Ahnung habe, ob das ein seltenes Phänomen ist oder nicht. Ich weiß, das es Dominas und Verliese gibt und dergleichen und dass manche Leute den Drang haben, sich zu unterwerfen oder aber andere zu beherrschen, doch dies ist meine erste Berührung mit jemandem, den solches Verhalten antörnt, und ich habe Mühe, das zu verstehen.

James gehorcht ihr sofort und schiebt einen Arm unter mein Kreuz, schlingt ihn um meine Hüften und rollt mich herum, wobei mein Rock wieder hinunterrutscht. Er schiebt ihn hoch und entblößt mein nacktes Hinterteil. Ich schließe die Augen, meine Kehle ist trocken vor Angst und Verlangen, und mein Herz klopft heftig.

Ich zucke zusammen wie bei einem elektrischen Schlag, als ich die erste Berührung des geölten Holzes am Steißbein fühle. Dann stoße ich ein langgezogenes Stöhnen aus, als er das Werkzeug zwischen meinen Hinterbacken durch über den Schließmuskel und den Damm zu meiner Muschi zieht, wo er Halt macht, um mich scharf zu machen und hinzuhalten.

»Aaarrrgh« ist alles, was ich hervorbringe, jetzt wo ich danach giere, dass mich der schöne Dildo ausfüllt. Aber James zögert. Ich sehe über die Schulter, bereit zu betteln, er möge weitermachen, zu flehen und mich wenn nötig zu erniedrigen. Doch er achtet gar nicht auf mich, er sieht Anne gebannt in die Augen. Wieder habe ich den Eindruck, dass eine verschlüsselte Nachricht zwischen ihnen passiert oder vielmehr von Anne zu ihm. James ist, wie ich sehe, erst imstande zu handeln, wenn Anne ihm die Erlaubnis gibt.

Und endlich, nach scheinbar endlosen Minuten, nickt sie wieder brüsk, und dann zittert der Dildo an meiner Öffnung, ehe er langsam eindringt. Ich hebe den Hintern weiter an, als sich die inneren Muskeln um das wunderbare Spielzeug schließen, es willkommen heißen und dafür sorgen, dass es nicht zurückgezogen werden kann – nicht jetzt, wo es endlich in mir ist.

Als James anfängt, es rein und raus zu stoßen, zuerst sanft, dann immer schneller und fester, fühlt es sich an ... es fühlt sich an wie ... Ich habe mich immer für wortgewandt gehalten, doch jetzt fehlen mir die Worte. Das Einzige, was mir einfällt, während das Ding an meinen Innenwänden seinen Zauber entfaltet, ist das Wort ›Paradies‹. So muss es ich anfühlen, im Paradies zu sein.

Als James zu einem Rhythmus findet, versuche ich, mitzumachen, dem Dildo entgegenzukommen und einen genießerischen Einklang zu schaffen. Schon fühle ich, wie sich der Orgasmus aufbaut, und ringe darum, ihn hinauszuzögern. Ich will ihn so dringend, und wenn ich jetzt einen oder zwei Finger an meine Klitoris lege, würde ich explodieren und verrückt werden vor Wonne. Aber ich habe so lange darauf gewartet, James in mir zu haben, auf die eine oder andere Art, dass ich jetzt nicht kommen und das Ende herbeiführen möchte.

James hat die freie Hand auf meinem hochgereckten Hintern, bohrt mir die Finger ins Fleisch, bringt mich um den Verstand. Sein Daumen schleicht sich näher an meine hintere Öffnung, greift an die milchige Haut zwischen den Backen, und ich frage mich, ob er es wagen wird, ihn hineinzuschieben – ob das auf Annes Plan steht oder ob er wieder in letzter Sekunde zurückgepfiffen wird wie ein Hund, der sich auf einen verbotenen Knochen stürzen will. Mir fällt auf, dass es schon das zweite Mal ist, dass ich James mit einem Hund vergleiche, der Anne aufs Wort gehorcht, und einen Moment lang empfinde ich eine seltsame Mischung aus Mitleid und Verachtung. Mitleid, weil er sich gezwungen fühlt, ihren Anweisungen zu folgen, und Verachtung, weil er sich so beherrschen lässt.

Das wiederum bringt mich zu der Frage, was er eigentlich von mir hält. Er ist bis jetzt überaus freundlich und respektvoll gewesen. Er hat mir sogar an jenem ersten Abend die Möglichkeit gelassen, mich aus der Sache herauszuziehen, wenn ich mit der Entwicklung nicht einverstanden sein sollte. Ich überlege, ob er für mich ebenfalls Mitleid hat oder mich verachtet. Oder ob er die Gründe versteht, weshalb ich hier bleibe, obwohl ich sie selbst nicht einmal angedeutet habe.

Seine Daumenkuppe liegt auf meinem Schließmuskel und drückt. Das macht mich rasend vor Verlangen. Ich dränge mich ihm entgegen, um mich einverstanden zu zeigen, ihn einzuladen. Ich habe noch nie analen Sex gehabt, obwohl Nate es einmal probiert hat. Ich habe mich einfach nicht entspannen können. Jetzt – vielleicht auch durch den Cognac – bin ich mehr als willig. Muschi und Hintern brennen vor Gier.

Es raschelt, und ich drehe den Kopf. Anne hält uns etwas hin. Das Licht ist kräftig gedämpft worden, sodass ich erst nach ein, zwei Augenblicken erkenne, dass es das Paddel aus ihrem Koffer ist. Ich verkrampfe mich; das ist ein Gebiet, denke ich erschrocken, das ich nicht einmal erwogen habe zu betreten. Etwas Dunkles, Geheimnisvolles, über das ich nie nachgedacht habe. Es mag wie ein unschuldiger Spaß erscheinen. Was können ein paar Klapse unter Freunden schon schaden? Doch ich habe Berichte gelesen, wonach solche Dinge schnell außer Kontrolle geraten können. Und was ist, so frage ich mich, wenn es mir zu gut gefällt?

Aber ich irre mich: Nicht ich soll geschlagen werden, denn Anne gibt mir das Instrument. Meine Überraschung, mein Zögern muss mir anzumerken sein, denn sie nickt mir bestätigend zu. Mir zittert die Hand, als ich das Ding nehme, fühle mich aber durch seine geschmeidige Schönheit seltsam ermutigt. Wie der Dildo ist es aus glattem, schokoladenbraunem Holz und erinnert mich an eine Haarbürste. Ich kichere nervös, als mir Bilder von Internatsschülerinnen und geröteten Hintern durch den Kopf schießen.

»Was ist so lustig?«, fragt Anne ein wenig streng, und mir fällt wieder ein, wo ich bin, und überlege, was wohl von mir erwartet wird. Anne blickt mich weiterhin missbilligend an und versetzt mich um zehn Jahre zurück an meine Schule, wo ich wegen irgendeiner Übertretung, an die ich mich nicht mehr erinnere, zur Direktorin gerufen wurde. Mrs. Scholes hat sie geheißen, obwohl niemand von der Existenz eines Ehemannes wusste. Manche Mädchen meinten, er sei wahrscheinlich tot umgefallen, sobald er merkte, was für einen Drachen er geheiratet hat.

»Dreh ihn um«, schnauzt Anne, und mir wird klar, dass sich die Rollen vertauscht haben. James begreift es auch, zieht den Dildo hinaus, und ich setze mich auf. James hat die Jeans offen gelassen, aber seinen Penis wieder in die Boxershorts gesteckt, wahrscheinlich bevor er den Dildo angesetzt hat.

Ich zögere, worauf Anne ungeduldig wird.

»Worauf wartest du, Kind?«, sagt sie. »Dreh ihn um und dann los.«

Teils würge ich an dem ›Kind‹, teils möchte ich herumfahren und ihr die Faust ins Gesicht schlagen, weil sie mir das Gefühl geben will, klein und dumm zu sein. Doch dem Impuls steht die außergewöhnliche Neugier entgegen, die flutartig in mir aufgestiegen ist. Wie wird es sein, die Oberhand zu haben, James zu schlagen? Ich weiß, dass ich mir später in den Hintern beißen würde, wenn ich der Gelegenheit ausweiche, nur weil ich mich durch ein Wort beleidigt fühle.

Ein wenig zimperlich, wie ich zugeben muss, fasse ich James bei der Schulter und drehe ihn herum. Das ist nicht schwierig, da er ein williger Mitspieler ist: Ich lenke ihn eher, als dass ich ihn herumwuchten muss. Da ist kein Zwang nötig.

Während er sich zurechtlegt, gibt Anne den nächsten Befehl und diesmal schon weniger barsch.

»Jetzt zieh ihm die Hosen herunter«, sagt sie, und ich tue es, zuerst ein bisschen schlaff, dann werde ich mutiger und zerre sie samt den Boxershorts herunter, bis sein Hintern blank daliegt. Er ist attraktiv: gebräunt, fest und rund, aber nicht so rund, dass er weiblich wirkt. Es ist ein unbestreitbar männlicher Hintern. Überwältigt von dem Wunsch, ihn anzufassen, greife ich nach einer Backe.

»Nein!«, blafft Anne, und ich ziehe hastig die Hand zurück. Anscheinend habe ich mir zu viel herausgenommen. Wir spielen hier allein nach Annes Regeln. Jeder Ansatz autonomen Verhaltens, egal wie gering, wird ausgemerzt. Das hätte ich inzwischen wissen sollen.

»Schlag ihn«, befiehlt sie. Ich sehe auf das Paddel, dann auf James' Hintern. Ich komme mir lächerlich vor. Ihnen muss klar sein, dass ich das noch nie getan habe, dass ich gar nicht weiß, wie ich es anstellen soll. Ich hebe den Arm, hole tief Luft und schlage zu.

James jault auf und wirft den Kopf in den Nacken.

»Nicht so fest«, sagt Anne. »Steigere es langsam. Komm, versuche es noch mal.«

Ich gehorche und schwinge das Paddel nur leicht, dann jedes Mal ein bisschen kräftiger.

»Viel besser«, sagt Anne nun schon ruhiger. »Hier …« Sie nimmt meine freie Hand und drückt sie auf James' andere Backe. Offenbar ist das jetzt erlaubt. Ich wage einen Streich, und obwohl James wohlig stöhnt, hat Anne nichts einzuwenden.

Ich schlage weiter, allmählich schneller und fester. Sein Stöhnen wird lauter, was mir verrät, dass ich auf dem richtigen Weg bin. Ich frage mich, wo das noch hinführen wird.

Eben überlege ich, um ihn herumzugreifen und seinen Penis in die Hand zu nehmen, um ihn zu reiben, frage mich aber, ob es mir gelingt, gleichzeitig die Schlagbewegungen fortzusetzen – und ob Anne es erlauben wird –, als sie mir das Paddel wieder abnimmt.

Ich sehe zu, wie sie es behutsam in ihren Koffer legt, dann den Deckel zuklappt und die Spangen energisch schließt. In dem Moment weiß ich, dass es vorbei ist.

James weiß es auch. Sofort setzt er sich auf, packt sich wieder ein und schwingt die Beine über den Bettrand. Leicht errötet und verlegen, nachdem ich in meinem Schwung unterbrochen worden bin, ziehe ich mir den Rock hinunter und greife nach Slip, BH und Bluse. Wieder bin ich enttäuscht, aber nicht, weil ich James nicht in mir gehabt habe, denn ich hatte einen mehr als adäquaten Ersatz. Auch nicht, weil ich nicht zum Orgasmus gekommen bin – der ist nicht das Nonplusultra einer sexuellen Begegnung.

Nein, ich bin enttäuscht, nachdem ich James' Genuss bei meinen Schlägen gesehen und gehört habe. Mein Interesse ist geweckt. Würde er mir genauso gefallen wie ihm, der Klaps des harten Holzes auf der weichen Haut meines Hinterns? Plötzlich brenne ich darauf, es auszuprobieren, was mir selbst bestimmt nie eingefallen wäre. Ich weiß, dass ich erst zufrieden sein werde, wenn ich es erlebt habe.

Ich sehe Anne bedeutungsvoll an, in der Hoffnung, dass die Botschaft auf telepathischem Wege ankommt, doch sie ist schon wieder völlig nüchtern, hat sich den Koffer unter den Arm geklemmt und steuert wortlos auf die Treppe zu. Ich folge ihr, weniger, weil ich ihre Gesellschaft suche, sondern weil ich nicht weiß, was ich zu James sagen sollte, sobald wir allein wären.

Bei meiner teuren Erziehung hat man versäumt, mich in die Etikette des Poklatschens einzuweisen und hat mir nicht beigebracht, was man zu jemandem sagt, dem man gerade den Hintern mit einem schön geformten Stück Holz rot gehauen hat.

Als ich unten an der Treppe ankomme, hat Anne bereits den Raum durchquert und steht an der Konsole am Telefon, um ein Taxi zu rufen.

»Der Wagen wird gleich hier sein«, sagt sie. »Hast du alles?«

Ich nicke.

»Gut.« Sie zieht die Wohnungstür auf, und ich gehe mit ihr hinaus. Keiner von uns wünscht James eine gute Nacht; er ist noch oben in seinem Schlafzimmer. Und wir wechseln auch im Lift oder im Taxi auf der Rückfahrt nach Bayswater kein Wort. Erst als sie die Haustür am St Petersburgh Place aufschließt, spricht sie mich an.

»Du kannst morgen frei haben«, sagt sie.

Dann drückt sie hinter uns die Tür zu, und ich gehe mit ihr den Flur entlang und sehe zu, wie sie stumm die Treppe hinaufsteigt.

»Gute Nacht, Anne«, sage ich versuchsweise, doch sie ist schon verschwunden, und meine Worte verhallen in der Stille.

5: Auszeit

Als ich aufwache, trommelt der Regen gegen meine Dachzimmerfenster, und ganz lange kann ich mich nicht überwinden, die Decke zurückzuschlagen und aufzustehen. Das ist wie früher, wenn man als Kind aufwachte und nicht wusste, wo man war, nur dass das hier ernster und desorientierender ist: Ich weiß, wo ich bin, doch ein paar schreckliche Augenblicke lang weiß ich nicht, wer ich bin. Und dabei spült eine Woge der Verlassenheit über mich hinweg, und ein Heimweh nach dem Leben, das ich vor gar nicht langer Zeit gehabt habe – meinem Leben mit Nathaniel, das sicher und vorhersehbar, vielleicht auch langweilig war, aber dabei so behaglich wie die Decke, die ich als Kind hinter mir hergezogen habe, durch schmutzige Pfützen und durchs ganze Haus und schließlich ins Bett, um die Ängste der Nacht abzuwehren.

Bei der Erinnerung an diese langen, dunklen Nächte meiner Kindheit krümme ich mich unwillkürlich zusammen, umschlinge die Bettdecke und mache die Augen fest zu. Als ich mich endlich aufsetze und dem Tageslicht stelle, greife ich als erstes zum Handy und rufe Nates Nummer auf das Display.

Ich weiß, wenn ich hier sitze und sie anstarre, werde ich nicht anrufen, sondern es mir wieder ausreden. Darum drücke ich gleich den grünen Knopf und höre dem Klingeln zu, während ich mir überlege, was ich sagen will. Es ist nicht so, dass ich ihn zurückhaben möchte. Ich bin es, die die Sache beendet hat, und nicht einmal in meinen einsamsten Momenten habe ich ernsthaft geglaubt, dass ich die falsche Entscheidung getroffen habe. Ich schätze, ich brauche seine beruhigende Stimme, jemanden, der mich zu mir selbst zurückbringt, oder zumindest zu dem Mädchen, das ich war, bevor diese befremdliche Geschichte angefangen hat.

Es klingelt und klingelt, und gerade wappne ich mich, eine Nachricht auf Band zu sprechen oder wenigstens den Mund aufzumachen, als Nate abhebt.

»Gen«, sagt er überrascht und ein bisschen, als hätte ich ihn auf dem falschen Fuß erwischt. Es ist eine Weile her, seit wir miteinander gesprochen haben, und das letzte Mal ist ziemlich unerfreulich ausgefallen. Er war da noch sehr niedergeschlagen über die Trennung und flehte mich an, mich mit ihm zu treffen und über alles zu reden. Da wir das schon ein paar Mal getan hatten, lehnte ich das hartnäckig ab. Nicht nur meinetwegen, sondern auch seinetwegen. Ich hatte schon erkannt, dass ich es ihm damit nur schwerer machte und ihn auf eine falsche Fährte führte. Ich weckte damit Hoffnungen, nur um sie wieder zu enttäuschen, und das war unfair. Das sagte ich ihm auch, aber er war nur wütend, weil ich mich weigerte, ihn zu sehen, und weil ich die Macht dazu hatte. Wahrscheinlich klingt er deswegen jetzt so zweifelnd. Ich hätte nicht anrufen sollen.

»Hallo«, sage ich endlich. »Es tut mir leid – das ist albern, aber ich ...«

»Was ist los?«, fragt er. Sein Ton wird weicher; er macht sich Sorgen um mich.

»Ich ... ich weiß nicht. Ich wollte nur deine Stimme hören.« Das ist wahr, so überraschend oder unlogisch das für ihn sein mag.

»Ist etwas nicht in Ordnung?«, fragt er, und das gibt mir einen schmerzhaften Stich. Ich muss mich zusammenreißen, um mich nicht wieder auf dem Bett einzurollen.

»Eigentlich nicht«, sage ich, und meine Stimme klingt falsch, zu hoch, zu gut gelaunt. Ich dränge die Tränen zurück. Ich wünschte, ich könnte Nate die ganze Sache erzählen, aber davon abgesehen, dass ich nicht wüsste, wie ich anfangen sollte, und dass es sich völlig absurd anhören würde, ist mir klar, dass ich ihn dann ganz verlieren würde. Mein erster Liebhaber und einst bester Freund ist nicht der Mensch, dem ich mich hier anvertrauen kann.

Doch er kennt mich und weiß, dass er nicht in mich dringen darf. »Na gut. Es ist schön, dich zu hören«, meint er sanft. »Deine Stimme, meine ich.«

»Deine auch«, bringe ich zitternd und mit hohlem Gefühl heraus. »Es tut mir leid wegen … dem letzten Mal, wo wir gesprochen haben. Ich war –«

Er unterbricht mich, und ich bin froh, denn ich habe keine Ahnung, wie ich es nennen soll. »Schroff« fällt mir ein, aber die Schroffheit kam von meiner Absicht, fair zu sein. Das heißt, es war nicht so negativ, wie es sich anhört. Es steckte etwas Positives dahinter, war der Versuch, sich nach vorn zu bewegen.

»Mach dir keine Gedanken«, sagt er. »Ich verstehe das. Und davon abgesehen …«

Der Satz hängt in der Luft, als hätte er es sich anders überlegt, und plötzlich bin ich neugierig, wie er weitergehen sollte.

»Davon abgesehen was?«

»Ach, nichts. Ich hätte nicht … ach, was soll's, du musst es ja irgendwann erfahren, schätze ich. Es ist nur ein bisschen –«

»Was muss ich erfahren?«

»Ich hätte nicht geglaubt, dass das passiert. Es ist noch ganz frisch. Aber ich habe jemanden kennengelernt.«

Ich habe ein Gefühl des Fallens, als würde in mir ein Stein fallen. Dann bleibt eine kalte Dumpfheit in meinem Bauch zurück, und eine leichte Übelkeit. Ich habe ihn verloren, denke ich verbittert. Es gibt kein Zurück. Wer immer sie ist, es muss etwas Ernstes sein. Er würde es nicht erwähnen, wenn es ihm nur ums Vögeln ginge.

»Wen? Wann?«, stottere ich schließlich.

»Sie heißt Anne-Mette. Sie ist Dänin.«

»Wo hast du sie kennengelernt?«

Er stockt, und ich sehe es vor mir, wie er sich an den Moment erinnert, wo er sich neu verliebt und von mir gelöst hat wie ein Ballon, der in den Himmel auffliegt. Wo die Vergangenheit, an die er sich klammerte, unwichtig geworden ist wie ein Fotoalbum, das in die unterste Schublade verwiesen wird. Wo er aufgehört hat, mir nachzutrauern.

»In einem Deli«, antwortet er nach dem Augenblick liebevoller Erinnerung leise lachend.

Ich stelle mir vor, wie er in das Geschäft geht und suchend durch die Glastheke schaut, bevor sein Blick bei der Blondine neben ihm landet und sein Bauch einen Satz macht vor Verlangen, einem Verlangen, das alles in den Schatten stellt, das wir miteinander gehabt haben. Ich stelle mir vor, wie er sie von oben bis unten ansieht und, natürlich verstohlen, ihre großen Brüste anstarrt, die durch ein eng sitzendes T-Shirt betont werden. Er hat immer auf große Titten gestanden, Nate; hat er mir immer wieder gesagt, wenn er mir die BH-Träger herunterzog und an meinen Brustwarzen saugte, die seinetwegen aufrecht standen, und dass sie es waren, die ihn als erstes an mir angezogen haben – meine festen, runden Brüste und die honigfarbenene Haut, die zart ist wie die eines Babys.

Dann räuspert er sich zur Eröffnung des Gesprächs, bei dem er die Blondine merken lässt, dass er interessiert ist, ohne sie kopfscheu zu machen.

Überblendung in sein Zimmer, das Zimmer in der Wohngemeinschaft in Brighton, das ich so gut kenne, wo meine Kleider neben seinen im Schrank gehangen haben. Dort waren wir nach der Uni eingezogen, nachdem Nate einen Job in einer Softwarefirma bekommen hatte. Eine Zeit lang waren wir glücklich oder glaubten es zumindest.

Wenn ich jetzt zurückblicke, ist mir klar, dass da die Dinge zwischen uns angefangen haben, schal zu werden. Der Sex verlief langsam im Sande, und nicht nur durch mich. Nate hatte öfter keine Lust als ich, behauptete, er sei abgespannt vom frühen Aufstehen und den langen Abenden, von seinen Anstrengungen, sich hervorzutun und seinem Boss zu zeigen, dass er unentbehrlich sei. Wenn er nach Hause kam, griff er eher zum Bier als nach mir, und putzte dann noch alleine eine Flasche Wein weg, während er sich tausend Nichtigkeiten im Fernsehen anguckte.

Ich arbeitete zu der Zeit halbtags in einem Buchladen und versuchte ansonsten zu schreiben. Mein Ziel war es, bei einer Frauenillustrierten Fuß zu fassen und Geld zu verdienen, um mir dadurch die Zeit zu verschaffen und den Roman zu schreiben, über den ich viel redete, den ich aber nie anfing. Doch dazu kam es nicht. Ich pries mich überall an, bekam aber nicht einmal Absagen, sondern wurde eisern ignoriert, und mein Unternehmungsgeist flaute ab. An den Tagen, wo ich nicht in den Laden musste, konnte ich mich selbst zum Duschen und Anziehen nur mühsam aufraffen. Wenn ich das tat, ging ich danach allein an der Küste spazieren und suhlte mich in Selbstmitleid. Wenn nicht, saß ich zu Hause, trank Kaffee und starrte aus dem Fenster auf die Ziegelmauer vor unserer Wohnung. Kein Wunder, dass Nate keine Lust mehr hatte, mich zu ficken. Wir redeten ja nicht einmal mehr viel.

Wir zogen aus der Wohnung aus, als bei einigen seiner Kollegen ein Zimmer frei wurde. Er glaubte, es wäre gut für uns, würde uns aus der Zweisamkeit herausholen und dem geselligen Leben von Brighton näher bringen. Ich hoffte das ebenfalls. Doch das brachte uns nur noch mehr auseinander, denn Nate fing an, mit den Jungs auszugehen, und ließ mich zu Hause sitzen, wo ich die Wände anstarrte. Da wurde mir klar, dass unsere Zeit vorbei war.

Ich war bestürzt, als er sich weigerte, mich aufzugeben, und um die Beziehung kämpfte. Ich war so gerührt, dass ich es noch einmal für sechs Monate versuchte. Doch obwohl er sich Mühe gab, der Funke war erloschen. Nicht nur der sexuelle Funke zwischen uns, sondern auch der Funke in mir. Ich hatte mein inneres Feuer während der Beziehung verlöschen lassen und wollte es neu entzünden. Darum zog ich nach London.

Und so blieb Nate in seinem Zimmer sitzen, und mein Geruch muss noch eine Weile in der Luft gehangen haben, die er atmete. Mein Geist muss in der Wohnung umgegangen sein und ihm erschwert haben zu akzeptieren, dass ich weg war. Für den, der weggeht und in einer von Erinnerungen unbelasteten Umgebung neu anfängt, ist es immer einfacher. Doch jetzt hat eine Geisteraustreibung stattgefunden. Die Dänin – eine klassische Schönheit, stelle ich mir vor, mit Kurzhaarschnitt, großen, grünen Augen und einem frischen, breiten, fröhlichen Lächeln, das einem den Atem raubt – hat mich ein für alle Mal aus Nates Zimmer und aus seinem Herzen vertrieben.

»Bist du noch dran?«, kommt seine Stimme aus der Leitung. Die Frage bricht in meine Vision vom Anfang ihrer Leidenschaft ein. Die Dänin ist auf seine Annäherung in dem Deli eingegangen, hat seine Einladung zu einem Kaffee an einem kleinen Tisch mit Blick auf die Kopfsteinpflasterstraße voll schicker Boutiquen angenommen. Sie hat Zeit, da sie gerade ihre Schicht beendet hat. Sie arbeitet bei den skandinavischen Spezialitäten, habe ich beschlossen.

Sie plaudern, und er findet, dass sie trotz der äußeren Unterschiede eine gewisse Ähnlichkeit mit mir hat – was seine Aufmerksamkeit als Erstes angezogen hat. Nur dass sie besser ist als ich: Sie ist größer, hat längere Beine, ihre Brüste sind kecker und federnder, ihre Augen sind größer, wärmer, sanfter. Sie hat nicht diesen ärgerlichen Leberfleck auf der linken Wange. Ihre Haare sind seidiger, und sie ist blond, während ich braun bin.

Er beugt sich zu ihr, streicht ihr übers Haar. Sie sind vom Kaffee zum Bier übergegangen; sie sind beim dritten, und er fühlt sich verwegen. Sie reagiert nicht abweisend; sie ist überrascht, das sieht er an ihrer plötzlichen Versteifung, aber ihre Augen verraten ihm, dass es okay ist und er weitermachen kann. Seine Hand wandert zu ihrem Gesicht. Sie hat eine rosa leuchtende, helle Haut, hübsche, kantige Wangenknochen und ein verführerisches Kinn. Ihre Augen funkeln, fordern ihn auf, sie zu küssen. Er beugt sich näher zu ihr.

Ehe sie sich's versehen, stürzen sie ein bisschen beschwipst in unser – in sein – Zimmer und fallen übereinander her, schaffen es nicht einmal bis zum Bett, da reißen sie sich schon die Kleider vom Leib, ihre Zähne stoßen bei den wilden, schmachtenden Küssen aneinander. Und dabei denkt er nicht ein einziges Mal an mich, an das erste Mal zwischen uns – das nach der langen, langsamen Entwicklung zögernder, aber auch erinnernswert gewesen ist.

Es war nicht nur das erste Mal für uns, was so erinnerungswert war. Das lag an dem langsamen Brennen, an der Art, wie wir uns gegenseitig vor Verlangen halb verrückt machten, während wir uns zentimeterweise dem Sex näherten. Wir hatten uns in der Collegebar kennengelernt, wurden uns von gemeinsamen Freunden vorgestellt, und ich merkte an seinen verstohlenen Blicken übers Bierglas hinweg, dass er interessiert war.

Ich war geschmeichelt: mit seinem langen dunklen Pony und dem jungenhaften Gesicht erinnerte er mich ein bisschen an Alex von Blur. Als ich herausfand, dass er Gitarre spielte, war die Sache für mich entschieden – ich war der größte Indie-Fan, den man sich vorstellen kann.

Mit Musik fanden wir zusammen. Von Freunden erfuhr ich, worauf er stand, las mir während langweiliger Vorlesungen das entsprechende Wissen aus Musikzeitschriften an und benutzte das als Thema, um mich mit ihm unterhalten und ihn näher kennenlernen zu können, ohne aufdringlich zu erscheinen. Ich stellte mich beim anderen Geschlecht unbeholfen an; aufgrund meiner Erziehung an einer privaten Mädchenschule waren Jungs für mich eine fremde Spezies, die aufregend und bedrohlich zugleich war.

Ich wusste nicht, wie ich mich auf nicht sexueller Ebene ihnen gegenüber verhalten sollte. Natürlich hatte ich vor der Uni auch schon ein, zwei Freunde gehabt, aber das war nichts Festes gewesen, mit keinem war ich über das Knutschen hinausgekommen. Sobald ich spürte, dass eine Hand es auf meine Brüste abgesehen hatte, schreckte ich zurück. Wenn ich jetzt daran denke, vermute ich, es war Angst vor dem eigenen Appetit, vor dem, was passieren würde, wenn der Damm bräche. Ich wusste wohl, es würde kein Zurück geben, und so wartete ich. Ich wollte sicher sein.

Nate und ich fingen also langsam an, tasteten uns an den Sex heran wie zwei Blinde durch einen Raum, die sich nicht nur auf ihren Tastsinn, sondern auch auf ihren Instinkt verlassen. Aus dem Knutschen wurde heftige Fummelei, und so ging es eine ganze Weile, bis der Tag kam, wo es mir nicht mehr reichte, ihm den Penis durch den Stoff seiner Jeans zu reiben, und während ich ihm in die Augen sah, zog ich seinen Reißverschluss auf und schob die Hand hinein. Das Herz schlug mir im Hals, als ich das tat, und meine Muschi brannte.

Da wusste ich, dass ich soeben die Linie überschritt und bereit war, es zu tun. Ich nahm ihn zuversichtlich in die Hand und bewunderte die Glätte der Haut und wie gut er in meine Handfläche passte. Dann bewegte ich sie über den Schaft, blickte ihn dabei an, um zu sehen, ob ich auf dem richtigen Weg war. Das war ich.

Ich beugte mich über ihn, und er zog mir den Pullover über den Kopf, hakte mir den BH auf, sodass er ihm auf die Brust fiel. Sein Blick wanderte hinab zu meinen Brüsten, dann griff er nach ihnen, genauso forsch, wie ich ihn anfasste, und ich warf stöhnend den Kopf zurück. Mit dem Daumen strich er über meine Brustwarzen, was mir einen Schauder nach dem anderen durch den Körper jagte, und diesmal warf ich mit einem Aufschrei den Kopf zurück. Ich gierte nach ihm.

Nate ließ mich los, um sich aus seinen Klamotten zu winden. Ich zog mir Jeans und Slip aus, und als ich sie neben uns auf den Boden warf, war ich verblüfft von meiner Nässe. Das ist also Begierde, dachte ich, und ein Text von P. J. Harvey kam mir in den Sinn: *Sagte, ich hab keine Angst/drehte mich zu ihr um und lächelte/Geheimnisse in den Augen/Süße der Begierde.*

Als hätte er meine Gedanken angezapft, lächelte Nate mich an und flüsterte: »Ich habe keine Angst.«

Das nahm ich als Zeichen und führte seine Hand an meine Muschi. Er keuchte, als er meine Nässe spürte, begriff, wie bereit ich für ihn war, und mit der anderen Hand an meiner Hüfte zog er mich auf sich drauf. Ich zitterte vor Erwartung. Die Monate des Hinauszögerns, die sich hinter uns aufgetürmt hatten, schwankten über uns wie Gebäude vor dem Einsturz. Es musste passieren, und dennoch …

»Warte«, sagte ich und hielt inne. Er blickte mich ungläubig, fast entsetzt an. Tu mir das nicht an, schien er zu sagen. Aber ich wollte gar nicht, dass er aufhört. Ich wollte das so lange wie möglich ausdehnen, um es voll auszukosten. Ich wusste, das war einer der bedeutendsten Momente meines Lebens, und der sollte nicht so schnell vorbeigehen.

Ich drückte auf seine Hand an meiner Muschi und setzte sie wieder in Bewegung. Dabei spreizte ich die Beine, sodass ich für ihn völlig geöffnet war. Er begriff und schob zwei Finger hinein. Ich senkte die Hüften, um ihm entgegenzukommen, den Kopf weit im Nacken. Aus meiner Kehle kam ein glucksender Laut, als würde mir ein fremdes Wesen entsteigen. Meinen ganzen Körper durchflutete ein Kribbeln, ein Flimmern. Mir war, als würde ich umso höher steigen, je tiefer ich die Finger meines Liebhabers in mich hineintrieb.

Dann ließ ich sie los und legte mich auf ihn, schwelgte in dem Gefühl seines weichen Flaums an meinen nackten Brüsten, der kitzelnden Haare an meinen Brustwarzen und in der Festigkeit seiner Haut. Er schob einen weiteren Finger in mich hinein, und eine Weile ritt ich auf ihm, kam mit meinen Stößen seiner Hand entgegen. Mit der anderen Hand nahm er seinen Schaft, um ihn an mich heranzuführen, zog die Finger heraus und rieb ihn an meiner Pussy, bis wir es beide nicht mehr länger aushalten konnten. Er schob ihn im selben Moment hinein, als ich mich darauf senkte.

Er schrie auf, schloss die Augen und ließ sich mit ausgestreckten Armen gegen das Bett sinken, einen Ausdruck völliger Hilflosigkeit im Gesicht, als ich ihn zu reiten begann. Ich hatte keine Ahnung, was ich tat, folgte nur meinem Gefühl und bewegte mich vor und zurück, dann hin und her und ließ schließlich die Hüften kreisen. Dabei hielt ich ihn an den Schultern fest und beobachtete sein Gesicht, ob ich es richtig machte.

Zuerst zog er stumme Grimassen, als hätte er Schmerzen, dann entkrampfte sich sein Kiefer, und er riss keuchend den Mund auf. Nach ein paar Augenblicken erschlaffte sein Gesicht, er lag mit offenem Mund da und rollte unter den geschlossenen Lidern mit den Augen, was mir zeigte, dass ich es richtig machte.

Ich nahm meine Brüste in die Hände, und während ich sie streichelte wie Nate, die Brustwarzen mit den Daumen rieb, ließ ich mein Becken kreisen und fühlte ihn dick und hart in mir. Es war ein unbeschreibliches Gefühl, und ich wunderte mich, dass ich so lange darauf hatte warten können. Mir war bereits klar, dass ich jetzt, wo ich diese Süße gekostet hatte, nicht mehr ohne würde leben können, dass sie ein Teil von mir sein würde, wie ich immer geahnt hatte.

Die Zeit verlangsamte sich unter meinen gemächlichen, schwelgenden Beckenbewegungen. Warum auch hasten? Wir waren jung und ohne Bindung oder Verpflichtungen. Die Essays konnten warten, die Vorlesungen konnten warten, unsere Freunde konnten warten. Es war Frühling, und vor uns lag ein ganzer Sommer entspannten Fickens, in unserem Zimmer, im hohen Gras am Fluss, an vielen verborgenen Plätzen. Jetzt wo wir angefangen hatten, war es nur unsere Fantasie, die uns Grenzen setzte.

Der Rhythmus, der sich zwischen uns entwickelt hatte, beschleunigte sich wie von selbst. Nate schwenkte die Arme nach vorn und machte die Augen auf, umfasste meinen Po und hob mich aufs Bett. Kurz rutschte er aus mir heraus, und ich fühlte mich beraubt, doch er führte seinen Steifen gleich wieder ein.

Es war wie der Besuch eines alten Freundes, auf den ich angewiesen war, ohne den ich nicht leben konnte. Dann war ich es, die die Arme über den Kopf warf. Ich machte die Beine noch breiter und ermutigte ihn, tiefer einzudringen. Er war schwer auf mir, und als er sich auf und ab bewegte, seinen Takt allmählich steigernd, brachten sein Gewicht und die Reibung an meiner Klitoris meine Muschi in einer Weise zum Kribbeln und Schmelzen, die ich nicht in Worte fassen kann. Es war, als ob ich mich innerlich ausdehnte und mit warmem Honig füllte und dahinströmte wie ein Fluss, der über die Ufer tritt.

Nate, der spürte, wie meine Erregung wuchs, bremste sich, doch seine Stoßbewegungen hatten sich scheinbar verselbständigt, und er konnte sich nicht mehr zurückhalten. Als er kam, packte er mit einem Aufschrei meine Schultern und sank auf mich. Ich freute mich und fühlte mich zugleich im Stich gelassen, da ich auch schon nah dran gewesen war. Doch Nate erholte sich schnell.

»Tut mir leid«, murmelte er, sah mir in die Augen und fasste mir zögernd an die Muschi. »Darf ich?«, fragte er.

Ich nickte. »Natürlich«, sagte ich und genoss es, als seine Finger wieder in mich drangen.

Ich zog meine Schamlippen auseinander, um ihm zu zeigen, was ich brauchte. Er verstand, rieb mir mit der anderen Hand die Klitoris, zuerst hin und her, dann kreisend. Das Kribbeln begann erneut, auch das Gefühl, innerlich anzuschwellen, sich zu öffnen, und ich biss mir so fest in den Handrücken, dass Blut kam.

»Es tut mir leid.« Nates Stimme reißt mich in die Gegenwart zurück. »Es gab keine schonendere Art, dir von Anne-Mette zu erzählen. Aber das sollte –«

»Spielt keine Rolle«, falle ich ihm ins Wort und schüttle den Kopf, obwohl er mich nicht sehen kann. »Ich ... ich freue mich für dich. Wirklich. Ich möchte, dass du glücklich bist.«

Und wieder sehe ich sie vor mir: Sie stürmen in sein Zimmer, fallen durch die Tür auf den Boden und ficken nur halb ausgezogen, sprachlos vor Begierde, unfähig, das Bett zu erreichen. Ich freue mich für ihn und bin höllisch eifersüchtig und auch höllisch geil, denke an ihn und mich und an sie und ihn und dann an James und mich. Darum habe ich Nate in erster Linie angerufen – wegen der ganzen Sache mit James. Weil ich eine vertraute, liebevolle Stimme hören wollte, die mich in die Normalität zurückbringt.

Nate liebt mich noch und ich ihn. Aber er ist nicht mehr für mich da, nicht wirklich, egal, was er sagt. Anne-Mette hat ihm den Kopf verdreht, ihm die Zukunft eröffnet, eine Zukunft, die mich ausschließt. Oh, wir werden von Zeit zu Zeit E-Mails austauschen, aber immer seltener, bis sie schließlich ausbleiben und wir für einander bloß noch Erinnerung sind, nichts weiter als ein Rauchstreifen am Horizont von einem niedergebrannten Feuer.

»Ich muss jetzt Schluss machen, Nate«, sage ich und beteuere noch einmal, dass ich mich für ihn freue, dann lege ich hastig auf, bevor der Schluchzer, der mir schon in der Kehle sitzt, herausdrängt.

Ich sitze auf meinem Bett, und es regnet noch immer. Ich stehe auf. Es ist Zeit, in die Zukunft zu blicken, egal, was sie bereithält.

Die Dusche tut mir gut, macht mir den Kopf frei, erfrischt meine Sinne. Ich wollte Nate nicht zurückhaben – deswegen habe ich nicht angerufen – und ich freue mich wirklich, dass er jemand Neues gefunden hat. Aber nachdem ich dabei so viel an Sex gedacht habe, bin ich wieder völlig bei James und meiner jetzigen Situation angelangt, und ehe es mir bewusst wird, bin ich unten im Wohnzimmer vor Annes Laptop, um nach »Calla Lily« zu googeln, dem »geheimen Ort«, den James erwähnt hat.

Die Webseite erscheint, und sofort werde ich in eine verlockende Welt der Designer-Sexspielzeuge hineingezogen, in der die schrillen Plastikdinger der Billiganbieter keinen Platz haben. Hier gibt es Dinge aus Holz und Leder, aber auch aus Stahl, Kristall, Keramik, Jade, Perlmutt und sogar aus vierzehnkarätigem Gold. Ein vergoldeter Schmuck-Einteiler springt mir ins Auge – ich kenne so etwas nicht, aber der Werbetext erklärt mir, dass er um den Hals gebunden wird und bis zur Scham herabhängt, wo ein »Klitorisclip« für Erregung sorgt, wenn man sich bewegt. Das klingt äußerst verlockend, und ich bin sehr versucht, aber dann sehe ich den Preis von 450 Pfund und besinne mich.

Ich stöbere weiter, sehe mir Analkugeln, japanische Bondageseile und bestickte Masken an und denke, dass ich noch gar nicht richtig gelebt habe. Da gibt es eine ganze Sexwelt, von der ich nichts geahnt habe, die ich nicht einmal angefangen habe zu erkunden. Eine Welt voller Sex, der mich zugleich neugierig macht und erschreckt. Möchte ich daran teilhaben oder nicht? Verpasse ich etwas, oder bleibe ich besser auf Distanz? Wie bei James – oder besser gesagt, bei Anne und James – bin ich nicht imstande abzuwägen.

Da ich gerade an ihn denke, google ich ihn als Nächstes und bin neugierig, ob das Internet meiner Unwissenheit, was sein

Privatleben angeht, abhelfen kann. Er hat eine eigene Webseite, stelle ich fest, aber enttäuschenderweise ist seine Biographie auf das Berufliche beschränkt und listet nur seine zahlreichen Mitgliedschaften und Bücher auf, während sonst kaum etwas erwähnt wird. Wikipedia hat auch nichts anderes. Ärgerlich gehe ich wieder auf die Calla-Lily-Seite.

Immer wieder sehe ich schuldbewusst über die Schulter aus Angst, Anne könnte mich auf frischer Tat ertappen. Nicht, dass ich ihren Laptop nicht benutzen darf – sie hat es mir erlaubt. Und natürlich weiß ich nur durch sie von Calla Lily, sodass sie nichts dagegen haben kann. Doch in gewisser Weise schäme ich mich wie ein ungezogenes Schulmädchen, das etwas Ungehöriges tut und vielleicht bestraft wird.

Aber es gibt noch einen anderen Grund, über den ich mir nicht so ganz klar bin, der aber damit zu tun hat, dass ich Anne meine Gelüste nicht zeigen will. Sie weiß schon viel zu viel von mir. Noch ein bisschen mehr, und sie hätte eine noch größere Macht über mich.

Dann sage ich mir, dass sie meine Arbeitgeberin ist und ich auf keinen Fall hier sitzen und das tun sollte, dass das ein Entlassungsgrund ist, und so gehe ich die Treppe hinauf mit der Absicht, an ihre Tür zu klopfen und zu fragen, ob sie etwas für mich zu tun hat. Außer dem Aufräumen von Büchern und Papieren habe ich bisher nur Sexuelles für sie getan. Und ich kann nicht glauben, dass das zu meinem Job gehören soll. Das kann nur ein Nebenschauplatz sein, oder?

Doch wie ich vor Annes Tür stehe, kann ich mich nicht überwinden, sie zu unterbrechen. Ich höre sie drinnen tippen und fürchte, wenn ich sie in ihrer Konzentration störe, könnte sie wütend auf mich sein. Und so gehe ich wieder hinunter, und nach einem Moment der Entscheidung nehme ich meine Schlüssel und verlasse das Haus.

Eine Zeit lang laufe ich ziellos durch Bayswater und rede mir ein, ich wollte das Viertel kennenlernen. Aber es dauert nicht lange, da gehe ich den Queensway entlang, um mir die Schaufenster anzusehen, und finde bald freudig überrascht, wonach ich eigentlich gesucht habe: eine Filiale von Ann Summers. Bei der Aussicht, meinen ersten Streifzug durch einen Sexshop zu machen, durchfährt mich ein kleiner Schauder, und ich drücke die Tür auf und betrete den Laden.

Diesmal halte ich mich nicht auf, stöbere nicht. Da gibt es viel Faszinierendes, das in Versuchung führt, aber ich weiß, was ich will, und so steuere ich direkt auf die Sexspielzeuge zu und blicke suchend über die Auslage. Ich sehe ein paar stinknormale Vibratoren, aber auch alle möglichen Varianten vom Rabbit bis zum Lovebrush – letzterer eine Sammlung von Aufsätzen für die elektrische Zahnbürste. Eine schwierige Entscheidung, aber schließlich überzeugt mich ein Rock Chick, der nach der Beschreibung ein einzigartiger freihändiger Stimulator für Klitoris und G-Punkt ist und unglaublich intensive Orgasmen hervorrufen soll. Und ein Wahnsinnsorgasmus ist genau das, worauf ich es abgesehen habe.

Ich bezahle mit Karte und verlasse eilig den Laden, um das Ding auszuprobieren. Tatsächlich bin ich so erpicht darauf, dass ich glaube, nicht bis zu Hause warten zu können. Außerdem sage ich mir, dass es sowieso am besten ist, noch nicht zurückzukehren. Anne könnte aufgehört haben zu arbeiten und eine Aufgabe für mich finden, wenn sie hört, dass ich wieder da bin. Das wäre ein klassischer Fall von Murphys Gesetz. Oder ich käme an ihr vorbei bis in mein Zimmer und wäre mitten beim Onanieren, wenn sie an meine Tür klopft und mich für etwas braucht. Nein, ich will Lust und ich will sie jetzt, ohne Einschränkungen.

Ich überquere die Bayswater Road und gehe in die Kensington Gardens, wo ich mich nach einem verlassenen Plätzchen umsehe. An diesem Nachmittag ist der Park nicht sehr belebt, aber ich kann es schlecht auf offenem Gelände tun, wo jeder Jogger und Spaziergänger mit seinem Hund mich erwischen kann. Ich gehe um die Geländer herum und suche nach einer Baumgruppe, in die ich mich zurückziehen könnte. Nach einer Weile finde ich eine geeignete Stelle.

Nachdem ich mich nach allen Seiten umgesehen habe, setze ich mich auf den Boden und drücke die Plastiktüte mit meiner Neuerwerbung, meinem neuen Spielzeug, an die Brust. Das Gras unter meinen Händen ist federnd und einladend. Ich lehne mich zurück und ziehe mir, während ich mich ständig umsehe, den Jeansrock hoch, lege die Tüte neben mich und fummle darin herum, bis ich den Rock Chick aus seiner leichten Verpackung geholt habe. Mein Atem beschleunigt sich vor lauter Vorfreude, als ich ihn aus dem bunten Plastik ziehe und zum ersten Mal richtig betrachte.

Er sieht nicht aus wie ein Vibrator – ist nicht lang und gerade, sondern u-förmig gebogen, sodass er in mir stecken und gleichzeitig die Klitoris stimulieren kann. Ich brauche keine Gebrauchsanweisung, um zu kapieren, dass man wahrscheinlich auf und ab schaukeln muss, um doppelt bedient zu werden, innen und außen.

Ich greife mir zwischen die Beine – bin schon allein von der Vorstellung nass geworden – und ziehe den Slip zur Seite. Doch als ich das Spielzeug ansetze, merke ich, dass der Stoff bei der Stimulation der Klitoris im Weg sein wird. Darum ziehe ich den Slip aus und stopfe ihn in die Plastiktüte. Dann öffne ich die Beine und schiebe mir das eine Ende des Rock Chicks hinein.

Ich keuche auf bei der plötzlichen Erregung, die einsetzt, als das andere Ende sich an meine Klitoris legt. Mich erfasst eine Woge der Lust, die von innen und von außen gespeist wird. Es zeigt sich schnell, dass ich die Hände wirklich nicht brauche. Meinem Werkzeug entsprechend schaukle ich vorwärts und rückwärts, finde zu einem sanften, aber höchst lustvollen Tempo, und mein erster Impuls ist, an meine Brüste zu fassen und durch das T-Shirt meine aufgerichteten Brustwaren zu drücken.

Ich beiße die Zähne zusammen und stemme den Hinterkopf in den Rasen, dass ich die harte Erde darunter fühlen kann. Doch dann variiere ich meine Bewegungen, experimentiere, indem ich ein bisschen kreise und vorsichtig stoße, und das zusammen mit den Vibrationen des Geräts bringt mich in einen verträumten Zustand, bei dem ich tatsächlich entspanne. Ich lasse meine Brüste los und lege die Arme über den Schultern ins Gras. Ich lächle und stöhne gleichzeitig. Mir ist, als könnte ich immer so weitermachen.

Während ich das Spielzeug seine sanfte Magie entfalten lasse, denke ich an niemanden, nicht an James und nicht an Nate. Ich gebe mich allein den Gefühlen hin, die meine Sinne, meinen ganzen Körper durchströmen, nicht nur meine Muschi und die Klitoris. Das weiche Gras an meinen Armen und Beinen, die warme Sonne im Gesicht, das Rauschen des Verkehrs auf der Bayswater Road – alles trägt zu meiner Unbekümmertheit bei. Mitten in der Großstadt fühle ich mich wohlig allein und unbeschränkt wie ein Naturgeist, fühle mich berauscht und befreit und fern von jedem anderen lebenden Wesen. Keiner könnte mir die Gefühle verschaffen, die ich jetzt erlebe. Das ist mein reines Ich. Oder soll ich sagen, mein unreines Ich?

Die Gefühle verstärken sich jedoch fast unbemerkt: mein Stöhnen kommt lauter und schneller, meine Stöße werden kräftiger. Ich merke, ich bin am Scheitelpunkt von etwas Wunderbarem, einer Offenbarung, und ich strecke mich dem entgegen und möchte es zugleich zurückdrängen, um diese Augenblicke reinster Lust voll auszukosten. In dem Versuch, meinen Orgasmus aufzuhalten, komme ich träumerisch und umnebelt auf die Füße und lehne mich gegen den Baum mit dem Gesicht zur Hecke, sodass ich außerhalb des Blickfelds der Spaziergänger bleibe, die vielleicht auf dem nächsten Weg vorbeilaufen.

Praktischerweise hat der Baumstamm in Höhe meines Hinterns einen Vorsprung, der einen bequemen Sims abgibt, sodass ich darauf eine Aufwärtsstoßbewegung in Gang setzen kann. Meine Hände wandern erneut an meine Brüste, und ich drücke sie, als sich meine Lust zu einer unbezwingbaren Woge aufschwingt. Ein Schrei entkommt mir.

Ich reiße die Augen auf. Über der Hecke sind die obersten drei, vier Stockwerke eines schicken Hotels zu sehen. In einem Fenster steht ein Mann, der neugierig lächelnd zu mir herunterstarrt.

Als ich ihn entdecke, nickt er mir zu, als wolle er mich zum Weitermachen ermutigen. Viel Spaß, scheint er zu sagen. Doch ich brauche keine Ermutigung. Der Gedanke, auf diese Weise beobachtet zu werden, wirkt sich aus; ich stoße noch einmal kräftig und öffne mich für einen so machtvollen Orgasmus, dass ich mich gegen die Baumrinde stemme, ohne zu merken, was ich meiner Haut damit antue, wie ich später zu Hause im Spiegel sehen werde.

Dann lasse ich mich ins Gras sinken und liege keuchend da. Ich sehe nicht zu dem Fenster hoch, das jetzt sowieso von der Hecke verdeckt ist. Aber ich gehe jede Wette ein, dass mein Bewunderer sich gerade auch entspannt und dabei meinen Anblick vor Augen hat.

Als ich mich erholt habe, stecke ich das Spielzeug in die

Tüte zu meinem Slip und laufe noch immer mit einem Kribbeln in mir zum St Petersburgh Place zurück.

Anne mag mir die Befriedigung verweigern, denke ich, als ich den Schlüssel ins Schloss schiebe, und James mag außer meiner Reichweite bleiben, doch ich habe auch ohne sie ein Wahnsinnsmittel gefunden, um mir Befriedigung zu verschaffen.

6: Der Gespiele

Ich bin noch nicht lange wieder zurück und mache mir, heißhungrig von der Anstrengung, in der Küche ein paar Toasts, als Anne hereinkommt. Von ihrer Hand steigt eine Rauchwolke auf. Sie führt die Zigarette an den Mund, um kurze, gierige Züge zu machen, bei denen sie noch verkniffener aussieht als sonst. Offenbar ist sie wegen irgendetwas aufgeregt.

»Ist etwas los?«, frage ich, bestreiche meinen Toast mit Butter und nehme das freudig als Vorwand, ihr nicht in die Augen sehen zu müssen, obwohl ich weiß, dass sie James und das Geschehen des gestrigen Abends nicht ansprechen wird. Was ich nicht weiß, ist, ob ihre Aufregung, worum es sich auch immer dreht, echt oder gespielt ist, damit wir das Thema meiden können, das zuoberst in unseren Köpfen vorgeht. Oder zumindest in meinem Kopf. Man sollte meinen, auch in ihrem, aber das ist schwer zu sagen. Sind solche Eskapaden in ihrem Leben so alltäglich, dass sie sie keines Gespräches, nicht einmal einer Erwähnung für wert hält?

»Diese schreckliche Frau«, sagt sie verbittert, und ich entnehme ihrem Durcheinander von Halbsätzen und Flüchen, dass ihre Agentin, die übermächtige Delphina Carmichael, sie mit irgendetwas sauer gemacht hat.

Das sollte mich interessieren, und unter normalen Umständen würde mich dieser Einblick in Londons Literaturbetrieb faszinieren. Doch stattdessen schieben sich mir Bilder der vergangenen Nacht vor die Augen, und ich erröte bei dem Gedanken, dass Anne mich nackt gesehen, dass sie miterlebt hat, wie ich die Kontrolle verliere, als James mich mit dem Dildo bearbeitet. Dass sie das eigentümliche, verbotene Vergnügen mit angesehen hat, das es in mir weckte, den nackten Hintern dieses im Grunde fremden Mannes zu schlagen, eines Mannes, der vier Jahrzehnte älter ist als ich. Durch ihre privilegierte Position – wo sie präsent und beteiligt, aber distanziert, gefasst und eher beherrschend ist als unbeherrscht – weiß Anne Dinge über mich, die kein anderer, nicht einmal ich selbst von mir kenne. Selber kühl, sieht sie Dinge, die wir nicht sehen, während wir vorangetrieben werden. Sie sieht, wer wir sind, wenn wir aus uns herausgehen.

Anne schimpft noch immer, und schließlich, nachdem ich meinen Toast mit Marmite bestrichen habe, bleibt mir nichts anderes übrig, als sie anzusehen.

Es ist leichter, als ich gedacht habe: Sie hat sich eine neue Zigarette angezündet und schnaubt und pafft, den Blick aufs Küchenfenster und den kleinen Garten gerichtet. Oder vielleicht auf ihr Spiegelbild in der Scheibe. Vielleicht, so kommt mir der Gedanke, wird Anne von einem Fluch geplagt, der ein Fallstrick für Schriftsteller sein mag: selbst ist sie unfähig zu unbefangenem Handeln, weil sie ständig beobachtet, feststellt, versessen Informationen für einen Roman sammelt. Und zwangsläufig auch Informationen über sich. Kann Anne je wirklich am Leben teilnehmen?

Plötzlich hört sie auf zu reden und wendet mir das Gesicht zu. Unsere Blicke treffen sich. Ich suche nach einem Funken Bestätigung dessen, was zwischen James und mir passiert ist, zwischen uns dreien. Doch ich sehe nur eine kalte, harte Beschaffenheit wie bei einem Blick in den Sternenhimmel in einer Winternacht. Da ist Schönheit, aber auch etwas Beängstigendes, das an die Weite des Raums erinnert, der uns trennt, an die Unendlichkeit in ihrer ganzen Gleichgültigkeit.

Einen Moment lang bin ich wie vor den Kopf geschlagen. Die Dinge, die sie gesehen hat ... Aber was habe ich von ihr erwartet? Zuneigung? Sex führt nicht immer zu Zuneigung, noch beginnt er damit. Warum sollte überhaupt Zuneigung ins Spiel kommen? Doch scheinbar würde ich, wie ich da vor ihrem seltsam unbeteiligten Blick stehe, mich besser fühlen, wenn ich wüsste, dass Anne mich mag, wenn zumindest ein winziges Maß an Liebe hinzukäme.

Ich denke an James und tröste mich mit der Überzeugung, dass zumindest zwischen uns ein gewisses Maß an Zuneigung existiert, unabhängig von dem, was Anne sagt oder tut. Die Höflichkeit und Anteilnahme, die er mir entgegenbringt, die Lust, die er in mir wachruft, muss einer warmherzigen Quelle entspringen.

Vielleicht ist das sogar der Grundstock, aus dem sich Liebe entwickelt, wenn das, was zwischen uns ist, wachsen und einen natürlichen Verlauf nehmen darf. Ganz sicher empfinde ich mehr als eine kleine Zuneigung für ihn. Ich will ihn körperlich, aber mein Gefühl geht viel tiefer. Ich spüre, dass ihm irgendwann etwas zugestoßen ist und dass er einen Menschen braucht, der ihn versteht, der als Balsam für seine Wunden dienen kann. Dieser Mensch sein zu wollen, ist doch sicherlich eine Form von Liebe?

Das Schweigen hält zu lange an, und plötzlich geht in ihren Augen eine Veränderung vor. Ich spüre, dass die Kälte von Berechnung, vielleicht sogar Böswilligkeit abgelöst wird. Möglich, dass ich paranoid bin, aber mir ist, als ob sie mich taxiert, beurteilt, was sie findet, um Neues auszuhecken, die Dinge in eine neue Richtung zu treiben. Ich frage mich, ob ich der Herausforderung gewachsen sein werde, und während mir der Gedanke durch den Kopf geht, staune ich über meinen Wandel: schon akzeptiere ich meinen Platz und ziehe nicht einmal in Erwägung, mich dem zu verweigern, was sie sich in ihrer verschrobenen Fantasie ausgedacht hat.

»Gibt es … kann ich irgendetwas tun?«, bringe ich endlich heraus. »Abheften oder dergleichen?«

Anne zuckt die Achseln, während mich ihr Blick durchbohrt. »Im Augenblick nicht«, sagt sie.

»Aber später? Es muss doch –«

Sie lässt mich nicht ausreden. »Da ist ein Schüler …«, setzt sie an, und dann sieht sie endlich weg, führt die Zigarette an die Lippen und nimmt einen langen, bedächtigen Zug. Wieder richtet sie den Blick in den Garten oder auf die spiegelnde Fensterscheibe. »Komm um zwei Uhr herunter. Ich möchte, dass du dabei bist und Notizen machst.«

Ich sehe ihr beim Rauchen zu, nachdem die Unterhaltung offenbar beendet ist. Wie es scheint, ist sie mit den Gedanken woanders, und ich frage mich, ob sie an ihren neuen Roman denkt, ob sie von Inspiration und schöpferischen Impulsen überquillt. Einen Moment lang bin ich neidisch: Wie wunderbar muss das sein.

Dann runzle ich die Stirn. Was meint sie mit »Schüler«? Sie hat bisher keine Schüler erwähnt, und ich kann mir nicht vorstellen, dass eine Autorin ihres Formats Unterricht gibt, selbst wenn ihr Ruf in den letzten Jahren bröckelte. Wenn sie finanziell zu kämpfen hätte, würde das große Haus, das mehr Platz bietet, als sie braucht, sicher als erstes weggehen und es hätte sicher ein Preisschild mit mehreren Millionen Pfund daran.

Doch ich bekomme keine Gelegenheit zu fragen, denn Anne ist aus ihrer Träumerei erwacht und verlässt die Küche. Ich sehe auf die Uhr: es ist eins. Noch eine Stunde, dann werde ich erfahren, was das nun wieder auf sich hat. Ich beschließe, ein Nickerchen zu machen.

Oben in meinem Zimmer greife ich ruhelos zu der Plastiktüte mit meinem kleinen violetten Freund, und nachdem ich ihn abgewaschen habe, bewundere ich ihn, streiche mit den Fingern von einem samtigen Ende zum anderen. Dann kann ich nicht mehr widerstehen und schlage meinen Rock hoch, lege mich auf die Seite und bringe ihn an meine Muschi. Er gleitet mühelos hinein, und das gekrümmte Ende schmiegt sich an meinen G-Punkt. Mir tränen die Augen von dem Drang, mich auf der Stelle kommen zu lassen. Um noch warten zu können, drehe ich mich auf den Bauch und suche nach einem gemessenen Tempo, das ich aufrechterhalten kann, bis ich bereit bin, den ganzen Weg zu gehen.

Als es anfängt, schwierig zu werden, wegen der Reibung des geriffelten Endes an der Klitoris, stütze ich mich auf die Ellbogen und fange an zu stoßen. Da ich die Hände frei habe, greife ich rückwärts an meinen Hintern, ziehe die Backen auseinander und bohre mir die Finger ins Fleisch. Das Gefühl steigert sich noch. Kurz lasse ich los, greife mir zwischen die Beine und aktiviere die Vibrationskugel. Dann heißt es, alles startklar, als sich die Stimulation meiner Klitoris intensiviert, und ich komme mit einem Schrei.

Während ich keuchend daliege, frage ich mich, ob Anne vor meiner Tür steht, doch als ich darüber nachdenke, merke ich, dass es mir egal ist. Es ist so vieles passiert, dass ich nicht einsehe, was das jetzt noch ausmachen soll. Hier gibt es für mich keine Privatsphäre, das habe ich schon begriffen und mich damit abgefunden. Ich bin bei Anne angestellt, lebe in ihrem Haus und insofern hat sie das Recht, zu tun, was sie will, solange es nicht illegal ist. Das ist die Situation, und ich muss sie akzeptieren oder gehen.

Kurz spiele ich mit dem Gedanken zu gehen, doch ich finde keine Antwort auf die Frage, die sich damit stellt: Was dann?

Wohin würde ich gehen? Was würde ich tun? Vron, die mich zuletzt begeistert von hinten gesehen hat, wäre unerbittlich und würde mich keinen Fuß in ihre Wohnung setzen lassen, und ein anderer fällt mir nicht ein, der den Platz oder die Gutmütigkeit hätte, mich für ein paar Nächte aufzunehmen. Ich würde mir selbst eine Wohnung mieten müssen, und in London müsste ich dazu meine Seele verkaufen und mir einen hoch bezahlten Job suchen, der mich auslaugen und meinen schriftstellerischen Ambitionen ein Ende setzen würde.

Doch wenn ich näher darüber nachdenke, muss ich zugeben, dass hier noch etwas anderes im Spiel ist: Anne hat mich am Haken. Da ist natürlich James – ein Köder, wie er im Buche steht, die Karotte am Ende ihres Stocks. Zwischen ihm und mir gibt es etwas Unerledigtes, und ich fürchte, dass Anne mein einziger Zugang zu ihm ist. Sollte ich also gehen, würde ich nicht nur sie verlassen, sondern auch ihn aufgeben, und dazu bin ich nicht bereit.

Und da ist noch mehr. Dieser »Schüler«, den ich gleich kennenlernen soll – irgendetwas sagt mir, dass das keine übliche Tutorenstunde wird, dass die Lehrer-Schüler-Beziehung, die ich sehen werde, einigermaßen bizarr ist. Erstaunlich, wie schnell ich bei Anne erkannt habe, dass sie zu niemandem ein unkompliziertes Verhältnis hat. Aber vielleicht werde ich eines Besseren belehrt.

Um mich von dem bevorstehenden Treffen abzulenken, und auch von James und der ganzen komplizierten Situation, nehme ich einen Roman zur Hand, und noch vor der zehnten Seite nicke ich ein. Die Sonne, die durch das Mansardenfenster auf mein Bett scheint, hüllt mich ein und bewirkt eine angenehme Schläfrigkeit, die mich von Kummer und Verwirrung befreit. Mir ist, als könnte ich hundert Jahre schlafen. Nur wer wäre der Prinz, der mich wach küsst? James Carnaby? Bin ich verliebt in diesen Sugardaddy, diesen reichen, prominenten Mann, der unerklärlicherweise noch Single ist?

Der träge Gedankenfluss wird vom schrillen Ton der Haustürklingel angehalten. Erschrocken setze ich mich auf, streiche mir die Haare glatt und horche. Ich schaue auf mein Handy, um die Uhrzeit zu erfahren. Dieser geheimnisvolle Schüler ist sehr pünktlich. Das heißt, er ist begierig zu lernen, was Anne ihm beibringen will.

Sowie ich aus meinem Zimmer auf den Treppenabsatz trete, höre ich die männliche Stimme und die von Anne, die weicher und herzlicher klingt, als ich es gewöhnt bin. Der Besucher spricht gedämpft und zögernd. Das Gegenteil von James mit seiner bestimmten, kräftigen Redeweise, die für Vorträge und Auftritte im Fernsehen und Lesereisen erforderlich ist, um Leute zu überzeugen, dass er auf seinem Gebiet mehr weiß als jeder andere.

»Hallo?«, höre ich Anne rufen und biege um die Treppenkehre, um festzustellen, dass sie zu mir heraufsieht. »Oh, da bist du«, sagt sie. »Gut. Wir können anfangen.«

Sie dreht sich auf dem Absatz um und geht zum Wohnzimmer. Im Durchgang sehe ich einen großen, gertenschlanken jungen Mann stehen. Als Anne zu ihm kommt, dreht er sich um und betritt vor ihr den Raum. Sie legt ihm eine Hand auf die Schulter, als wollte sie ihn führen. Eine unerwartet mütterliche Geste.

Ein paar Schritte hinter ihnen komme ich ins Zimmer, als sie sich auf dem Sofa niederlassen. Der Junge – er ist nicht einmal so alt wie ich – wirkt ein bisschen nervös, aber auch erwartungsvoll. Seine Wangen sind leicht gerötet, ein Kontrast zum glänzenden Kastanienbraun seiner Haare. Seine Blicke wandern unsicher durch das Zimmer, als nähmen sie jede Einzelheit in sich auf, an die er sich später erinnern möchte. Mir ist sofort klar, dass er noch nie hier gewesen ist. Wenn er ein Schüler ist, ist er neu.

Er dreht den Kopf, als er mich kommen hört; große blaue Augen sehen mich an, faszinieren mich mit der Suggestion kindlicher Unschuld, die kein Junge, der so hübsch ist wie er, für sich in Anspruch nehmen kann. Mir stockt der Atem.

Anne spricht an meiner Stelle. »Das ist meine Assistentin«, sagt sie zu ihm, und mir fällt auf, dass sie auch seinen Namen nicht nennt.

»Sehr erfreut«, sagt er und schüttelt mir die Hand. Die Erregung ist sofort da, als würde ein leichter Strom zwischen uns fließen. Unwillkürlich fällt mir der Björk-Song ein – *Venus als Junge: Er erkundet den Geschmack in ihrer/Erregung/so sorgfältig.* James hat seine Reize, aber sie sind vielschichtig und müssen entschlüsselt werden. Dieser Junge ist direkt, unleugbar hinreißend wie ein Cary Grant mit achtzehn.

Ich reiße mich von ihm los und stelle fest, dass Anne mich beobachtet, unverhohlen neugierig, wie ich auf den Besucher reagiere. Ich erwidere ihren Blick und komme mir mutig vor. Ich weiß, ich muss tapfer sein, wenn es eine Chance geben soll, zu bekommen, was ich will, und im Augenblick will ich diesen erstaunlichen Jungen mehr als alles andere.

Was?, fordern ihre Augen mich heraus.

Ich mache den Mund auf, ersticke fast an dem, was ich sagen möchte. »Wie lautet die Lektion?«, frage ich stattdessen.

Sie sieht mich unverwandt an. »Ästhetik«, antwortet sie langsam. »Hast du dazu an der Universität etwas belegt?«

Ich schüttle den Kopf. »Eigentlich nicht«, sage ich, verwundert, wohin das führen wird.

»Eine Schande«, sagt sie, blickt den Jungen und dann wieder mich an. »Aber natürlich hast du nicht Philosophie studiert, nicht wahr?«

»Nicht als solche. Nur ein bisschen hier und da nebenbei.«

Sie schüttelt den Kopf. »In Frankreich«, sagt sie verträumt, »bekommt man schon in der Schule die Grundkenntnisse der Philosophie vermittelt.«

Ich lächle und versuche, mich zu entspannen. »Natürlich ist in Frankreich alles besser als hier«, sage ich halb ironisch, halb ernst. Ich bin einigermaßen frankophil, achte aber auch darauf, keine Klischees und Vorurteile zu unterstützen. Ich riskiere einen Blick auf den Jungen. Er sieht erwartungsvoll zu Anne. Auch er hat keine Ahnung, worauf das hinausläuft. Hofft er wie ich?

»Axiologie«, sagt Anne und greift nach einer silbernen Zigarettendose auf dem Sofatisch. »Das Studium der Eigenschaften oder Werte einschließlich der Ästhetik, folglich das Studium der Art, wie wir die Welt sehen und verstehen.«

Der Junge nickt, ich nicke auch. Dann sieht er mich an und ich ihn. Kurz halten wir den Blick des anderen fest, und wieder würdige ich den Anschein der Unschuld in diesen großen, kobaltblauen Augen. Dann sehen wir Anne an, als ihre Worte die Seifenblase platzen lassen, in der wir uns für eine Minute befunden und unsere Umgebung vergessen haben.

»Schönheit«, fährt sie fort und bläst eine Rauchwolke aus. »Ist sie ein rein kulturelles Konstrukt, oder gibt es so etwas wie objektive Schönheit, eine, die für jeden evident ist?« Sie beäugt den Jungen beinahe argwöhnisch, wie mir scheint, als könnte sein Gesicht aufbrechen wie eine Maske oder sich in Luft auflösen und etwas Enttäuschendes zum Vorschein bringen. Als hätte seine Schönheit etwas Falsches, Trügerisches an sich. Vielleicht ist da sogar ein bisschen Abneigung in ihrem Gesichtsausdruck, die Weigerung sich von Äußerlichkeiten verblüffen zu lassen.

Der Junge antwortet nicht, und ich habe auch nicht den Eindruck, dass sie eine Antwort hören will. Es interessiert sie nicht, was er dazu zu sagen hätte. Und wieder frage ich mich, ob das eine gewöhnliche Tutorenstunde ist oder etwas anderes, das sich nur diese Maske aufsetzt. Warum ist der Junge hergekommen? Was erwartet er? Sein offenes, unirdisches Gesicht verrät nichts.

»Vielleicht«, sagt Anne, »ist das nur ein Problem unseres mangelhaften Vokabulars. Denn von der Frage der Subjektivität abgesehen: Was ein Gemälde schön macht, ist etwas ganz anderes, als was ein Musikstück oder ein Gedicht schön macht.« Sie drückt ihre Zigarette aus und schließt für einen Moment die Augen. »Oder einen Menschen.« Ich frage mich, an was oder an wen sie jetzt denkt.

Nichts von diesem Gerede ist mir besonders neu – das habe ich alles schon in ihren Romanen gelesen, in denen Schönheit ein wiederkehrendes Thema ist. In ihren Werken stößt sie immerzu auf die großen Fragen: den Sinn unserer Existenz, ob Schönheit eine Ablenkung vom Irdischen und der Sterblichkeit ist oder vielmehr das Einzige, was das Leben lebenswert macht.

Ich nutze die Gelegenheit, wo sie die Augen geschlossen hält, um den Jungen wieder anzusehen, diesmal fragend. Ist er ein Fan oder Student ihres Œuvres und hier, um mehr zu erfahren? Angesichts seines Alters kann ich mir nicht vorstellen, dass er selbst auch Schriftsteller ist. Doch warum sollte Anne von allen Studenten, die sich ihr sicher jedes Jahr nähern, seit einige ihrer frühen Romane auf dem Lehrplan stehen, gerade diesem ihre Tür öffnen?

Dann komme ich drauf: Anne ist besessen von Schönheit und ihrer Wirkung, und dieser Junge ist schön. Sie möchte seine Wirkung auf mich studieren. Wie bei James bin ich das Versuchskaninchen, das Lackmuspapier ihrer gebrochenen

Wünsche. Ich beuge mich gespannt vor. Ich bin bereit, die Rolle anzunehmen.

Als hätten sich ihr meine Gedanken mitgeteilt, sieht sie mich an und hebt das Kinn, deutet mit den Augen nach oben. Ich stehe auf. Ich weiß, wohin ich gehen soll, wo wir landen werden.

Als ich die Treppe hinaufsteige, höre ich sie leise mit dem Jungen reden und bin enttäuscht, dass ich weder verstehe, was sie sagt, noch was er antwortet. Ich würde liebend gern wissen, ob er unter falscher Annahme oder in dem vollen Wissen, was von ihm verlangt wird, hierher gekommen ist. Ob er, wenn er es vorher gewusst hätte, auch gekommen wäre.

Doch als er das Schlafzimmer im ersten Stock betritt, das, in dem ich vor ein paar Nächten mit James gewesen bin, sehe ich keine Angst in seinem Gesicht – nur Begierde. Ein Schweißfilm verstärkt den natürlichen Glanz seiner schön gebräunten, makellosen Haut. Er ist wahrhaft göttlich, eine männliche Inkarnation der Venus. Wer wollte seine Schönheit bestreiten? Ich erkenne an, dass Schönheit ein kulturelles Konstrukt ist, kann mir aber nicht vorstellen, dass es einen Menschen auf dieser Welt gibt, der diesem Jungen sein erstaunlich gutes Aussehen absprechen würde.

Plötzlich fühle ich mich ein bisschen befangen. Bin ich ihm ebenbürtig? Ich weiß, dass ich – bei aller Bescheidenheit – nicht schlecht aussehe. Männer haben schon immer Interesse an mir bekundet, von Bauarbeitern, die mir hinterher pfeifen, bis zu manchen Freunden meines Vaters. Ich habe ziemliches Glück, dass ich schlank bin, ohne dass ich viel Sport treiben oder Diät halten muss, und habe einen flachen Bauch und feste Brüste, die zwischen C- und D-Cup rangieren. Ich bin mittelgroß, aber meine Beine wirken lang, und mein Hintern ist wohl gerundet.

Auffällig in meinem Gesicht ist zweifellos der Mund mit den klassisch geformten vollen Lippen, aber ich habe auch hübsche Augen, wie man mir sagt, klein, aber ausdrucksvoll mit goldenen Sprenkeln in der meergrünen Iris. Meine Haare sind dunkelbraun, meine Haut schimmert hell.

Nein, ich habe immer die Aufmerksamkeit des anderen Geschlechts auf mich gezogen, ohne es darauf anzulegen. Ich kleide mich nicht provokant, auch wenn ich gern zeige, was ich habe, und darum Röcke trage, die knapp über dem Knie enden, und Oberteile mit ein wenig Dekolleté. Im Gegensatz zu vielen Frauen weiß ich, wie wichtig ein guter BH für die Gesamterscheinung ist. Ich mag auch gute Schuhe. Aber mein studentisches Budget hat mein Trachten nach Eleganz immer stark beschnitten. Ich habe ab und zu ein glamouröses Stück in Second-Hand-Läden erworben, doch bevor ich bei Anne eingezogen bin und mehr Wert auf Pflege und Aussehen lege, war mein Alltagslook eher schäbig – Jeans, T-Shirt, zerschlissene Converse-Sneaker.

Erst jetzt, wo der Junge mit Anne im Schlepptau in das Zimmer kommt, sehe ich mir seine Kleidung an. Von schäbig ist er weit entfernt. Seine hellgraue enge Hose hat einen guten Schnitt, sein Hemd ist lässig, aber frisch, dunkelgrau mit dezenten militärischen Attributen. Die aufgekrempelten Ärmel zeigen kräftige Unterarme. Mein Blick wandert nach unten. Im gedämpften Licht – die Vorhänge sind zugezogen – glänzen seine polierten Budapester.

Als er sieht, wie ich ihn mustere, lächelt er zaghaft, doch mit einer gewissen – so scheint es mir zumindest – Zuversicht, dass mir gefällt, was ich sehe. Ich stelle mir neidvoll vor, wie sein Leben wohl aussieht, sehe ihn zwischen den Vorlesungen durch die Gänge der Uni schlendern und sich nach seinen Kommilitonen umdrehen, nach den weiblichen und den männlichen. Wer könnte seinen Reizen widerstehen? Ich frage mich, mit wie vielen er schon geschlafen hat, ob er in beiden Richtungen interessiert ist. Er hat das Aussehen, das Männer und Frauen anspricht. Und wenn er für das Experiment mit Anne zu haben ist, mit mir, war er dann nicht auch schon für andere Experimente zu haben?

Ich bin neidisch, während ich mir das alles ausmale – auf seine Freiheit, seine Offenheit. Meine Unierfahrung war so unterschiedlich, weil ich mich so früh an Nate gebunden hatte. Jetzt frage ich mich, ob ich das tat, weil ich Angst vor der Freiheit hatte, vor der Entscheidung, zu tun, was ich wirklich wollte. Warum habe ich mich so früh gebunden, mir in der sexuell ergiebigsten Zeit des Lebens alles verkniffen, wenn nicht aus Angst vor meinen eigenen Gelüsten?

Jetzt, da ich meine Lust auf den Jungen spüre, bin ich zwar bestürzt, merke aber zugleich, dass ich bei einer Weigerung mein inneres Wesen, mein wahres Selbst verleugnen würde. Sicher, es ist riskant, jemandem zu zeigen, dass man ihn will. Man riskiert Zurückweisung und Demütigung. Aber dann weiß man wenigstens Bescheid und verbringt nicht den Rest seiner Tage mit Spekulationen, was hätte sein können, wenn man nur seinem Impuls gefolgt wäre, wenn man sich nur getraut hätte.

Wie ich so vor ihm stehe, wünsche ich mir zutiefst, ich könnte die Zeit zurückdrehen und die Jahre an der Uni noch einmal leben, ohne die Sicherheit, den Schutz von Nate an meiner Seite. Habe ich ihn wirklich geliebt, oder war das nur ein Vorwand gewesen, um die sichere Seite zu wählen?

Der Blick des Jungen huscht von mir zum Bett, und er lächelt. Ich lächle ebenfalls, und dann sehen wir beide Anne an. Wir wissen, wer hier das Sagen hat. Sie dreht sich um, aber nur, wie sich herausstellt, um sich in den Sessel zu setzen, der in der Zimmerecke steht. Sobald sie sitzt, betrachtet sie mich mit der Mischung aus arroganter *froideur* und schwelender Intensität, die ich inzwischen so gut kenne.

»Zieh dich aus«, krächzt sie und bricht das fast unerträgliche Schweigen.

Das braucht man mir nicht zweimal zu sagen; innerhalb von Sekunden liegen meine Sachen auf dem Boden. Und trotz meiner Scheu angesichts dieses Adonis schwelge ich in meiner Nacktheit. Ich bin so heiß auf ihn, dass ich schreien könnte.

»Jetzt du, Junge«, sagt Anne. »Zieh dich aus.«

Von ihrer barschen Ansprache, ihrem offensichtlichen Wunsch, ihn kleinzumachen, eher verwirrt als gedemütigt, entkleidet er sich ebenfalls. Doch er tut es viel langsamer und beherrschter als ich, als wolle er hier unbedingt eine gewisse Kontrolle wahren oder als wolle er ihr wenigstens zu verstehen geben, dass er kein bloßes Spielzeug ist, das sich ihr in jeder Weise beugt wie ein Setzling dem Wind. Ich bewundere ihn dafür und fühle mich noch mehr angetörnt. Er scheint zu wissen, wer er ist.

Zuerst ist das Hemd dran, Knopf für Knopf. Als er es von seiner unbehaarten Brust und den leicht muskulösen Armen gezogen hat, faltet er es zusammen und legt es auf den Nachttisch. Ebenso die Hose, nachdem er sie über die schlanken Hüften, die Knöchel und Füße gezogen und vorher die schönen, teuren Schuhe aufgebunden und abgestreift hat. Als letztes kommen die schwarzen Stretchboxer, bei denen das Wort »SPANK« vorne auf dem Gummibund prangt. Kurz denke ich an James, an das Paddel, mit dem ich seinen Hintern traktiert habe, und an sein offensichtliches Vergnügen dabei.

Will Anne ihre Trickkiste wieder hervorholen, und wenn ja, steht auch wieder Spanking auf dem Programm oder etwas anderes? Möchte dieser Junge überhaupt geschlagen werden? Hat er das schon einmal erlebt? Möchte ich ihn schlagen?

Das sind die Fragen, die mir durch den Kopf schießen, als ich stolz, fast triumphierend vor ihm stehe und unter den Blicken der beiden erschauere. Der Junge will mich – das sehe ich ihm an. Seine Augen leuchten begierig, seine Lippen sind leicht geöffnet, die untere schräg zwischen den Zähnen verhakt.

Annes Miene ist schwerer zu durchschauen. In ihren Augen liegt Distanziertheit, als ob sie, obwohl Herrin des Geschehens, sich tief in sich zurückgezogen hätte, an einen dunklen, verborgenen Ort, zu dem kein anderer Zugang hat. Ich frage mich, was dort lauert: Erinnerungen, Fantasien, Bilder jenseits aller Worte und Vernunft?

Sie ist wie eine Spinne, die geduldig in ihrem Winkel sitzt, nachdem sie lange und fleißig ihr Netz gesponnen hat. Demnach sind wir die Fliegen – die gefangen und hilflos nur auf ihren Befehl warten können, oder auf den Todesstoß. Dieses düstere Bild erregt mich noch mehr. Ich fühle mich, als läge mein Schicksal in Annes Händen, als würde dazugehören, was hier passiert, in diesem Haus, solange ich tapfer bin und auf ihren Leitstern vertraue, selbst wenn es ein dunkler Stern ist.

Meine Brüste liegen in meinen Händen, meine Finger spielen mit den Brustwarzen. Der Junge sieht mich an, fragend. Vielleicht wird er ungeduldig. Ich erwidere den Blick, versuche, ihm mit den Augen zu sagen, dass hier nichts von mir abhängt, dass ich nicht handeln kann. Aber das hat er doch sicher schon kapiert?

»Nimm ihn«, sagt Anne barsch und erlöst uns von der köstlichen Qual des Wartens.

Ich trete auf ihn zu, frohlockend wie die Katze vor der Sahne. Ich drücke ihn auf das Bett, und er gibt nach, mit einladendem Blick.

7: *Das Notizbuch*

Ich bin eine Marionette, denke ich, als ich in die Dusche steige mit dem Geruch des Jungen an mir, mit seinem Schweiß, seinem Samen. Halb möchte ich so bleiben, um ihn zu behalten. Wer weiß, ob ich ihn wiedersehe und ihn noch einmal haben kann?

Ich habe absolut keine Ahnung, wer er ist oder wo er herkommt. Keine Ahnung, wo Anne ihn aufgegabelt oder wie sie ihn überredet hat, sich auf ihr Spiel einzulassen. Ich wage nicht zu hoffen, dass sie mich noch einmal in seine Nähe lässt, und sage mir, ich sollte für das erste Mal, wo sie mir Befriedigung gewährt hat, dankbar sein. Ich weiß, dass Orgasmen nicht alles sind, dass es beim Sex genauso um das Vorspiel geht, doch die Art wie sie mich bisher hat auflaufen lassen, hat mich frustriert. Nachdem ich jetzt gekommen bin und zwar heftig, fühle ich mich irgendwie erleichtert. Ich bilde mir ein, dass ich mich jetzt losreißen könnte.

Ich fummle an meiner Muschi, die noch vom Höhepunkt erregt ist oder vielmehr aus ihrer Taubheit kurz danach zurückkehrt, und denke an den Jungen. Der Sex war toll, und ich würde es zu gern noch einmal mit ihm tun. Das nicht zu wollen, wäre wirklich merkwürdig. Aber es hat mir auch etwas gefehlt.

Trotz seiner körperlichen Anmut und Schönheit, oder vielleicht gerade deswegen, und trotz des Geheimnisses seiner Person und der Gründe für seine Teilnahme an Annes Plänen empfinde ich für ihn nicht dasselbe wie für James – das innere Bedürfnis nach ihm, den Drang zu ihm. Vielleicht weil er so jung ist, ein unbeschriebenes Blatt. Wogegen James jahrelange, jahrzehntelange Erfahrung hat, über die ich gern mehr wissen würde. James spricht mich stark an, wie eine Karte, die nach dem kundigen Blick verlangt, ein kompliziertes Netz von Wegen und Straßen, die mich zu Plätzen führen, von deren Existenz ich nie etwas geahnt habe. In James glimmt etwas.

Und darum weiß ich, dass ich mich nicht losreißen kann, dass ich bleiben muss in der Hoffnung, dass Anne mir erlaubt, meiner Besessenheit nachzugeben und diesen komplizierten, betörenden Charakter zu erforschen. Oder mich zumindest bis zu dem Punkt kommen lässt, wo ich meine, dass wir sie nicht mehr brauchen, wo ich unabhängig von ihr bin und ungezwungen zu ihm in Kontakt treten kann.

Im Augenblick würde ich das nicht wagen, nicht ehe ich besser verstehe, welche Macht sie über ihn hat, wie ihre Beziehung beschaffen ist. Ich fürchte, dass ein Versuch das ganze Gebäude von Annes Plan, worin er auch besteht, zum Einsturz bringen könnte und meine Chancen ein für allemal verdirbt. Bis ich mehr weiß, was James von der Sache hat und was er von mir denkt – ob ich wirklich nur eine Marionette bin oder ein Mittel zum Zweck auch für ihn – bis dahin wage ich nicht zu handeln. Anne hat mich in der Hand, und da muss ich fürs Erste bleiben.

Als ich im Handtuch auf meinem Bett sitze, überfällt mich der Drang zu schreiben – über alles, was ich in den vergangenen Tagen erlebt und wie ich mich dabei gefühlt habe. Ich bin mir nicht sicher, woher der plötzlich kommt, aber vermutlich ist das meine Art, die Dinge zu begreifen und zu ergründen, was ich danach tun möchte. Insofern ist das ein gesunder Impuls und nicht bloß das Bedürfnis zu verweilen oder eine Rechtfertigung für hemmungslose Ergüsse.

Ich habe ein Notizbuch – das eine, das ich immer ins Café mitgenommen habe, als ich so dringend Schriftstellerin werden wollte, mir aber nichts einfiel, was ich schreiben könnte. Aber das ist schmuddelig, voller Kritzeleien, wenig schriftstellerhaft und gleicht einem Schaubild meiner streunenden Gedanken. Ich nehme es aus meiner Tasche und werfe es beiseite. Es ist deprimierend.

Ich will ein neues für einen sauberen Anfang, auch wenn ich über ein schmutziges Thema schreibe. Das ist eine symbolische Sache: ein frisches Kapitel meines Lebens hat begonnen, also sollte ich auf dem Blatt eines makellosen, jungfräulichen Notizbuchs schreiben. Ich ziehe mir etwas über und will zum Papiergeschäft zwei Straßen weiter.

Dann fällt mir ein, dass Anne mich für vier Uhr zum Diktat bestellt hat, und ich runzle die Stirn. Natürlich sollte ich froh sein, dass sie endlich eine Aufgabe für mich zu haben scheint – eine außerhalb des Schlafzimmers, meine ich. Allerdings begreife ich nicht, wieso sie mir diktieren muss. Tippt heutzutage nicht jeder seine Korrespondenz direkt in den Computer? Alles andere kommt mir viel zeitraubender vor. Im Grunde Zeitverschwendung. Andererseits betreibt Anne die Dinge nicht wie andere Leute.

Ich vertausche die Jeans, die ich gerade anziehen wollte, gegen etwas Erwachseneres – einen knieumspielenden, asymmetrischen, engen Rock, den ich mit einer rosa Bluse mit Tulpenärmeln kombiniere. Beides aus dem Second-Hand-Laden, aber zusammen ziemlich schick, ohne dass ich aufgedonnert aussehe. Da meine Schwester im Vogue House arbeitete, war es mir unmöglich, mich nicht mit Modebewusstsein infizieren zu lassen. Ich hatte nur noch nicht die finanzielle Schlagkraft, um dem Geltung zu verschaffen.

Als ich angezogen bin, lege ich ein dezentes Makeup auf.

Meine Haut ist leicht gebräunt, darum nehme ich nur einen Hauch Rouge, einen kurzen Strich mit der Maskarabürste und ein transparentes Lipgloss. Es ist eine Frage des Stils, ob man aufgetakelt geht und aussieht, als hätte man es nötig.

Aber es geht mir auch darum, wie Anne mich wahrnimmt. Bisher hat sie nur meine frivole Seite erlebt. Nein, frivol ist nicht das richtige Wort; ich weiß nicht, welches das richtige ist. Aber sie hat mich jedenfalls nicht bei etwas gesehen, durch das sie mich ernst nehmen könnte, als ihre Assistentin, als jemand mit dem Anspruch, zu der literarischen Welt zu gehören, in der sie sich bewegt.

Als ich fertig bin, setze ich mich aufs Bett, außerstande mich zu konzentrieren, und zähle die Minuten. Die Zeit vergeht zäh, und obwohl ich schon ein Nickerchen gemacht habe, schlafe ich wieder ein. Ich bin erschöpft von den vielen Gefühlen. Und vom vielen Sex natürlich.

Ich schrecke aus dem Schlaf hoch. Anne steht in der Tür; die Tür muss mich geweckt haben. Sie lächelt, aber es wirkt gequält – vielleicht sogar sadistisch. Sie tippt auf ihre Armbanduhr.

Ich stehe auf, streiche mir die Haare glatt und sehe sie kleinlaut an. »Was … wie spät ist es?«

»Fünf nach vier«, sagt sie. »Hast du vergessen, dass wir verabredet waren?«

Ich schüttle den Kopf und fühle mich in die Zeit zurückversetzt, wo ich zum Direktorzimmer befohlen wurde, um ausgeschimpft zu werden. Das ist Jahre her, doch die Demütigung lässt meine Wangen brennen.

»Nun –«

»Ich habe es nicht vergessen. Ich …«

»Du bist eingeschlafen, während der Arbeitszeit. Kein guter Anfang.«

Ich starre sie an. Ich will ihr sagen, wie lächerlich das ist, wo ich bisher nur durchs Haus oder durch den Park gewandert bin und auf ihre Aufträge gewartet habe. Auf Aufträge, die bisher nichts mit der Arbeit einer Assistentin zu tun gehabt haben – jedenfalls nicht gemessen an ihrer Anzeige. Und was sind außerdem fünf Minuten? Das ist fast, als suchte sie nach einem Vorwand, um mich zu maßregeln.

Doch ich schlucke die Worte hinunter und ringe mir ein beschwichtigendes Lächeln ab. »Es tut mir leid«, sage ich und gehe auf sie zu.

Sie dreht sich um, aber sogleich wird klar, dass ich gar nicht mitkommen soll, sondern dass sie es sich mit dem Diktat anders überlegt hat – falls es überhaupt eins gegeben hat. Ihr Blick ist vorwurfsvoll, ihre Haltung unnachgiebig.

»Enttäusche mich nicht, Genevieve«, sagt sie.

Ich schlucke. Ich halte das für eine Überreaktion, doch das kann ich ihr nicht sagen. Ich kann ihr auch nicht sagen, wie sehr ich James will und dass das einer der Gründe ist, weshalb ich noch da bin und mir diesen Mist gefallen lasse.

Also halte ich den Mund und nicke bloß.

»Treffen wir eine Vereinbarung für morgen«, sagt sie, und als ich nicke, fügt sie hinzu: »Zwei Uhr.« Sie schweigt kurz, um der Wirkung willen, wie mir scheint, dann: »Komm nicht zu spät.« Darauf geht sie aus dem Zimmer, ohne dass sie meine Grimasse sieht.

Nachdem sie weg ist, bin ich betroffen und dann wütend. Wie kann sie es wagen, mich wie ein ungezogenes Kind zu behandeln, denke ich, wegen solch einer Kleinigkeit? Sicher, dass ich während der Arbeitszeit eingeschlafen bin, das ist nicht in Ordnung. Aber es ist ja kaum so, als hätte sie strikte Regeln ausgegeben und klar gemacht, dass Pünktlichkeit wesentlich ist. Im Gegenteil: sie war so frei und ungezwungen, so anspruchslos, dass ich mich in falscher Sicherheit gewiegt habe.

Nachdem ich mir das habe durch den Kopf gehen lassen und mich noch immer ungerecht behandelt fühle, überkommt mich erneut der Impuls, alles niederzuschreiben, weil ich dadurch zu begreifen hoffe. Ein Tapetenwechsel wird mir ebenfalls gut tun, denke ich und warte darum, bis im Haus alles still ist und Anne hoffentlich wieder in ihrem Arbeitszimmer sitzt, sodass wir uns nicht begegnen, dann laufe ich die Treppe hinunter und hinaus auf die Straße.

Die Sonne scheint noch, und ich versuche, mich zu entspannen, während ich durch Bayswater spaziere und mich von der Wärme durchdringen lasse, versuche, mir einzubilden, dass das Leben unkompliziert, dies nur ein ganz normaler Sommertag ist und ich an gar nichts zu denken brauche. Natürlich kann ich mir selber nichts vormachen, doch allein, dass ich das Haus verlassen habe, verschafft mir eine gewisse Erleichterung.

Ich suche mir ein schickes Notizbuch mit Ledereinband aus, das ich sofort »mein kleines schwarzes Buch« nenne, und nachdem ich es zusammen mit einem schnittigen Füller bezahlt habe, setze ich mich in der Nähe in das Café und blättere durch die blanken Seiten, wobei ich mich frage, wie lange ich brauchen werde, um sie zu füllen, und was dann darin stehen wird.

Die Zukunft liegt weit geöffnet vor mir, zugleich verlockend und beängstigend. In mir sind Gelüste geweckt, von denen ich nichts geahnt habe. Wenn mir vorige Woche jemand gesagt hätte, was mir in den kommenden paar Tagen passieren, was ich erleben würde, hätte ich es nicht geglaubt.

Ich nehme den Füller, schlage das Notizbuch auf der ersten Seite auf und fange zu schreiben an. Ein Strom von Worten fließt aus meiner Feder aufs Papier, und die Wucht, die dahinter steckt, verwundert und entzückt mich. Es ist, als wäre in mir ein Damm gebrochen, und der Ausbruch ist heftig – fast so heftig wie der Sex, den ich gerade entdecke, die neue Art zu lieben und geliebt zu werden. Zum ersten Mal in meinem Leben, ringe ich nicht um Worte oder um ein Thema, sondern werde getragen von einer köstlichen Klarheit, die mir so fremd ist, als wäre ich selbst nur ein Instrument, das etwas kanalisiert und das ich kaum verstehe. Plötzlich habe ich eine Muse, und diese Muse ist Sex und Sehnsucht. Dinge, an die ich kaum Gedanken verschwendet habe, die ich für selbstverständlich genommen habe, bevor Anne Tournier in mein Leben kam oder ich in ihres.

Eine Stunde lang schreibe ich ununterbrochen, und dann mache ich eine Pause, trinke einen weiteren Milchkaffee und betrachte die Leute, die auf dem Queensway vor meinem Fensterplatz vorbeigehen. Wo ich den Leuten zuvor kaum Beachtung geschenkt habe, da ich so in meine eigene Welt vertieft gewesen bin, sehe ich jetzt fast jedem fasziniert hinterher und frage mich, wie sie wirklich sind, was sie hinter verschlossenen Türen tun, in der Abgeschiedenheit ihrer Wohnung, unter der Bettdecke. Plötzlich hat jeder – die Frauen im Hidschab, die chinesischen Kellnerinnen auf dem Weg zur Arbeit, selbst die Straßenfeger – das Potenzial für verborgene Tiefen, über die ich nie nachgedacht habe, weil alles, was ich tat, oberflächlich war.

Darauf fliegen mir die Ideen nur so zu, kleine Vignetten und Charakterskizzen, die sich zu etwas entwickeln könnten, wenn ich einmal mehr Zeit habe. Ich schreibe wie wild, kann kaum mit dem entfesselten Gedankenstrom mithalten, und dann packe ich Notizbuch und Füller ein und laufe beschwingt und befreit zurück nach Hause. Wie vermutet, hat es mir einigen Durchblick verschafft, meine Gedanken über Anne, James und die ganzen eigenartigen Verhältnisse am

St Petersburgh Place niederzuschreiben, und jetzt fühle ich mich gelassener und wieder mehr Herr der Lage. Ich kann Nein sagen, stelle ich fest, wenn Anne anfängt zu glauben, sie könne mit etwas durchkommen, das inakzeptabel ist, oder wenn sie glaubt, sie kann mich herumschubsen oder mich wie den letzten Dreck behandeln, nur weil sie mir Lohn zahlt.

Ich kann einfach aufhören, wenn ich will. Doch im Augenblick will ich das nicht. Und zwar, weil zum ersten Mal in meinem Leben die Worte und Ideen dicht und schnell kommen, und ich weiß, dass diese Entwicklung durch die Ereignisse der vergangenen Tage herbeigeführt worden ist.

Und so komme ich ruhiger vor dem Haus an, als ich es verlassen habe, und als ich Anne in der Küche sehe, kann ich milde und freundlich sein. Da sie vielleicht spürt, dass ich durch ihre Gegenwart nicht mehr so nervös bin, ist sie weniger fahrig, ein bisschen herzlicher. Sie fragt, wie ich den Nachmittag verbracht habe, und ich erzähle ihr, ich hätte geschrieben und sei froh über die Art, wie es gelaufen ist. Sie sagt, sie habe das Gleiche getan, und wir stimmen überein, dass es kaum ein schöneres Gefühl gibt, als das, kreativ und produktiv zu sein.

Als sie mit einer Tasse Kaffee in der Hand die Küche verlässt, dreht sie sich in der Tür noch einmal um.

»Scheue dich nicht, mir deine Sachen zu zeigen, wenn du fertig bist. Ich freue mich immer, ein kritisches Auge auf etwas zu werfen.«

»Das wäre schön«, sage ich, doch mein Lächeln ist mehr ein Zucken. Der letzte Mensch, dem ich zu lesen geben würde, was ich heute geschrieben habe, ist Anne. Sie mag ein wenig aufgetaut sein, aber ich traue ihr kein bisschen, und darum wird sie nie erfahren, was ich über die ganze Geschichte denke.

8: Das Zimmermädchen

Am nächsten Tag bin ich superpünktlich, weil ich mich auf keinen Fall noch einmal ausschelten lassen will. Denn ich bin mir nicht sicher, ob ich dann meine Zunge im Zaum halten könnte. Ich bin noch nie gut mit Autoritäten klargekommen, zumindest nicht mit solchen, wo man den Eindruck hat, dass sie ihre Position für zweifelhafte Zwecke missbrauchen oder um sich selbst besser zu fühlen. So war es an der Schule – es war immer etwas leicht Unheimliches an Mrs. Scholes und an der Art, wie sie mich ansah, wenn sie mich wegen einer Lappalie tadelte. Sie hatte immer so ein sadistisches Funkeln in ihren zermürbenden hellblauen Augen, ähnlich wie Anne, fällt mir gerade auf. Die Dinge, weshalb ich gescholten wurde, schienen mir die Art der Reaktion nie zu rechtfertigen, genau wie bei Anne gestern.

Doch die Reaktion wirkt – hier stehe ich, eine Minute vor zwei, vor ihrer Tür, eine Hand zum Anklopfen erhoben. Doch ehe ich klopfen kann, macht sie, als hätte sie mich trotz meiner leisen Schritte gehört, die Tür auf und winkt mich herein. Ich betrete das Zimmer. Der Gedanke, dass sie wusste, ich würde pünktlich sein, macht mich wütend. Aber es ist das erste Mal, dass ich in ihrem Arbeitszimmer bin, und da sie die von mir bewunderte Schriftstellerin ist, platze ich natürlich vor Neugier und unterdrücke meinen Groll.

Als Erstes bemerke ich, dass die Vorhänge zugezogen sind und die schöne Aussicht auf die Bäume hinter dem Haus versperren. Ich vermute, dass sie zu den Schreibern gehört, die keine Ablenkung durch ihre Umgebung dulden, die ein hübscher Blick beim Nachdenken stört. Das kann ich wohl verstehen.

Andererseits sind ihre Wände mit ablenkenden Dingen behängt, zum Beispiel mit einer sehr großen Korkpinnwand, an der allerlei prangt – Ansichtskarten, Notizzettel, die wie Listen aussehen, alte Eintrittskarten für Theater und Museen, Fotos von Leuten, die ich nicht kenne. Eine andere Wand an der Seite ihres wuchtigen Mahagonischreibtischs ist mit Haftnotizen unterschiedlicher Farben beklebt, auf manchen ein Gekritzel, das aus meiner Entfernung nicht zu lesen ist, auf anderen steht ein einzelnes Wort, meistens eines, das ich noch nie gehört habe, wie »Halophyten«, »Leckage«, »Atzung«, »buhlerisch«.

Komisch, dass ich das alles als Erstes sehe, vor der erotischen Kunst, die die Wände schmückt. Und als ich die bemerke, fällt mir erst auf, dass da eine ganze Menge hängt. Einen Moment lang stehe ich nur da und gaffe und nehme alles in mich auf – eine bunte Sammlung von japanischen Holzschnitten über Renaissancedrucke von wollüstigen Leibern bis zu Lithographien von Picasso. Eine beeindruckende Sammlung, auch wenn klar ist, dass es keine Originale sind. Es sieht aus, als hätte sie einige Zeit und Anstrengung und keine unerhebliche Geldsumme darauf verwendet.

Anne sieht mich an. »Nimm Platz«, sagt sie mit leiser Ironie im Ton, als amüsiere sie, dass ich ihren Bildern so viel Beachtung schenke.

Wieder spüre ich den Stachel der Gegenwehr, den Wunsch, etwas zu erwidern, um mich zu schützen. *Ist das nicht der Zweck, weshalb sie da hängen?*, möchte ich schreien. *Damit man sie ansieht?* Es ist, als ob sie über meine Gelüste spottet, oder über die Entdeckung meiner Gelüste. Sie hat etwas Herablassendes an sich.

Doch ich setze mich hin und halte den Mund. Neben mir steht ein robustes Bücherregal, in dem ich ihre Romane entdecke, in chronologischer Ordnung angefangen beim ersten, *Von Engeln und Dämonen*, bis zu ihrem jüngsten, *Griff ins Feuer*, alle in französischer Sprache. Aber ein Brett darunter stehen die Übersetzungen ins Englische und andere Sprachen – Italienisch, Spanisch und einige, die ich nicht erkenne. Das erinnert mich wieder daran, welches Glück ich habe, dass ich hier bin, und wie viel ich noch lernen kann, wenn ich nur tapfer bin und durchhalte, mich allem stelle, was sie von mir verlangt.

Anne setzt sich nun ebenfalls, sieht durch einen Papierstapel. Sie hat sich eine Zigarette angezündet und in den Mundwinkel geklemmt, von der Rauchspiralen in die stille Luft aufsteigen. Dann nimmt sie sie aus dem Mund und legt sie in den Aschenbecher, dreht sich mit dem Papierstapel im Schoß zu mir herum und hält ihn mit ihren knochigen Händen fest.

»Du fragst dich wahrscheinlich«, sagt sie bedächtig, »was hier von dir verlangt wird.«

Da ich nicht weiß, was ich darauf antworten soll, erwidere ich ihren Blick, während ich halb fürchte, wo diese Unterhaltung hinführen könnte, und halb erleichtert hoffe, dass ich auf wenigstens eine der Fragen Antwort bekomme, die mir im Kopf brodeln und mich nachts wach halten.

Da ich nichts sage, fährt sie in demselben gemessenen Ton fort: »Ich möchte nicht, dass du mich missverstehst oder dich beschwerst, du seist unter falschen Vorstellungen hierher gekommen. Doch die Arbeit, die ich von dir verlange, ist vernachlässigbar. Vielleicht mehr, als ich selbst angenommen habe.«

Sie blickt mich an, und als ich die Augenbrauen hochziehe, redet sie weiter. »Du musst verstehen, Genevieve, dass ich in einem, wie ich es nenne, schöpferischen Chaos lebe. Das war immer so. Und jetzt, wo du hier bist, um mich möglicherweise zu kurieren, sehe ich mich voller Panik vor der Frage, ob ich überhaupt anders leben kann.«

Ich richte mich auf. »Heißt das, Sie entlassen mich?« Als ich das sage, wird mir klar, dass ich nicht weiß, ob ich auf ein Ja oder ein Nein hoffe. Bei einer Entlassung wäre ich erleichtert, aber vielleicht auch nur vorübergehend. Ich denke an James. Ich sollte ihn jetzt anrufen. Ich sollte ihm sagen, wie ich fühle, und sehen, ob es möglich ist, sich ohne Annes Vermittlung zu treffen.

»Das bestimmt nicht«, antwortet sie. »Aber ich will nicht, dass du im Haus herumlungerst und auf Anweisungen wartest. Auf Anweisungen, die nicht kommen werden.«

»Überhaupt nicht?«

»Nie. Es gibt Dinge ...« Hier verstummt sie allmählich und schaut nachdenklich zu einem der Picassos auf, als hätte sie ihn noch nie richtig betrachtet. Ich betrachte ihn ebenfalls. Er hat den Titel: *Nu couché avec Picasso assis à ses pieds* und stellt den Künstler dar, wie er zu Füßen eines seiner Modelle sitzt, das nackt neben einer Vase mit Blumen liegt. Sie sieht die Blumen an, oder den Betrachter. Seine Hand liegt auf ihrem Hintern.

Wegen ihrer Haltung und Gelassenheit sieht es sehr danach aus, als hätte sie die Oberhand. Er wirkt ein wenig wie ein geiler alter Bock, obwohl er zu der Zeit – die Lithographie ist mit 1902–03 datiert – noch jung gewesen sein muss.

»Ich brauche dich«, sagt sie endlich, ohne sich von dem Picasso abzuwenden. »Aber im Wesentlichen gehört deine Zeit dir. Ich will damit Folgendes sagen: Ich möchte nicht, dass du deine Zeit verschwendest, indem du darauf wartest, dass ich dich rufe. Du willst Schriftstellerin werden, sagst du?«

»J-ja.«

»Dann musst du die Gelegenheit nutzen und ausgehen, das Leben erkunden, etwas finden, worüber sich zu schreiben lohnt.«

»Aber Sie bezahlen mich für den ganzen Tag.«

»Na und?«

»Was ... was haben Sie davon?«

»Sagen wir einfach, ich habe einen teuren Fehler gemacht, und wichtiger als das Geld ist mir, das Arrangement mit dir zu erfüllen.«

»Aber –«

»Bitte, Genevieve, es ist nicht nötig, noch weiter darüber zu reden.«

»Sie werden mir also in Zukunft sagen, wenn Sie etwas für mich zu tun haben, und die restliche Zeit habe ich frei?«

»So ist es.«

»Nun, ich weiß nicht, was ich sagen soll. Außer danke.«

»Gern geschehen. Betrachte dich als meinen Akolythen.«

Ich blicke sie an. Ich kenne das Wort und weiß, dass man es auch in nichtreligiösem Zusammenhang benutzen kann, aber für mich hat es diesen Beiklang von Ritual und Kerzenbeleuchtung und Weihrauchschwaden. Einen Beiklang, der ihm mehr Gewicht beimisst, als Annes Laissez-Faire-Stil vermuten lässt. Das Wort klingt schwerwiegend, vielleicht sogar belastend.

Als sie mein Unbehagen spürt, sagt sie: »Oder ich bin dein Mentor, wenn dir das lieber ist.«

Das kenne ich vom Studium, es stammt aus der griechischen Mythologie. Mentor bekam Telemachos in seine Obhut, als dessen Vater, Mentors Freund Odysseus, in den trojanischen Krieg zog. Das macht mich zu einem Telemachos – in der modernen Welt bekannt als Protegé oder Schüler. Am Ende läuft alles auf dasselbe hinaus, wie man es auch nennen will: Ich habe die Chance meines Lebens und darf sie nicht verpatzen. Nicht einmal in meinen kühnsten Träumen hätte ich gedacht, dass ich im Haus meiner Lieblingsschriftstellerin leben würde und dafür bezahlt werde, dass ich zu schreiben lerne.

Anne betrachtet mich nachdenklich. »Da das nun alles gesagt ist, möchte ich, dass du mir diesen Nachmittag noch einmal aushilfst.«

»Ihnen aushelfen?«

Sie sieht mich eindringlich an, und ihr Blick hat etwas, das mich zugleich abschreckt und mitreißt.

Sie deutet mit dem Kinn in eine Zimmerecke. Ich drehe den Kopf und sehe einen dekorativen japanischen Wandschirm mit Kirschblüten, die man von Weitem auch für Blutspritzer halten kann. Unter dem dürren Baum, an dem sie blühen, sitzen zwei Geishas in ihrer traditionellen Kleidung. Ich blicke zu Anne, und sie nickt nur.

Ich stehe auf und gehe darauf zu. Teils fühle ich mich wie ein Schlafwandler, jemand, der keine Macht darüber hat, was er tut. Doch meine zitternden Beine verankern mich fest im Hier und Jetzt meiner physischen Existenz, und die Welt ist von halluzinatorischer Klarheit, als wäre alles hyperreal.

Beim Wandschirm angekommen, bin ich noch immer gespalten. Da ist das Mädchen, das davonlaufen will, sich umdrehen und Anne alles ins Gesicht schmettern will, in die undurchschaubare Maske, die sie trägt und die alle Versuche, sie zu verstehen, die Kälteschicht zu durchdringen, zunichte macht. Und dann ist da das Mädchen, das völlig anders ist als das, das ich immer zu sein glaubte, das unbedingt wissen will, was sich hinter dem Wandschirm befindet. Und dieses Mädchen gewinnt die Oberhand, sodass ich mit angehaltenem Atem hinter den Schirm trete.

In der Ecke flackert eine kleine Laterne, in der ein schlichtes Teelicht brennt. An dem Wandschirm hängen drei Bügel, am ersten, der mit rosa Seide gepolstert ist, ein Bügel-BH im Stil des französischen Dienstmädchens. Er könnte kitschig wirken, doch der Stoff ist von bester Qualität und hauchdünn. Die weißen Spitzenrüschen verlaufen am oberen Rand, und wo sie sich in der Mitte treffen, sitzt eine große schwarze Seidenschleife.

Ich betaste sie und grüble über ihre Bedeutung. Akolyth, erinnere ich mich, kommt aus dem Griechischen und heißt Diener. Ist es das, was Anne gemeint hat? Ist das eine Rolle, die ich zu spielen bereit bin, wenn das bedeutet, dass ich hier bleiben und aus ihrem großzügigen Angebot Nutzen ziehen kann? Und wenn ich sie annehme, was wird von mir verlangt werden?

An dem zweiten Bügel hängt der passende Slip oder vielmehr Tangaslip, wie ich beim Herabnehmen feststelle. Auch er ist leicht durchsichtig, die Spitze befindet sich an den Seiten, die sehr hoch sitzen. Zu guter Letzt hängt da noch ein Strumpfgürtel – ich habe noch nie einen getragen –, ebenfalls schwarz mit weißen Rüschen.

Als ich BH und Slip an mich halte und den Stoff zwischen den Fingern spüre, denke ich, dass ich noch nie Unterwäsche von dieser Qualität getragen habe. Anne hat viel Geld ausgegeben – für mich, denn die Stücke sind eindeutig neu. Ich werfe einen Blick auf die Schildchen, sie hat die Größe genau getroffen. Schlaue Anne. Schlaue, schlaue Anne. Entweder sie hat richtig geraten oder sie ist in meinem Zimmer gewesen und hat nachgeguckt.

Aber ist sie nicht vielleicht zu schlau? Zählt sie wirklich darauf, dass ich diese kleine Maskerade mitmache? Sie muss Geld wie Heu haben, wenn sie das Risiko eingeht. Ich denke an die Grafiken und dann an ihre Bücher. Ist sie vom Schreiben reich geworden, trotz ihres nachlassenden Erfolgs? Sie hat eindeutig einen Sinn für die teureren Freuden des Lebens.

Ich betrachte die zarte Wäsche und bin zum ersten Mal völlig zerrissen. Ich würde alles geben für fünf Minuten mit meinem Notizbuch, um herauszuarbeiten, was es ist, das ich will, und wohin ich von hier aus gehen soll. Meine Probleme mit Autoritätspersonen, meine schulmädchenhafte Aufsässigkeit brodeln unter der Oberfläche, bereit hervorzubrechen wie sengende Lava. Aber ich will mir nichts vermasseln. Wird Anne das verstehen, wenn ich es ihr erkläre?

Ich überlege noch, als ich die Tür knarren höre. Anne ist hinausgeschlüpft, denke ich, und dass ich vielleicht doch um die Sache herumkomme. Ich könnte abhauen, während sie weg ist, und mir später eine Erklärung ausdenken – Magenkrämpfe, Kopfschmerzen oder etwas Ähnliches, dass ich Schmerztabletten holen oder mich hinlegen musste. Doch dann höre ich, wie sich jemand räuspert, eindeutig ein Mann, und ich begreife, dass jemand hereingekommen ist.

Ich erstarre. Natürlich, das hätte ich mir denken können. Anne arbeitet nicht allein. Anne macht sich nicht die Hände schmutzig. Annes Spezialität ist es, jemand anderen nach ihrer Pfeife tanzen zu lassen. Wem werde ich diesmal begegnen?

Ein Schauder durchläuft mich, als sich diese Frage in meinem Kopf bildet – ein Schauder nervöser Erwartung. Da ich vielleicht ängstlich sein würde, hat Anne mir bisher nur erstklassige Männer gebracht. Ich habe das Gefühl, dass sie mich in der Hinsicht auch diesmal nicht im Stich lassen wird.

»Bist du fertig, Mädchen?«, höre ich sie krächzen und zucke zusammen.

»Noch ... noch nicht«, stottere ich.

»Dann beeile dich«, sagt sie. »Wir warten.«

»Ja, gut.«

»Du meinst: Ja, Herrin.«

Mit dem T-Shirt über dem Kopf halte ich inne. *Nein, das habe ich nicht gemeint*, möchte ich sagen. *Das ist ganz bestimmt nicht, was ich gemeint habe.* Aber ich sage es nicht. Ich will wissen, wer da auf mich wartet und was ich mit ihm tun soll. Das will ich mir nicht entgehen lassen, auf keinen Fall.

Und so beiße ich mir auf die Zunge und ziehe mich weiter aus, lasse meine Sachen auf dem Boden liegen, wie sie fallen. Ich fühle mich jetzt unter Druck, und das trägt zu meiner Nervosität bei. Mir zittern die Hände, als ich den BH aufhake und um meine Brüste lege. Er passt perfekt – sitzt bequem und hebt extrem die Brust trotz des dünnen Stoffes. Ein paar Schritte entfernt bemerke ich den langen Spiegel und drehe und bewundere mich darin. Ich sehe scharf aus.

Ich steige in den Slip, der mir genauso schmeichelt und meine schlanken, gut geformten Oberschenkel bestens zur Geltung bringt. Doch ich zögere bei dem Strumpfgürtel. Zum einen weiß ich nicht, wie man so etwas trägt. Zum anderen sträube ich mich dagegen. Diese Dinger haben etwas Überholtes, Unterwürfiges an sich, etwas, das schreit: *Ich bin nur da, um dir zu gefallen und dir Vergnügen zu bereiten.* Vermutlich, weil sie so unbequem aussehen, so nervig anzuziehen sind, erst recht beim Festhaken der Strümpfe. Was für ein Gefummel, wenn man doch Strumpfhosen tragen kann – unsexy, sicher, aber praktisch und unkompliziert.

Dann sage ich mir: Scheiß drauf, meine Rolle ist es zu gefallen, sich zu fügen. Wenn ich das nicht akzeptiere, muss ich gehen und Annes Haus ein für allemal verlassen. So wird es von mir verlangt, dafür bekomme ich ihr Geld und ihre Großzügigkeit und Gastfreundlichkeit. Darum bin ich hier.

Ich hole tief Luft, schlinge das Ding um meine Taille und

hake es im Rücken zusammen, während ich mich im Spiegel betrachte. Bei aller Skepsis muss ich sagen, es sieht gut aus und fühlt sich gut an. Ich werde immer geiler und nasser bei der Aussicht auf den Mann, der auf mich wartet, den ich bedienen soll. Dass ich herumkommandiert werden soll, finde ich plötzlich gar nicht mehr ärgerlich, sondern erregend.

Ich nehme die Strümpfe und rolle sie auf, stelle einen Fuß auf den Stuhl und schlüpfe hinein. Sie fühlen sich auf der Haut köstlich an. Ich streife den anderen über, dann drehe ich mich und betrachte mich im Spiegel von hinten. Die Strümpfe haben eine Naht und ein kleines Herz an der Ferse. Darüber bilden meine nackten Arschbacken, zwischen denen der weiße Spitzenstreifen des Tangas verschwindet, ebenfalls ein attraktives Herz.

Ich drehe mich wieder um. Obwohl das ein Klischee der Unanständigkeit ist, die man in jedem Sexshop in Soho haben kann, wirkt meine Aufmachung im Ganzen eher exklusiv als billig. Ich fühle mich nicht herabgewürdigt, sondern in gewissem Sinne mit Macht versehen. Und jetzt, da ich meine Rolle akzeptiert habe, bin ich bereit zu spielen.

Ich greife mit einer Hand um die Kante des Wandschirms, zögere, bevor ich hinaustrete. Ich fühle mich wie eine Schauspielerin vor ihrem Debüt auf der Bühne, von berauschender Leichtigkeit befallen.

»Sie ist so weit«, flüstert Anne und zieht heftig an der Zigarette, die ich sie soeben anzünden hörte. Sie ist aufgeregt, denke ich, sie wird keine Miene verziehen, aber ihr Ton hat sie verraten. Ich frage mich, ob ihr Besucher das ebenfalls spürt. Allmählich fange ich an, sie zu durchschauen, denke ich, trotz der Hindernisse, die sie aufbaut, trotz des geistigen Schutzschirms, hinter dem sie sich versteckt.

Ich mache einen Schritt und halte inne, um ihnen den verführerischen Anblick einer hübschen, schwarzbestrumpften Wade zu bieten. Es ist still, und ich spüre, dass die beiden den Atem anhalten. Die Theatralik der Szene ergötzt mich. Ich habe nicht geahnt, dass ein Verkleidungsspiel so viel Spaß machen kann.

Doch Anne, die vielleicht spürt, dass ich die Situation zu sehr beherrsche, sagt scharf: »Befiehl ihr. Befiehl ihr, sie soll herauskommen. Los – rufe sie.«

Der Mann räuspert sich, und ich höre ein Glöckchen klingeln. »Komm heraus«, sagt er ein wenig unsicher.

Ich klammere mich an die Kante des Wandschirms. Es ist James, erkenne ich blitzartig. James ist wieder da, und er ist es, dem ich gehorchen soll. Die Rollen sind wieder vertauscht: während ich beim vorigen Mal das Sagen hatte, bestimmt er jetzt, was ich tun soll.

Aber im Grunde natürlich nicht. Anne hatte beim vorigen Mal das Heft in der Hand und hat es auch jetzt wieder. Wie ein Filmregisseur oder die Schriftstellerin, die sie ist, dirigiert sie uns dahin, wo sie uns haben will. Wir sind bloß die Akteure in dem Drama, das sie schafft.

»Mädchen«, sagt Anne, und darauf trete ich hervor und frage mich, ob mir mein Unmut anzusehen ist. Ich kann es nicht leiden, wenn sie mich so nennt.

Ich bin nicht Ihr Spielzeug, möchte ich sagen, aber ich schlucke es hinunter, bringe es nicht fertig. Und ohnehin blicke ich schon in James' Gesicht, von dem ich geglaubt habe, ich würde es nie wiedersehen, und mein Glücksgefühl, dass er hier ist, entschärft meinen Ärger, macht ihn so substanzlos wie den Rauch, der von Annes Zigarette aufsteigt.

»Endlich«, sagt Anne ungeduldig. Das kann sie gut. Sie ist so überzeugend, dass ich mich wundere, dass sie nicht Schauspielerin geworden ist, anstatt Romane zu schreiben. Sie ist so total in ihrer Rolle, dass kein Faden von ihr durchscheint. Sie sieht James an.

Auch er passt sich nur langsam ihren Erwartungen an. Es muss frustrierend für sie sein, dass wir ihren Regieanweisungen nur verzögert nachkommen, dass wir Zeit zum Reagieren brauchen. Wir müssen es eben noch lernen, sage ich mir. Andernfalls wird sie unserer überdrüssig, und dann ist es vorbei.

Ich stehe vor ihnen, doch während ich eben noch die Hände in die Seiten gestemmt habe, lasse ich jetzt die Arme hängen, verschränke die Finger und beuge den Kopf.

»Gnädige Frau haben gerufen?«, sage ich.

Anne verdreht die Augen und stößt eine große Rauchwolke aus. Ungeduldig sieht sie James an.

Ein bisschen sicherer, nachdem ich mich in meine Rolle gefunden habe, nimmt er die Zügel in die Hand. »Komm hierher«, sagt er gebieterisch und zeigt mit dem Finger vor sich. »Was soll das Trödeln?«

Ich kann ihn nicht ansehen, so aufgeregt bin ich, dass er hier ist. Ich trete vor. Meine Beine sind wie Gummi, trotz der straff gespannten Strümpfe. Ein nasser Fleck erblüht in meinem aufreizenden Tangaslip.

»Gnädiger Herr?«, sage ich, das Kinn gesenkt. Ich wage noch nicht, ihn anzusehen.

»Was soll das Trödeln?«, wiederholt er, und ich schüttle den Kopf.

»Es tut mir leid, gnädiger Herr.«

»Das genügt nicht.«

»Es tut mir leid«, wiederhole ich automatisch.

»Hör auf zu sagen, dass es dir leid tut«, schnauzt er, doch als ich aufblicke, sehe ich, dass er sich das Lachen nur mühsam verkneifen kann. Seine Mundwinkel zucken, und um die

Augen bilden sich Fältchen. Ich senke den Blick, denn wenn einer von uns zu lachen anfängt, gibt es kein Halten mehr, und das wäre es dann.

»Was wünschen gnädiger Herr von mir?«, bringe ich heraus.

»Ich will, dass du mir die Schuhe polierst«, sagt er, und ich unterdrücke ein Kichern, als er in seine Jacketttasche greift und ein Taschentuch herauszieht, das er mir hinhält. »Da«, sagt er. »Bring sie zum Glänzen.«

Ich knie mich vor seine Füße. Seine Schuhe sind, wie man es von einem Mann seines Ansehens erwartet, sehr fein – aus dunkelbraunem Leder und handgenäht. Auch das Taschentuch ist aus feinstem Leinen und duftet dezent nach Lavendel und etwas Würzigem, Exotischem. Es ist frisch und sauber gefaltet, wahrscheinlich gebügelt, obwohl ich mir nicht vorstellen kann, dass James so etwas tut. Hat er zu Hause ein Hausmädchen? Ich sehe eine prachtvolle Brünette vor mir, die gekleidet ist wie ich jetzt und vor ihm steht, einen Stapel frisch gebügelter Hemden im Arm und ein herausforderndes Funkeln in den Augen.

Da ich ihn keinesfalls ansehen darf, bücke ich mich mit gerecktem Hinterteil und beginne, mit einer Hand das geschmeidige Leder zu reiben. Ich sehe zu, wie das matte Äußere allmählich Glanz bekommt. Ich poliere und poliere, bis ich mich darin spiegeln kann, dann wechsle ich zum anderen Fuß, um die Prozedur zu wiederholen.

»Was halten gnädiger Herr davon?«, frage ich endlich.

Er beugt sich vor, um die Schuhe zu inspizieren, doch sein Blick ist auf meinen Hintern gerichtet, den ich weit rausstrecke.

»Wirklich sehr hübsch«, sagt er.

»Gibt es noch etwas, das ich für den gnädigen Herrn tun

kann?« Ich merke, dass der Druck nachlässt und mir die Rolle wirklich gefällt. Ich sehe jedoch nicht zu Anne, aus Angst, der Zauber könnte brechen und mich wieder verunsichern. Ich bin noch Neuling auf dem Gebiet, beginne aber schon zu verstehen, dass ich mich völlig in die Rolle einfühlen muss, wenn die Maskerade wirken soll, dass ich mein wirkliches Ich so weit wie möglich abstreifen muss.

»Gewiss«, sagt James, und mein Herz macht einen Sprung, denn ich höre, wie er seinen Reißverschluss aufzieht.

»Gibt es noch mehr zu polieren?«, frage ich und beiße mir auf die Innenseite der Wangen.

James stöhnt.

Ich stehe auf, beuge mich zu ihm, sodass meine Haare nach vorn fallen und er mein Dekolleté voll im Blick hat.

»Wenn der gnädige Herr erlauben ...« Ich stütze eine Hand auf seine Schulter, mit der anderen greife ich in den Hosenschlitz und wühle darin, bis mir sein Penis in die Handfläche springt. James stöhnt auf.

»Himmel«, haucht er.

Ich steige erst mit dem einen, dann mit dem anderen Bein auf seine Knie und halte seinen Penis fest in der Faust. Zuerst ziehe ich sacht, dann kräftiger und sehe ihm dabei in die Augen.

»Ist das für den gnädigen Herrn so angenehm?«, frage ich. Doch der Mutwille in seinen Augen, das Lachen, das er so mühsam unterdrückt hat, ist verschwunden. Er ist ganz ernst. Er runzelt die Stirn, beißt die Zähne zusammen. Er will noch nicht kommen. Er weiß, er muss es zurückdrängen, weiß aber nicht wie.

Ich unterbreche das Reiben und stecke ihn zärtlich wieder weg.

»Wenn der gnädige Herr es mir nicht übelnimmt, dass ich

das sage, aber in diesem Zimmer muss einmal gründlich saubergemacht werden.« Unwillkürlich gleite ich ein bisschen ins Cockney. Ich höre mich an wie Eliza Doolittle.

Ich bücke mich nach dem Taschentuch, das ich auf den Boden geworfen habe, und gewähre ihm einen vollen Blick auf meinen Hintern in seiner ganzen herzförmigen Pracht. Dann tänzle ich umher, wedle über die Bücherborde und diverse Buchdeckel und genieße die Wirkung, die ich in meinem Aufzug auf James haben muss.

Natürlich sind zwei Paar Augen auf mich gerichtet, aber ich kann ehrlich sagen, als ich später in meinem Zimmer darüber nachdenke, dass ich in diesem Moment überhaupt nicht an Anne gedacht habe, mir ihrer Gegenwart nicht einmal bewusst gewesen bin. Ich bin ganz auf James konzentriert, und ein paar Minuten wenigstens bin ich imstande zu tun, als wäre ich mit ihm allein, als wären wir zwei selbstständig handelnde Wesen.

Ich stelle mich auf die Zehen, strecke mich, um nach oben zu greifen, oder bücke mich tief und sorge dafür, dass er verlockende Ansichten von mir aus allen möglichen Blickwinkeln erhält. Anne hat eine dieser niedrigen Leitern, die man in manchen Buchläden sieht, und die steige ich hinauf, um an die obersten Bretter zu gelangen und mit dem Taschentuch herumzuwischen. Dann steige ich hinunter, setze mich breitbeinig auf die oberste Stufe und wende mich einem gläsernen Briefbeschwerer zu, den es blank zu reiben gilt.

Nach einer Weile bin ich in mein Tun vertieft, in die Szene, die ich geschaffen habe, fast als würde ich mir die Rolle selbst glauben. Doch dann hüstelt James leise, und ich blicke auf.

»Gut gemacht«, sagt er. »Du bist sehr gründlich.«

»Ich bin stolz auf meine Arbeit. Ich sorge gern für Zufriedenheit. Kann ich … kann ich für den gnädigen Herrn noch etwas tun?«

Er zeigt an mir vorbei nach unten. »Da sind noch ein paar Stellen, die du wohl ausgelassen hast«, sagt er.

Ich gebe vor zu schauen, wo er hinzeigt. »Oh, das tut mir so leid, gnädiger Herr. Ich werde mich sofort darum kümmern.«

»Ich bitte darum.«

Ich drehe mich um und dabei höre ich ihn aufstehen. Der Boden knarrt unter seinen Schritten. Als ich seine Hand an meiner nackten Schulter fühle, schaudere ich vor Verlangen.

»Dort, da unten«, sagt er und drückt auf meine Schulter. Unter dem sachten Drängen seiner Hand, beuge ich den Oberkörper nach unten, greife nach der Leiter und ziehe sie heran, sodass ich mich darüber legen kann. Mein Hintern ist ihm entgegengereckt.

Er legt die Hände an meine Backen und umschließt sie mit feuchten Fingern. Er will mich, denke ich triumphierend.

Mit dem Daumen gleitet er zwischen die Backen und zieht das Band des Tangas beiseite. Der Daumen ruht auf meinem Schließmuskel. Ich stemme mich dagegen und spreize die Beine, will ihn in mir haben.

»Ich sehe da noch immer Staub liegen«, sagt Anne, und ihre Gegenwart überzieht die Szene wie ein Sturm. »Weiter, Mädchen.«

Ich schüttle das Taschentuch aus, das ich in die Faust geknüllt habe, und strecke die Hand nach einem der unteren Regalbretter aus. James hält meine Backen in den Händen, sein Griff wird fester und fester, sein Daumen neckt meine rosa Rosenknospe. Während ich mit dem Taschentuch herumwedle, höre ich Anne Befehle krächzen: »Kräftiger, schneller, komm schon, mach weiter. Das ist noch nicht sauber. Was ist heute mit dir los?«

»Ich tue mein Bestes«, zische ich, unfähig, die stumme Ehrerbietung eines Dienstmädchens aufrechtzuerhalten. Meine Darbietung lässt nach, meine Maske verrutscht, da mich mein Verlangen nach James allmählich überwältigt. Ich will Anne aus dem Zimmer haben, ich will das Kostüm lossein. Ich will jetzt mit James zusammensein, mit dem echten, unverstellten James. Ich will aufhören, so zu tun als ob, will es in der Wirklichkeit.

Doch Anne drängt weiter. »Der Fußboden«, schnauzt sie. »Er ist schmutzig. Putze ihn.«

Sie steht auf und stampft durch das Zimmer. Spucke fliegt auf die Bodendielen neben meine Hand. »Ein bisschen Knochenschmalz würde nicht schaden«, sagt sie. »Komm, Mädchen. Oder muss ich es selbst tun?«

Wo sie hingespuckt hat, wienere ich den Boden, sehe das Taschentuch braun werden von der Holzbeize. Mein Hintern zappelt heftig. Ich wage einen Blick über die Schulter und sehe, dass James seinen Schaft in der Hand hat und an mich heranführt. Meine Muschi pocht.

Er dringt in mich ein, aber Anne erlaubt mir keine Ruhepause, sondern stellt sich neben mich, tadelt mich, damit ich es besser, gründlicher mache, zeigt auf Stellen, die ich übersehen habe. Die ganze Zeit, während James seinen Stab in mich schiebt, rein und raus gleitet, muss ich tun, was Anne mir befielt, mich ihren lächerlichen Anweisungen beugen. Ich bin aufgebracht und doch seltsam erregt durch die Situation, als berührte sie einen fundamentalen Zwiespalt in mir.

Als James' Stöße heftiger werden, schneller, tiefer, eindringlicher, lasse ich meine Rolle fahren. Ich kann mich nicht mehr zusammenreißen, egal, was Anne von mir denken wird. James merkt, dass ich nachlasse und aufgeben will, und zieht sich aus meiner Muschi zurück, dann schlingt er die Arme um mich und dreht mich herum, sodass ich auf der obersten Leiterstufe sitze. Er kniet sich zwischen meine Beine. Ich blicke Anne flehend an.

Lass mich, ich will ihn haben, sagen meine Augen. Ich kenne keine Scham mehr, keinen Stolz, ich will ihn nur noch haben.

Ihr Lächeln ist dünn, kleinlich, blass, aber sie nickt, als wüsste sie, dass ich kurz davor bin, dass ich nicht mehr mitmache, wenn meine Wünsche beständig zurückgestellt werden. Und dann erkenne ich, dass Anne die Situation vielleicht nicht so sehr beherrscht, wie ich geglaubt habe. Vielleicht, nur vielleicht, braucht sie mich inzwischen genauso sehr wie ich sie – wie ich sie brauche, um mit James zusammenzusein. Worauf sich dieses Bedürfnis gründet, ist mir unklar, aber plötzlich ahne ich die Angst bei ihr, die Angst, dass ich mich umdrehen und ihr alles vor die Füße werfen könnte. Ich mag das Dienstmädchen sein, ihr Akolyth, doch manchmal hat der Untergebene mehr Macht, als ihm bewusst ist.

Ich denke an den Film *Der Diener* mit Dirk Bogarde. Und an das Drama *Die Zofen*, das Anne als Französin sicher kennt. Es ist lange her, seit ich es gelesen habe, aber die Handlung weiß ich noch: Zwei Hausmädchen, Geschwister, zelebrieren die Ermordung ihrer Arbeitgeberin, während diese außer Haus ist, und schlüpfen abwechselnd in deren Rolle. Begreift Anne, dass ich sie am liebsten umgebracht hätte, als es so aussah, als würde sie mir meinen Willen verwehren wollen? Natürlich hätte ich das nicht getan, aber unserem kleinen Rollenspiel hätte ich diesmal ein Ende gemacht und wäre gegangen.

Sie hält sich heraus und ist jetzt nur noch stiller Beobachter, als James bis zum Heft in mich eindringt. Ich lehne mich rückwärts gegen die dicht bepackten Bücherborde und stütze mich mit gespreizten Armen ab. Während er stößt und stößt,

zieht er meinen BH herunter, befreit meine Brüste und ve
senkt das Gesicht dazwischen.

Ich fühle die köstliche Reibung seines Schambeins an me
ner Klitoris und kralle mich an dem Regalbrett fest, bis meir
Knöchel blutleer sind. Ein paar Minuten lang machen wir s
weiter, dann schiebe ich James energisch von mir hinunte
dränge ihn mit dem Hintern auf die oberste Stufe und setz
mich auf seinen Schaft, sodass er meine schwingenden Brüs
vor dem Gesicht hat. Jetzt lehnt er sich mit ausgestreckten A
men gegen die Bücher. Seine Augen sind geschlossen. Er h
einen glückseligen Ausdruck im Gesicht. Ich möchte ihn kü
sen, aber ich traue mich nicht, trotz meines neu erworbene
Durchsetzungsvermögens. Ich will Anne nicht Zeuge unser
Intimität werden lassen.

Oder bin ich verblendet? Kann es in einer Beziehung w
unserer Intimität geben? James und ich existieren nur in dies
eigentümlichen kleinen Welt, die Anne geschaffen hat. Auße
halb gibt es uns als Paar nicht. Was ich für Intimität halte, i
nur eine Fantasie, der Traum von einem Leben, wie es se
könnte. In meinem wirklichen Leben wäre ich James nie b
gegnet, hätte nie mit ihm gesprochen. Wir wären so weit vo
einander entfernt, dass wir genauso gut auf zwei Planete
leben könnten. Wir wurden durch einen Zufall und Ann
mächtigen Willen zusammengebracht, und durch die Fant
sien, die diesen anheizen. Ohne sie wäre das alles nicht.

James Hüften buckeln unter mir, sein Rhythmus bric
zusammen, als er nah dran ist. Ich beobachte sein Gesicht.
rollt die Augen unter den halb geschlossenen Lidern und rei
den Mund auf. Ich bin so unglaublich heiß, dass ich auch ba
kommen werde. Ich fasse mir an die Klitoris, drücke sie, fan
an, sie zu reiben. Ich schiebe den Unterarm unter seine Schu
ter, um mich aufzustützen, und reite besinnungslos auf ihı

schluchze, als ich komme, und erbebe am ganzen Körper. Als auch er kommt, mit einem Schrei, der mich erschreckt und umso mehr erregt, drehe ich den Kopf – ich bin mir noch immer nicht sicher, ob ich das mit Absicht oder reflexhaft tat – und mache die Augen auf.

Anne sieht uns zu – natürlich sieht sie uns zu. Aber als ich mich aufrichte und mich wieder auf James sinken lasse, um beide Arme um seinen Hals zu schlingen, wendet sie sich bereits ab, als wäre ihr etwas anderes in den Sinn gekommen. Kurz steht sie stocksteif da, wie in Gedanken versunken oder als hätte sie den Faden verloren, dann geht sie zu ihrem Schreibtisch, nimmt die Maus und aktiviert den Computer. Sie setzt sich und sagt auf den Bildschirm blickend in geistesabwesendem Ton, als hätte sie sich dringenderen Dingen zugewendet: »Ihr könnt euch anziehen. Und dann könnt ihr gehen, aber leise.«

Darauf dreht sie den Kopf zu uns, doch ihr Blick ist leer. »Ihr könnt gehen«, sagt sie.

Draußen auf dem Treppenabsatz brauche ich ein paar Augenblicke, bis mir zu Bewusstsein kommt, dass wir allein sind, James und ich. Natürlich könnte Anne hinter der Tür lauschen, doch etwas sagt mir, dass sie aus einem Grund, den nur sie selbst kennt – oder nicht einmal sie selbst –, den Halt verloren hat. Ich glaube, sie starrt auf ihren Bildschirm, zurückgezogen in ihre innere Welt, in die sie geht, um ihre Romane zu schreiben.

Doch ich lasse mich auf kein Risiko ein, und James auch nicht: Wir steigen stumm die Treppe hinunter, zucken bei jedem Knarren zusammen wie unartige Kinder, die sich davonstehlen wollen. Erst ganz unten im Flur des Erdgeschosses bricht einer von uns das Schweigen. Zu meiner Überraschung bin ich es. Ich fließe über vor Wünschen und Fragen und dem Drang, mich mitzuteilen.

»Ich muss dich sehen«, flüstere ich drängend.

James lächelt verschlossen. »Du siehst mich doch«, sagt er und breitet die Arme aus. »Ich bin hier, vor deinen Augen.«

Ich trete in seine Arme, lehne den Kopf an seine Schulter. Sein Leinenjackett riecht männlich, aber frisch. Vielleicht nach einem Hauch Vetiver.

»Du weißt, was ich meine.« Ich habe einen gekränkten Tonfall. Warum will er mich nicht ernst nehmen?

Ich spüre über mir, wie er den Kopf schüttelt, sein Kinn schabt über meine Haare.

»Was?« Ich trete zurück und sehe ihn an. Die Tränen brennen mir schon in den Augen. Ich blinzle sie weg. Was sagte ich noch gleich, von wegen meine Gefühle im Zaum halten?

Er schüttelt schon wieder den Kopf. »Das geht einfach nicht«, sagt er.

»Warum nicht?«

»Anne ...« Er verstummt.

»Aber was kann sie denn tun? Wenn wir uns allein treffen wollen, kann sie uns nicht daran hindern.«

»Sie könnte dich feuern.«

»Das ist mir egal. Ich wäre mit dir zusammen.«

Beim dritten Mal ist sein Kopfschütteln vehement.

»Es tut mir leid, Genevieve«, sagt er und sieht mir sanft in die Augen. »Das ist mir nicht möglich.«

Er wendet sich zum Gehen, und meine Gedanken rasen. Was kann ich tun, um ihn umzustimmen? Da ich nicht weiß, was das alles für ihn bedeutet, wie und warum er sich darauf eingelassen hat, kann ich nicht argumentieren. Aber es verwirrt mich, warum er sich gegen die Aussicht sperrt, sich allein mit mir zu treffen. Nichts während unserer Begegnungen weist darauf hin, dass er es am liebsten im Beisein eines Dritten tut. Nein, das ist nicht die Art, wie er auf Touren kommt. Geht es dann also um Dienlichkeit? Darum, sich Annes Befehlen zu fügen? Wenn ja, dann geht es gar nicht um mich, und ich sollte ihn vergessen.

Er öffnet die Tür und geht hinaus in den noch strahlenden Tag. Ich möchte ihm hinterherlaufen, fragen, ob er mit mir im Park spazierengeht, ihn bitten, mir von seinen Träumen und Ängsten zu erzählen. Ich möchte von ihm wissen, wie er dahin gekommen ist, wieso er allein, aber in Annes Netz gefangen ist. Beim Reden würde er vielleicht erkennen, dass das nicht der einzige Weg ist, dass es eine Alternative gibt.

Doch ehe ich weiß, wie ich mich ausdrücken soll, zieht er die Tür hinter sich zu, und ich stehe im Flur, in dem es plötzlich so düster ist.

Im Haus ist alles still, als wäre ich die Einzige hier. Ich mache mir eine Tasse Tee in der Küche und steige langsam die Treppe hinauf. Vor Annes Zimmer höre ich das Klicken der Tastatur. Das versetzt mir einen Stich, macht mich ärgerlich und neidisch. Wie kann sie es wagen, von dem, was gerade passiert ist, einfach wegzuschalten und sich in ihre Schreiberei zu vertiefen? Und wieso habe ich mich so sehr in der Sache verfangen, dass ich mich nicht einmal mehr herausziehen kann?

Oben strecke ich mich auf meinem Bett aus und durchlebe das Geschehen im Geiste noch einmal, von dem Moment an, wo Anne mich in ihr Arbeitszimmer rief, bis zu dem Augenblick, wo ich hinter dem Wandschirm stand und James' Stimme hörte. Ich fange an zu kichern, als ich vor mir sehe, wie ich mich, den Hintern in die Luft gereckt, kniend nach vorn beuge, um seine Schuhe zu polieren. Und wie er leise erbebt, weil er das Lachen unterdrückt. Ich denke an den Spaß, den wir für eine Weile hatten. An die Absurdität der Szene. Es kommt mir vor wie eine Szene aus einem schmutzigen Film.

Dann spule ich vor zu seiner letzten Bemerkung beim Abschied: *Das ist mir nicht möglich.* Wieso hat Anne so große Macht über ihn und ich keine? Er scheint sich gegen Überzeugungsversuche zu verschließen, und das verletzt mich, nachdem wir so viel miteinander erlebt haben. Schließlich ist nicht nur Sex zwischen uns gewesen. Es ist ein intimer Dialog, der tiefer geht als alles, was ich bisher erlebt habe. Ich kann nicht für James sprechen, glaube aber, dass es auch bei ihm nicht nur Sex ist.

Ich nehme mein Notizbuch zur Hand. Gestern habe ich mehrere Seiten mit Grübeleien über Anne, James und den Jungen gefüllt – kurz gesagt, über alles, was passiert ist, seit ich hier wohne. Dann seitenweise Notizen, angeregt durch die Passanten, die ich am Fenster beobachtet habe, während ich meinen Milchkaffee trank. Ich überfliege sie und fühle mich ermutigt. Da stehen einige gute Einfälle, scheint mir. Ein oder zwei Dinge, die sich sogar zu einer Kurzgeschichte ausbauen ließen. Ich markiere sie mit Sternchen. Plötzlich, nachdem ich mich von mir entfernt und in ein neues Reich der Möglichkeiten versetzt habe, wo ich die Kontrolle habe, geht es mir besser. Wie befriedigend das Schreiben ist, denke ich. Kein Wunder, dass Anne so kontrollsüchtig ist.

Ich blicke wieder aufs Papier. Ich überlege, eine Kurzgeschichte zu schreiben. Aber zuerst will ich mir den Kopf von allem, was heute gewesen ist, befreien. Nennen Sie es eine Säuberung, ein Großreinemachen.

Ich greife zum Füller und fange an zu schreiben.

9: Ein Mädchen allein…?

Als ich am nächsten Morgen wach werde, geht es mir gut, obwohl James abgelehnt hat, mich außerhalb unseres bizarren Dreiecksverhältnisses zu sehen. Gestern habe ich gute zwei Stunden lang in mein Notizbuch geschrieben und das Geschehene sehr ausführlich geschildert, um meine Gefühle zu erkunden. Ich habe versucht, die Angelegenheit aus dem Blickwinkel jedes Beteiligten zu betrachten, um mir mehr Distanz zu verschaffen – Annes und James' Motive kenne ich natürlich nicht, aber das gilt manchmal auch für meine eigenen. Es hat mir enorm geholfen, mir alles einmal von der Seele zu schreiben. Gewissermaßen hat das eine psychische Reinigung bewirkt.

Danach flossen die Worte ungehindert, diesmal in eine Vignette, die weiter Gestalt annahm und der Anfang einer Kurzgeschichte sein könnte – oder vielleicht auch von etwas Längerem. Die Hauptfigur fasziniert mich jedenfalls. Sie ist natürlich eine Version von mir, aber verwegener als ich, jemand der weiß, was er will, und keine Angst hat, es zu bekommen.

Das bringt ihr allerhand Ärger ein. Es sind erst ein paar Seiten, aber dass ich überhaupt angefangen habe, versetzt mich in freudige Aufregung. Ich habe das Gefühl, ich stehe auf der Schwelle zu etwas Großem, das vielleicht darüber entscheidet, wie mein weiteres Leben verläuft. Vielleicht werde ich doch noch zu einer erfolgreichen Schriftstellerin.

Ich setze mich auf und recke mich, begrüße den Tag und

was er mir bringt. Mag sein, dass ich auf James keinen Einfluss habe, dass er Anne hörig ist, aber ich bin frei und muss meine beneidenswerte Position, meine Glückssträhne – dafür bezahlt zu werden, dass ich den ganzen Tag herumgammle – ausnutzen.

Ich ziehe mich an und mache mich auf den Weg in das Café. Bei einem Schokocroissant und einem großen Milchkaffee überfliege ich die Seiten der *Time Out*, die ich unterwegs gekauft habe, und überlege, wie ich den Tag verbringen will. Wie immer bin ich überwältigt von dem immensen Kulturangebot in London. Es ist beinahe lähmend. Bis man sich über sämtliche Möglichkeiten klar geworden ist, hat man keine Zeit mehr, etwas zu unternehmen.

Ich schäme mich zu sagen, dass ich die Stadt nicht so gut kenne, obwohl ich hier lebe. Während meiner Zeit bei Vron habe ich lächerlich wenig unternommen. Klar, ich war pleite, aber ich wusste auch schon damals, was alles keinen Eintritt kostet: die Tate Gallery, das Britische Museum und zahlreiche andere Häuser. Trotzdem bin ich nicht hingegangen, dumm. Allerdings bin ich sicher nicht die Einzige – ich glaube, wenn man in einer Stadt lebt, schiebt man die Dinge immer wieder auf, nimmt sich vor, demnächst hinzugehen, und tut es doch nicht, wogegen man als Tourist alles in ein Wochenende presst und paradoxerweise mehr sieht als mancher Londoner.

Nachdem ich mir in den Hintern getreten und mir gesagt habe, dass das die einmalige Gelegenheit ist, sich alles anzusehen, schlage ich die Zeitschrift zu, trinke meinen Kaffee aus und gehe hinaus auf den Queensway. Anne hat natürlich recht, wenn sie sagt, dass ein Schriftsteller die Welt erfahren muss. Wie konnte ich erwarten, ein Thema zum Schreiben zu finden, wenn ich nur bei Vron und in Cafés sitze und Trübsal blase? Ich habe meinem Schriftstellerverstand keine Nahrung gegeben.

Ich entschließe mich, in die Tate Modern zu gehen, und während ich überlege, ob ich die U-Bahn oder den Bus nehme, sehe ich plötzlich Anne die Bayswater Road entlang auf die Kreuzung Queensway zukommen. Unwillkürlich laufe ich in dieselbe Richtung und sehe sie an der Bushaltestelle stehen. Meine Pläne sind vergessen. Ich stelle mich mit dem Rücken zur Haltestelle und tue, als würde ich mir das Schaufenster eines Reisebüros ansehen. Als ein Bus kommt und sie einsteigt, warte ich bis zur letzten Sekunde und springe auf.

Zum Glück geht sie die Treppe hinauf; ich suche mir hinten im Unterdeck einen Platz und greife nach einer liegen gelassenen Zeitung, um mich notfalls dahinter zu verstecken, wenn Anne wieder herunterkommt.

Innerlich lache ich über die Albernheit dieser Aktion, aber andernteils ist es mir todernst. Auch das ist paradox, aber dass ich Anne außerhalb des Hauses über den Weg laufe, verschafft mir vielleicht einen Einblick, wer sie wirklich ist. Vielleicht trifft sie sich mit jemandem oder recherchiert etwas. Oder sie ist sogar mit James verabredet, und ich erhalte die Gelegenheit, ihre Unterhaltung zu belauschen und zu begreifen, was die beiden miteinander verbindet.

Ein bisschen winde ich mich bei dem Gedanken. Was mögen sie über mich sagen, wenn ich nicht dabei bin? Lachen sie, weil ich mich so leicht habe flachlegen lassen, weil ich ihr so schnell ins Netz gegangen bin wie eine träge Fliege, die von der Sommerhitze und süßen Dingen benebelt ist und nicht auf Gefahren achtet? Erörtern sie in allen Einzelheiten, was James und ich miteinander gemacht haben, und vergeben Punkte für die Technik?

Der Bus rumpelt die Bayswater Road entlang und biegt in

die Oxford Street ein. Ich hefte den Blick auf die Treppe, damit mir nicht entgeht, wenn Anne aussteigt. Plötzlich koche ich vor Wut auf sie und über die Art, wie sie mich benutzt hat ohne Rücksicht auf meine Gefühle. Wie sie meine finanzielle Notlage und meinen Ehrgeiz ausnutzt. Sie hält mir das Gehalt, das sie mir zahlt, wie eine saftige Möhre vor die Nase, und ich kann nicht verzichten. Ist das Gehalt es wert, dass ich mich erniedrigen lasse?

Wir nähern uns Selfridges, als Anne am Fuß der Treppe erscheint und in den Fond des Busses schaut. Ich reiße die Zeitschrift vors Gesicht. An der Haltestelle öffnen sich Türen, und sie steigt aus, ziemlich schwungvoll, wie ich finde. Sie scheint guter Laune zu sein. Ich frage mich, ob sie einkaufen geht. Vielleicht will sie bei Selfridges in die Lingerie-Abteilung und etwas Neues für mich aussuchen. Na, das wäre ein Witz, wenn ich sie dabei beobachte, wie sie die Bügel auf den Stangen hin und her schiebt und sich vorstellt, wie ich mich bei dieser und jener kapriziösen Nummer mache.

Ich springe ebenfalls ab und folge ihr durch eine Seitenstraße neben dem Kaufhaus und dann zum Manchester Square. Hier bin ich noch nie gewesen, stelle aber bald fest, dass hier die Wallace Collection untergebracht ist, ein Kunstmuseum in einem prächtigen Stadthaus, das den ganzen Platz überblickt. Anne rauscht hinein, sie kennt es offenbar gut, geht zielstrebig und ohne sich einmal umzusehen die Treppe zum ersten Stock hinauf.

Ich bleibe ihr auf den Fersen, komme mir albern vor und schüttle über mich selbst den Kopf. Da lamentiere ich über Annes Versuch, aus mir einen Akolythen zu machen, und jetzt folge ich ihr wie ein Spion. Ein Stalker, das ist es, was sie aus mir gemacht hat. So viel zu meinem Plan, schriftstellerische Inspiration zu suchen.

Anne betritt einen Raum, der sich Boudoir nennt. Er ist winzig, und außer ihr ist niemand dort, sodass ich draußen bleiben muss, wenn ich mich nicht verraten will. Anne verbringt dort gut zehn Minuten, aber wie mir scheint, nachdem ich ein paar Mal um die Ecke gespäht habe, interessiert sie sich nur für ein bestimmtes Kunstwerk. Sie betrachtet es eine Weile, nimmt einen kleinen Block aus ihrer Handtasche und macht sich Notizen. Als sie damit fertig ist, geht sie in den anschließenden Raum.

Ich husche in das sogenannte Boudoir, das so heißt, weil es der erste von Lady Wallaces Privaträumen war. Hier ist sicherlich nichts Verbotenes ausgestellt – die Gemälde sehen aus wie aus dem achtzehnten Jahrhundert und haben hauptsächlich antike und sittliche Motive. Da stehen auch einige eindrucksvolle Schreibtische und Sekretäre.

Ich gehe direkt zu dem Gemälde, vor dem Anne gestanden hat. Es heißt Unschuld und stammt von Jean-Baptiste Greuze. Ich runzle die Stirn. Die fragliche Unschuld, nämlich die eines jungen Mädchens, dem das Kleid von den Schultern gerutscht ist und ihre Pfirsichhaut enthüllt, scheint gefährdet, vielleicht sogar gespielt zu sein. Oder ist gerade dies das Thema?

Ich habe keine Zeit für weitere Überlegungen, da ich Anne aus den Augen verlieren könnte. Ich spähe um den Türpfosten in den nächsten Raum und sehe gerade noch rechtzeitig, wie sie in einen breiten Gang verschwindet. Dort halten ein paar Miniaturen ihre Aufmerksamkeit fest. Ich bleibe wieder zurück, bin zwar neugierig, wage mich aber nicht näher heran. Erst als sie auch diesen Ausstellungsraum verlässt, gehe ich weiter und betrachte die Kunstwerke. Sie stammen alle von einem Franzosen namens Charlier und widmen sich Themen der Mythologie: Die Geburt der Venus, Das Bad der Venus, Eine Muse und ein Cupido, Venus und Cupido in den Wolken,

Pan und Syrinx. Da wird viel rosa Fleisch zur Schau gestellt. Ich frage mich, ob Annes Roman ein mythologisches Thema hat.

Gerade als ich das letzte Gemälde betrachte, dessen mythologisches Motiv mir unbekannt ist, höre ich ein vertrautes Krächzen am Ohr und fahre vor Schreck zusammen.

»Kennst du die Geschichte von Pan und Syrinx?«, fragt die Stimme, und ich drehe mich mit puterrotem Gesicht um.

»Anne!«, rufe ich aus. »Was für ein Zufall –«

Ihr wissendes Lächeln macht meinem Täuschungsversuch ein Ende. Sie fasst mich sacht am Unterarm, um mir zu versichern, dass es keine Rolle spielt – dass sie weiß, dass ich ihr gefolgt bin, ihr nachspioniert habe und dass es ihr nichts ausmacht. Sie ist nicht einmal überrascht.

Ich überlege, an welcher Stelle sie mich bemerkt hat, und mir fällt der Augenblick im Bus ein, als ich mir die Zeitschrift vors Gesicht gehalten habe. Da muss sie mich entdeckt haben. Ich habe mich wahrhaftig zum Narren gemacht.

»Das ist eine faszinierende Geschichte«, sagt sie, und ich überlege, was sie meint. Sie deutet auf die Miniatur. »Pan und Syrinx«, erinnert sie mich.

Ich schüttle den Kopf. »Die kenne ich nicht.«

Sie lächelt, sieht mich aber nicht an. Ihr Blick ist auf das Bild gerichtet, und ihre Stimme scheint von weit her zu kommen. »Ovids Metamorphosen«, sagt sie. »Die hast du offenbar nicht gelesen.«

»Ich hatte es an der Uni nicht so mit der griechischen Mythologie. Oder mit der römischen, falls es das ist.«

»Griechisch und römisch eigentlich ... Nach der Geschichte jedenfalls wurde Syrinx, eine Nymphe, von Pan bis an den Ladon verfolgt.« Sie stockt. »Ich nehme an, du weißt, wer Pan ist ...«

»Eh, so ein Naturgeist.«

Sie seufzt, als ob meine grenzenlose Unwissenheit sie traurig macht, und schüttelt den Kopf. »Du bringst das mit dem Pantheismus durcheinander. Das ist Griechisch und heißt: Gott ist alles. Das bedeutet, Gott ist die Natur, das Universum, oder wie immer man es nennen will, jedenfalls keine Götterperson.« Kurz ist sie still, dann fährt sie fort. »Pan ist der Gott der Äcker und Wälder und symbolisiert die Wollust und die Grausamkeit des Menschen. Man sieht ihn meistens in Bocksgestalt. Syrinx jedenfalls bat ihre Schwestern, die Flussnymphen, ihr bei der Flucht vor Pan und seinen lasziven Nachstellungen zu helfen, und sie verwandelten sie in Schilf, aus dem sich der Gott später seine berühmte Flöte schuf. Von der hast du aber wenigstens gehört?«

Einen Moment lang sieht sie mich schweigend an. »Falls du denkst, ich mache mir einen vergnügten Tag«, sagt sie schließlich kühl, »ich recherchiere.«

»Für Ihren nächsten Roman?«

»So ist es.«

»Darf ich Sie fragen, wovon er handelt?«

»Ob du mich das fragen darfst? Du bist meine Assistentin. Es wäre wohl schwierig, Geheimnisse vor dir zu haben.«

Im Stillen lache ich, aber mit einiger Bitterkeit. Anne ist selbst ein Geheimnis, ein völliges Rätsel. Ich bin es, die völlig durchsichtig ist, nachdem ich ihr meinen Körper vorgeführt habe, wie er Freude bereitet und empfängt, und ich fühle mich, als hätte ich auch meine Seele vor ihr entblößt. Ich bin rundherum verwundbar, während sie eine uneinnehmbare Festung ist oder eine fugenlose Mauer, an der man keinen Halt findet.

Sie wirft einen Blick auf ihre Uhr. »Ich habe einen Bärenhunger«, sagt sie. »Wie wär's mit einem Restaurant? Auf meine Kosten natürlich.«

»Das wäre schön«, sage ich und meine das ernst. Ich bin etwas beklommen, aus offensichtlichen Gründen, finde es aber auch aufregend, ihr gegenüber zu sitzen und vielleicht etwas über die Frau mit dem diamantharten Äußeren zu erfahren.

Das Restaurant, das sie im Sinn hatte, ist die französische Brasserie im hinreißenden Wintergarten des Museums. Dort sitzen nur zwei Pärchen, die sich in die Augen blicken und auf dem Tisch miteinander die Finger verschränken. Das ist genau der romantische Ort, wo ein Mann seine Geliebte hinführt, um ihr einen Antrag zu machen, oder wo man eine heimliche Affäre anfängt.

Anne und ich sind die einzigen anderen Gäste. Uns würde wohl niemand, der bei Verstand ist, für ein Liebespaar halten, und das sind wir ja auch nicht – eigentlich. Oder höchstens über James. Nein, man würde uns eher für Mutter und Tochter halten.

Bei diesem Gedanken frage ich mich, ob unsere Beziehung nicht auch etwas davon hat. Anne ist schwerlich der mütterliche Typ, und sicher wirkt es sich aus, dass sie keine Kinder hat. Doch als ich mich ihr gegenüber an den Tisch setze, kommt mir in den Sinn, dass die Art, wie ich sie gewissermaßen als Vorbild betrachte, meine Verehrung für ihr Werk und mein Ehrgeiz, einmal ähnliche Romane zu schreiben, mich zu ihrer Nachfolgerin macht, quasi zu ihrer Tochter.

Gerade sagt sie etwas zu mir, und ich setze mich auf. Wenn ich werden will wie Anne, wenn ich das Beste aus diesem Lehrer-Schüler-Verhältnis herausholen will, muss ich ihr zuhören, muss die Sache ernst nehmen und darf mich nicht in Tagträume versenken.

Sie empfiehlt mir die Austern aus dem Bassin, fragt, ob ich schon mal welche gegessen habe, und meine Gedanken richten sich unvermeidlich auf Sarah Waters und die lesbische

Liebe. Anne ist keine Lesbe. Das weiß ich aus ihren Romanen, aus ihrer Beschränkung auf das Verhältnis zwischen Mann und Frau. Aber macht sie es vielleicht gelegentlich auch mit Frauen? Sie scheint mir eine unersättliche sexuelle Neugier zu haben, die das in den Bereich des Möglichen rückt. Und sie ist ganz sicher nicht abgeneigt, Frauen in Aktion zu sehen. Könnte sich das alles als Vorspiel einer Verführung entpuppen? Will Anne Tournier mir an die Wäsche?

Ich sehe ihr in die Augen. »Ich mag keine Austern. Schon die Vorstellung ist mir zuwider.«

Ihr Gesicht verrät keinerlei Emotion, als sie weiter die Karte studiert. »Also, ich neige zu dem Steak Tartar«, sagt sie. »Wie viele Franzosen bin ich ein unverbesserlicher Fleischfresser. Je roher desto besser, sage ich immer.«

Ich sehe in meine Karte und suche mir wahllos etwas aus. »Ich glaube, ich nehme den Nizza-Salat«, sage ich.

»Und Wein dazu?«

Ich schüttle den Kopf. Ich will mich nicht besäuseln, nur für den Fall, dass sie lesbische Gedanken hegt. Nach allem, was zuletzt gewesen ist, habe ich Sorge, nicht Nein sagen zu können. Ich habe weniger Selbstbeherrschung, als ich geglaubt habe.

Nachdem wir bestellt haben, lehnt sich Anne auf ihrem Stuhl zurück. Ohne eine Zigarette in der Hand oder im Mundwinkel sieht sie ein bisschen verloren, ein bisschen unvollständig aus. Sie betrachtet mich mit leicht fragendem Gesichtsausdruck, als wäre sie es, die nicht aus mir schlau wird, und nicht umgekehrt.

Unfähig, ihren prüfenden Blick auszuhalten, werfe ich mich auf das Thema ihres nächsten Romans. »Ihr neuer Roman dreht sich also um griechische Mythologie? Das weicht ziemlich von Ihren bisherigen Themen ab, nicht wahr?«

Sie schüttelt den Kopf, als der Kellner ein Glas Rotwein vor sie hinstellt. »Merci«, sagt sie und hat ein Funkeln in den Augen, als sie zu ihm aufblickt. Er ist ein gutaussehender Kerl, wie man es bei französischen Kellnern in stilvollen Restaurants häufig erwartet.

Ich frage mich, was sie denkt, ob sie sich ihn nackt vorstellt, wie er sie nimmt oder wie er mich nimmt. Ich denke an den jungen Gespielen und überlege, wo Anne ihn aufgegabelt hat. Vielleicht in einem Restaurant wie diesem? Vielleicht hat sie ihn sogar bezahlt – der Gedanke kommt mir zum ersten Mal, und siedendheiß schießt es mir durch den Kopf: Das macht ihn zu ... das macht mich zu ... Mir schwirrt der Kopf. Ich wünschte, ich hätte mir doch einen Wein bestellt.

»Nein, es geht nicht um griechische oder römische Mythologie«, antwortet sie und nimmt den Faden unseres Gesprächs wieder auf. »Aber ich schöpfe daraus meine Inspiration. Es geht um ... Ich mag ein Buch nicht in ein paar Worten oder Sätzen zusammenzufassen. Damit wird man keinem Text gerecht, denn die Inhaltsangabe klingt immer naiv und grob vereinfacht. Aber sagen wir, es geht um eine Verwandlung – daher Ovids Metamorphosen.«

»Verwandlung?«

»Die Fähigkeit des Menschen, sich den Umständen entsprechend zu entwickeln. Meine Figuren – nun, sagen wir einfach, ich will sie in schwierige Konstellationen stellen und sehen, wie sie sich anpassen. Die Verwandlung als Maßnahme des Überlebens, wenn man so will.«

»Spielt das zu unserer Zeit?«

»O ja, und zwar im heutigen London.« Sie trinkt einen Schluck Wein und beäugt hungrig den glänzenden Hügel aus rohem Fleisch, den ihr der Kellner serviert und der mit Kapern gespickt und mit einem rohen Ei gekrönt ist.

»Ich bin wohl schon in allen meinen Büchern von der Idee fasziniert gewesen, wie sehr wir uns ändern können und wie vieles angeboren und unveränderlich ist. Aber auch von der Frage, inwieweit wir andere Menschen ändern können. Es heißt, man könne andere nicht ändern, seinen Geliebten zum Beispiel. Aber stimmt das wirklich? Ich glaube, dass die Menschen im Gegenteil sehr offen sind für Überredung, sehr ... verführbar.«

Sie betont das letzte Wort, sieht aber nicht mich dabei an, sondern den gutaussehenden jungen Kellner. Schamlos erwidert er ihren Blick, als wolle er sie herausfordern. Was glaubt er, was sie von ihm will, eine Frau ihres Alters, mit ihrem Aussehen? Sie ist nicht hässlich, aber vom Leben gezeichnet, ein wenig verbraucht. Das Rauchen und die Magerkeit haben ihr keinen Gefallen getan. Ganz sicher befinden sie sich in sehr unterschiedlichen Phasen ihres jeweiligen Lebens. Dennoch hat sie seine Aufmerksamkeit errungen. Er fühlt sich geschmeichelt oder neugierig. Vielleicht gibt das seiner langweiligen Schicht ein bisschen Würze.

Ich beobachte sie und ihn ebenfalls und denke an die Bilder, die Anne sich oben im ersten Stock angesehen hat. Zuerst *Unschuld* und dann Pans lüsterne Verfolgung von Syrinx, die mit ihrer Verwandlung in Schilfrohr endet. Schilfrohr, aus dem er eine Flöte herstellt. Ich brenne darauf, ihre Arbeit während ihrer Entstehung zu lesen, zu ergründen, wie sich das eine ans andere fügt. Aber eigentlich ist es das Greuze-Gemälde, gegen das mein Verstand anrennt wie gegen eine Wand. Die dargestellte »Unschuld« bittet darum, befleckt zu werden, verführt zu werden, bettelt geradezu darum. Damit ist sie das genaue Gegenteil von Unschuld.

Ich schiebe meine Salatblätter auf dem Teller hin und her, während ich darüber sinniere. Ich war am Anfang nicht unschuldig, aber weltfremd. Wenn ich an mein Bewerbungsgespräch mit Anne und ihre unkonventionellen Fragen zurückdenke, kommt mir die Idee, ob sie mich gerade wegen meiner Unerfahrenheit für den Job ausgesucht hat. Bin ich ein Experiment, ein Versuchskaninchen, an dem sie ihre Theorie des Wandels und der Verführbarkeit prüft?

Der Kellner bedient eines der Paare an den anderen Tischen, und ich bemerke, dass Anne mir zusieht, wie ich in meinem Essen stochere.

»Ist es nicht gut?«, fragt sie.

»Doch … der Salat ist prima. Ich habe nur keinen großen Hunger.«

»Was hast du heute noch vor?«

»Ich wollte in die Tate Modern, aber –«

Ich stocke, kurz bevor ich mich verraten hätte. Anne ist zwar klar, dass ich ihr gefolgt bin, dass unser Treffen kein Zufall war, aber das will ich auf keinen Fall offen zugeben.

»Ja«, sagt sie. »Man kann nur eine bestimmte Menge Kunst an einem Tag in sich aufnehmen.«

Mit einer Geste verlangt sie die Rechnung, und als der Kellner sie auf einem kleinen Silbertablett vor sie hinlegt, wirft sie ein paar Scheine darauf. Und ein saftiges Trinkgeld, wie ich sehe.

Wir gehen zum Ausgang.

»Möchtest du nach Hause?«, fragt Anne. »Ich nehme mir ein Taxi.«

Ich schüttle den Kopf. »Ich glaube, ich sehe mich noch bei Selfridges um. Das heißt, außer Sie brauchen mich für etwas.«

»Nein, du kannst ruhig gehen.«

Wir stehen auf der Straße, und sie schaut sich nach einem freien Taxi um. Ich bedanke mich für das Mittagessen, und sie lächelt und sieht mich eindringlich an.

»Nächstes Mal werde ich dich zu den Austern überreden«, sagt sie, und ich höre einen seltsamen Unterton; er klingt zerbrechlich wie Eis auf einem winterlichen Teich, als könnte ihre Stimme in tausend Stücke springen. »Du hast wirklich noch keine probiert? Nun, du musst sie versuchen, du musst. Denk daran –« Neben ihr hält ein Taxi, und sie tritt an die Beifahrertür, beugt sich ins Fenster, nennt dem Fahrer die Adresse und öffnet die hintere Tür. Mit einem Bein im Wagen setzt sie den Satz fort: »Denk daran: ein Schriftsteller muss das Leben willkommen heißen, mit allen Erfahrungen, die es bietet. Mit *allen.*«

Und damit lässt sie mich auf dem Bürgersteig stehen, verwirrt, ängstlich und beschwingt zugleich. Eine verrückte Gefühlsmischung ist das, und sie erschöpft mich, wie ich feststelle. Eigentlich möchte ich doch nach Hause. Ich laufe zurück zur Bushaltestelle an der Oxford Street.

Im Haus ist es still, beinahe unheimlich. Ich mache mir Tee und gehe nach oben an Annes Arbeitszimmer vorbei. Kein Laut dringt heraus, aber ich bin sicher, dass sie da drinnen ist, auf ihren Bildschirm starrt oder in einem Buch etwas nachliest oder auch einfach in ihrem Sessel sitzt und nachdenkt, wie sich die verschiedenen Handlungsstränge miteinander verflechten, die mythologischen Elemente in die Gegenwart überführen lassen. Wie immer bin ich neidisch, denke daran, wie sie mit diesem großen schöpferischen Abenteuer begonnen hat. Wie befriedigend und aufregend muss es sein, ein ganzes Buch zu schreiben, im Grunde aus dem Nichts etwas zu schaffen.

Während ich weiter die Treppe hinaufsteige, tröste ich mich mit dem Gedanken, dass ich auf meinem Weg schon ein Stück weiter bin als noch vor einer Woche. Da bin ich noch nicht einmal an der Startlinie gewesen. Jetzt ist wenigstens eine Geschichte im Werden begriffen, und ich habe mehrere Seiten gefüllt. Die Schale ist aufgesprungen, und ich habe begonnen, mir den Weg ans Licht zu bahnen und meinem Traum zu folgen.

Obwohl mir eigentlich nicht danach ist, zwinge ich mich, das Notizbuch aufzuschlagen, und nach einem zähen Start gelingt es mir, ein paar Seiten mehr zu schreiben – nicht zu der Geschichte, sondern zu meinen Tagebucheintragungen. Ich beschreibe mein Fiasko mit Anne, den gescheiterten Bespitzelungsversuch, das eigenartige Mittagessen, ihren Blickwechsel mit dem gutaussehenden Kellner. Und nachdem ich das geschildert habe, ohne weiter vorauszudenken, sehe ich mich über den Kellner schreiben – eine Fantasie über das, was hätte passieren können, wenn ich mit ihm allein gewesen wäre, als letzter Gast spät abends bei einem Brandy, während er Gläser und Besteck poliert und die Tische für den nächsten Tag eindeckt.

Er kommt zu mir. Im flackernden Schein der Kerze auf meinem Tisch wirkt sein Teint noch dunkler. Vielleicht stammt er vom Mittelmeer. Es ist ein sattes Olivbraun. Ich denke an die Strände von St. Tropez, von Cannes – an die eingeölten Körper, die in der sengenden Augustsonne rösten, bis sie goldbraun sind wie Rohrzucker. Dort würde er sich zu Hause fühlen mit seinem geschliffenen, muskulösen Körper, in einer lindgrünen, knappen Badehose, die die feste Hand voll darin hervorhebt, nach der sich so viele Köpfe umdrehen – Köpfe beiderlei Geschlechts.

»Sie kommen wohl, um mich rauszuwerfen«, sage ich. »Sie haben sicher ein Zuhause, wo Sie hingehen können.«

Er lächelt, mit Mutwillen in den Augen. »Nichts drängt mich, schon nach Hause zu gehen«, erwidert er freundlich mit einem provokanten Unterton. Er umfasst die Rückenlehne des Stuhls gegenüber. »Darf ich?«, fragt er, zieht ihn aber schon auf sich zu, ehe ich antworten kann.

»Nur zu.«

Als er sich setzt, nimmt er, während er mir in die Augen sieht, mein Glas und trinkt einen kräftigen Schluck. Dann stellt er es wieder zurück.

»Wie kommt es, dass Sie allein essen gehen?«, fragt er. Sein Englisch ist fehlerfrei, hat aber einen erotischen französischen Akzent, der mich zum Schmelzen bringt.

»Alleinsein ist manchmal gut.« Ich lächle und hoffe, es wirkt verführerisch und geheimnisvoll.

Er schmunzelt. »So sagt man, nicht wahr? Um das zu erkennen, muss man zuerst sich selbst erkennen. Und so ist es auch mit der Liebe. Man muss zuerst sich selbst lieben lernen, dann kann man erwarten, von anderen geliebt zu werden.«

Unter dem Tisch reibe ich mich durch mein Kleid und den Slip. Sein Blick ist so einladend, aber gemessen an seinen Worten muss sich die Einladung nicht unbedingt auf ihn beziehen, sich nicht mit meiner Erwartung decken, dies zu einer körperlichen Begegnung werden zu lassen.

»Ist das gut?«, fragt er, und mir wird klar, dass er die Bewegung meines Armes sieht und erraten hat, dass ich an meiner Muschi spiele.

Ich mache den Mund auf, bringe aber kein Wort heraus, so angeheizt bin ich inzwischen. Natürlich habe ich gewollt, dass er es sieht, doch jetzt, wo ich das weiß, werde ich fast verrückt vor Erregung. Ich bin nicht imstande zu sprechen, so schnell überlasse ich mich den Gefühlen, die ich in mir erzeuge.

Ich streife mir unter dem Tisch die Schuhe ab, sodass ich die Füße besser auf den Boden stemmen kann. Dann ziehe ich das Kleid hoch und schiebe die Hand in den Slip. Das Gekräusel der Schamhaare erregt mich noch mehr; ich fühle mich lasziv. Dann merke ich, dass der Kellner auch die Schuhe ausgezogen hat, oder zumindest einen, denn ich spüre seinen nackten Fuß an der Innenseite meines Oberschenkels. Ich nehme ihn und ziehe ihn an meine Muschi. Mit zuckenden Zehen erkundet der Kellner meine Nässe.

Den Kopf im Nacken, klimpere ich auf meiner Klitoris, während er mit den Zehen an meinen Schamlippen spielt, den großen Zeh eintaucht und wieder rauszieht. Jetzt fasse ich an meine Brüste und drücke sie, als mich die Ekstase überkommt. Ich spreize die Beine, schiebe mich dem Fuß des Kellners mit geschlossenen Augen entgegen, sodass ich seinen Gesichtsausdruck nicht sehen kann.

Doch dann öffne ich sie, als ich kurz vor dem Orgasmus bin, und sehe den Küchenchef mit seiner Mütze in der Tür stehen. Erst als er die Mütze abnimmt, sehe ich, dass es eine Frau ist. Eine sehr attraktive Frau mit dunklen, fast schwarzen Haaren, die seidig auf die Schultern fallen, und mit durchdringend blauen Augen. Ich war schon kurz davor gewesen, doch als sich in diesem heiklen Moment unsere Blicke treffen, gibt es kein Halten mehr: ich komme mit einem Schrei, während ich, schamlos in meiner Wonne, mit beiden Händen die Tischkante umklammere.

Als ich mich in meinen Stuhl zurücksinken lasse, ohne mich von ihren strahlend blauen Augen loszureißen, höre ich den Kellner sagen: »Ach, Sandrine, da bist du. Willst du mit uns zusammen ein Taxi nehmen?«

Ich richte mich kerzengerade auf und …

An der Stelle muss ich aufhören zu schreiben, ich bin zu nass. Ich kann nicht weitermachen, mich nicht mehr auf die Worte konzentrieren. Sie flattern vorbei wie Schmetterlinge und landen nicht auf dem Papier, sondern tanzen und flirren umher und sind unmöglich zu fangen. Ich bin nicht mehr Herr darüber, während meine Erregung steigt.

Ich laufe zum Bett, lege mich auf die Seite, ziehe den Slip zur Seite und fange an, mich zu befummeln. Ich bin triefend nass. Ich greife in die Nachttischschublade und hole den Rock Chick heraus, dann knie ich mich breitbeinig hin und schiebe ihn hinein. Den Vibratormechanismus stelle ich auf zusätzliche klitorale Stimulation ein, und dann bin ich geistig weggetreten, während ich stoße und wetze und schaukle.

Als ich anfange, müde zu werden, drehe ich mich auf den Rücken, wo ich die gleichen Grundbewegungen fortsetze, und bald beiße ich mir in die Hand, um nicht zu schreien, als ich den Jackpot knacke.

Danach liege ich erschöpft da, spiele müßig an meiner Muschi, die noch feucht, aber ein bisschen betäubt ist. Das ist die warme, schläfrige Dumpfheit, die ich mag. Ich habe das Gefühl, ich könnte gleich weitermachen, möchte nur vorher so daliegen und träumen, an James denken und an den Jungen und den Kellner meiner Fantasie. Und an die Küchenchefin, die sinnliche, dunkelhaarige Schönheit, die am Ende meiner Geschichte so überraschend auftaucht.

Natürlich hätte ich weiterschreiben können, hätte sie an den Tisch holen und ihr erlauben können, sich an unserem Spiel zu beteiligen. Was hat mich davon abgehalten? Ich habe gesagt, ich sei zu erregt gewesen, um weiterzuschreiben. War ich unaufrichtig? Hatte ich vielleicht nur Angst vor dem, was passieren könnte, wenn ich sie die Szene betreten lasse? Verdränge ich aus Angst meine Wünsche, bis ich sie nicht mehr als meine erkenne?

Verwirrt stehe ich auf, dusche und gehe nach unten. Ich mache mir eine Tasse Kaffee und gehe damit ins Wohnzimmer, setze mich auf das Bodenkissen vor Annes Regal mit den

Fotobänden. Ich blättere in einigen, ohne zu finden, was ich will, dann stoße ich auf ein paar Bilder von Man Ray. Eines, *Juliet et Margaret*, ist eine solarisierte Fotografie zweier Frauen, die sich barbrüstig im Arm halten, auf den Gesichtern ein Muster aus Blättern und Blüten.

Ich finde das Foto exotisch, schön, verlockend. Während des Studiums war ich ein Fan der Surrealisten. Ich habe mir immer gewünscht, in der Zeit zurückreisen zu können und dazuzugehören. Sie schienen nichts zu fürchten und für grenzenlose Experimente offen zu sein.

Ich betrachte die Frauen auf dem Foto. Wie wäre es, mit einer Frau zusammen zu sein? Eine Frage, die ich mir nie bewusst gestellt habe, aber jetzt, da ich dieses Bild betrachte, sage ich mir: Warum nicht? Plötzlich scheint es mir, als gäbe es da eine Welt der Erfahrung, die ich mir ohne wirklichen Grund versagt habe, gegen die ich mich sogar verschlossen, gegen die ich Barrieren aufgebaut habe. Was wäre das Schlimmste, was passieren könnte, wenn ich es mit einer Frau versuche?

Es könnte mir zuwider sein, und ich würde aufhören. Ich könnte mich furchtbar ungeschickt anstellen, sodass sie aufhört. Oder es könnte mir gefallen, sogar sehr, und was dann? Ich könnte weitermachen, mehr davon haben wollen. Wäre ich dadurch eine Lesbe? Wenn ja, dann wohl, weil es wirklich gut ist und ich es immer wieder machen will.

Also gibt es nichts zu befürchten. Entweder es gefällt mir oder nicht. Nur wenn es mir enorm gut gefällt, bin ich gezwungen, eine Entscheidung zu treffen oder mein Leben zu ändern. Doch darüber mache ich mir Gedanken, wenn es so weit ist.

Ich stelle den Fotoband ins Regal zurück und gehe in die Küche, um etwas zu essen. Gerade will ich mit einem Erdnussbuttersandwich auf mein Zimmer gehen, als ich Anne in die Arme laufe.

»Hungrig?«, fragt sie.

Ich lächle verlegen.

»Nun, du hast nicht viel zu Mittag gegessen«, sagt sie. »Und man muss schließlich bei Kräften bleiben.«

Eingedenk dessen, dass sie mein kaum angerührtes Essen bezahlt hat, setze ich zu einer Entschuldigung an, doch sie hebt die Hand. »Du warst einfach nicht in der Stimmung«, sagt sie.

Sie geht an mir vorbei in die Küche. Ich höre sie etwas murmeln, und da ich nicht weiß, ob sie mich meint, frage ich: »Wie bitte? Haben Sie etwas gesagt?«

Mit dem Rücken zu mir antwortet sie: »Ach, eigentlich nichts. Ich meinte nur, vielleicht hätte ich dich doch zu den Austern überreden sollen.«

Ich mache die Augen schmal. Es ist, als hätte sie meine Gedanken gelesen oder mich ausspioniert. Nicht, dass ich mich nach meinem dummen Streich von heute Vormittag darüber beschweren könnte. Doch diesmal will ich tapfer sein und anfangen, mich zu behaupten.

Anne spürt das offenbar, weil ich noch nicht nach oben gegangen bin, und dreht sich um und begegnet meinem Blick.

»Ich dachte gerade dasselbe.« Mir kribbelt es am ganzen Körper. »Vielleicht würde ich doch mal gern Austern probieren.«

Anne lächelt. »Ich hatte gehofft, dass du das sagen würdest.«

Wir sind oben in Annes Arbeitszimmer und sehen uns im Internet Bilder an, Bilder von Frauen. Keine Pornos – nur Bilder von Schauspielerinnen und Fotomodellen, die meisten vollständig bekleidet, wenn nicht sogar in natürlicher Haltung, ganz ohne Pose. Anne möchte herausfinden, welchen Typ Frau ich mag, sagt sie.

»Wie wär's mit dieser?«, fragt sie bei einer, die aussieht wie Emmanuelle Béart, die französische Schauspielerin.

»Zu ...« Ich stocke. Ich weiß nicht, was ich von ihr halte.

»Zu unschuldig?«, schlägt Anne vor und beugt sich vor, um sie näher zu betrachten. »Sie ist schön, das lässt sich nicht bestreiten. Oder sollte ich sagen: schön nach westlichen Maßstäben? Manche Leute werden sie zu kindlich, zu puppenhaft finden mit diesen großen Augen und den vollen Lippen. Und dann diese eigenartige Symmetrie des Gesichts. Dieses frisch Gewaschene an ihr. Zu sauber.« Sie klickt zurück zu Google.

»Und du hast noch nie eine Frau gehabt?«, fragt sie wieder. Plötzlich möchte ich sie anschreien: *Das habe ich schon zweimal gesagt! Warum reiten Sie immerzu darauf herum? Wie viele Frauen tun das schon, wenn überhaupt? Sie etwa?*

Die Art, wie sie sich daran macht, für mich eine Frau zu finden, als wäre es ein Projekt oder eine Mission, lässt mich wieder von vorn über sie nachdenken. Der Sex in ihrer Reichweite, an dem sie sich scheinbar hochzieht – was hat es damit auf sich? Es scheint sie zu überraschen, dass ich es nie mit meinesgleichen getan habe, aber ich tue es wenigstens. Annes Sexualleben scheint dagegen keine Substanz zu haben, wenn sie immer nur zuguckt und befiehlt und nicht mitmacht.

Vielleicht weil sie meine Wut spürt, wartet sie nicht auf eine Antwort, sondern klickt auf Links und ruft Bilder für mich auf, um mich zu fragen, ob diese oder jene Frau etwas für mich wäre. Man könnte meinen, was wir da zusammen tun, würde uns einander näher bringen, uns zu Mitverschwörern machen. Bei anderen Leuten könnte man sich vorstellen, das bei einem Glas Wein zu machen, dabei zu lachen und zu kichern und sich über die anderen lustig zu machen.

Aber nicht bei Anne. Die Atmosphäre ist bleiern, ermüdend. Ich kann mir nicht helfen, aber ich finde, Anne nimmt das zu ernst. Ich wage jedoch keinen Versuch, sie aufzulockern. Sie bestimmt wie immer, wo es lang geht, auch wenn ich ausnahmsweise einmal die Initiative ergreife.

Und wenn ich an unsere kurze Unterhaltung in der Küche zurückdenke, frage ich mich sogar, ob Anne nicht längst eine Falle aufgestellt hat, die meine sogenannte Initiative zu einem Witz macht. Sicher, ich bin es, die die Fantasie mit dem Kellner und der Küchenchefin hatte, was mir jetzt ein bisschen absurd vorkommt, und ich frage mich, ob ich die Geschichte jemals zu Ende schreiben werde. Aber es war Anne, die die lesbische Variante aufgebracht und mir in der Küche das Stichwort gegeben hat, indem sie wieder die Austernanspielung brachte. Ich kann also nicht behaupten, ich wäre aus eigenem Willen zu dieser Entscheidung gelangt.

Als Anne merkt, ich könnte vielleicht kalte Füße kriegen, wendet sie sich vom Bildschirm ab. Sie ist schlau genug, um zu wissen, ich könnte vielleicht zurückschrecken, wenn sie mich zu sehr drängt. Sie will mich nicht verlieren.

»Ich sollte an dem Roman weiterarbeiten«, sagt sie und klingt ein wenig bedauernd, auch wenn ich nicht sagen kann, ob das echt oder aufgesetzt ist. Vielleicht ist sie mein Zaudern leid, meine unverbindliche Haltung. Oder sie hat eine plötzliche Inspiration für ihren Roman und muss sie verarbeiten, bevor sie sich verflüchtigt.

Ich stehe auf, um ihr nicht durch längeres Bleiben zur Last zu fallen.

Sie sieht mich an, und ihr Blick hat etwas Forschendes, als hätte sie Mühe, aus mir schlau zu werden.

»Du kannst jederzeit allein weitermachen«, sagt sie, »wenn das die Sache erleichtert.«

Als ich die Augenbrauen hochziehe, fährt sie fort: »Es ist nicht leicht, auseinander zu pflücken, was man mag, weil einem beigebracht wurde, das zu mögen, was akzeptabel ist. Du musst solche gesellschaftlichen Konventionen und Erwartungen völlig abstreifen. Wer weiß? Vielleicht stellst du fest, dass du Kampflesben im Overall magst. Oder große, vollbusige Pornoblondinen am anderen Ende des Spektrums. Oder vielleicht das gesittete einfache Mädchen von nebenan. Hier ...«

Sie kritzelt etwas auf ein Stück Papier und drückt es mir in die Hand. »Das wird dir vielleicht nützen.«

Ich blicke darauf. Es ist eine URL-Adresse. »Danke«, murmele ich unsicher.

»Lass dir Zeit«, sagt sie. »Es besteht kein Grund zur Eile.«

Ich drehe mich um und frage mich, was ich wohl vorfinde, wenn ich diese Seite aufrufe. Als ich die Tür hinter mir schließe, um meinen Mentor seiner Arbeit zu überlassen, höre ich sie noch sagen: »Glückliche Jagd.«

»Danke«, murmele ich, aber dem Ton nach konnte sie auch mit sich selbst gesprochen haben.

Unten setze ich mich vor den Laptop, starre dann aber durch die Terrassenfenster in den überwachsenen Garten mit hohem gelbem Gras und vertrockneten Kräutern in kleinen Töpfen. Eine Katze streunt vorbei und blickt mich flüchtig an. Ich überlege, ob ich anbieten sollte, mich im Garten nützlich zu machen. Es würde mir guttun, einige Zeit im Freien zu verbringen, mit einer Aufgabe. Ich habe das Gefühl, überhaupt nichts zustande zu bringen.

Ich wende mich wieder dem Computer zu, rufe den Internetbrowser auf und gebe die URL-Adresse ein. Wie erwartet kommt eine Seite mit lauter nackten Frauen. Aber alles ist sehr geschmackvoll – Werke verschiedener internationaler Künstler, einige ziemlich kitschig, aber sehr gut.

Was als Erstes meine Aufmerksamkeit erregt, ist eine Fotoserie von Aktskulpturen aus Dänemark, aus Kopenhagen, genauer gesagt. Einige stehen in Parks, andere in Museen. Bei Letzteren übt eine weibliche Statue einen unerklärlichen Reiz auf mich aus. Die Frau hat die Arme hinter dem Rücken verschränkt und oberhalb der kurvigen weißen Pobacken verläuft ein Seil. Ist sie gegen ihren Willen oder freiwillig angebunden? Das Foto ist von hinten aufgenommen, sodass ihr Gesichtsausdruck nicht zu sehen ist.

Ich bin frustriert von dem Mangel an Informationen über die Skulptur – von wem sie ist und wo sie steht, falls ich mich entschließe, hinzufahren und sie mir anzusehen. Wahrscheinlich könnte ich dem Fotografen eine E-Mail schicken, wenn ich es wirklich wissen wollte, oder auch dem Kopenhagener Fremdenverkehrsamt. Aber so wichtig ist es auch wieder nicht. Stattdessen navigiere ich mich zurück zur Startseite und schaue über die Fotografien.

Sofort komme ich mir wie ein Kind im Süßigkeitenladen vor. Da sind Tausende Frauen unterschiedlichster Haar- und Hautfarbe und Figur, von mager bis üppig, von der Schwarzafrikanerin bis zur Skandinavierin. Viele sind einfach atemberaubend. Ich fühle mich plötzlich angespannt, und in den Schläfen machen sich Kopfschmerzen breit. Woher soll ich wissen, was ich will? Wie soll überhaupt jemand erkennen, was er will, wenn die Auswahl so groß ist? Eine Auswahl zu treffen heißt automatisch, sich zu beschränken, das Feld der Möglichkeiten einzugrenzen.

Und was will Anne eigentlich von mir? Ich soll ihr meinen Typ nennen, damit sie mich mit einer Frau versorgen kann, die mir gefällt. Das wurde natürlich nicht explizit gesagt, aber das ist es, was hinterm Vorhang lauert. Anne hilft mir, mich selbst zu finden, mich einer Welt von Erfahrungen zu öffnen, die ich mir bisher versagt habe, weil ich meine unbewussten Wünsche geleugnet habe, und indem Anne das tut, hilft sie mir, eine Schriftstellerin zu werden.

Wieder frage ich mich, was Anne davon hat, abgesehen von dem voyeuristischen Kitzel. Ist das genug für sie? Kann sie sich das nicht aus dem Internet, von Filmen und Kunstwerken holen?

Ich sehe wieder auf den Bildschirm. Das ist eine Herausforderung, sage ich mir, und ich muss mich ihr gewachsen zeigen. Das erfordert Disziplin und Konzentration. Die alten Schichten, die Unsicherheit abzutragen erfordert Anstrengung, wie Anne mich gewarnt hat.

Ich sehe mir eine der Frauen an. Sie ist blond, vielleicht eine Schwedin und hat große, grüne Augen. Sie erinnert mich an ein Mädchen in der Schule, das mir ein Jahr voraus war. Sie ist mir erst aufgefallen, als ich in der vorletzten und sie in der letzten Klasse war. Ich kann noch immer nicht erklären, was ich damals fühlte, aber ich entwickelte ein exzessives Interesse an ihr.

Damals hielt ich es bloß für Neid, für den Wunsch, so zu sein wie sie. Sie war kühl, hatte kurz geschnittene Haare, eine wagemutige, jungenhafte Ausstrahlung und meergrüne, katzenhafte Augen. Sie trug Regenmäntel vom Trödelmarkt zu Hippieröcken und Doc Martens. Sie rauchte und trank. Viele Jungen mochten sie, aber sie verachtete sie alle, sagte, sie seien langweilig und dumm und unkultiviert. Sie schrieb Gedichte und redete über polnische Anvantgarde-Filme.

Ja, ich wollte sein wie sie, aber wenn ich jetzt zurückblicke, glaube ich, dass es vielleicht mehr war. Vielleicht war ich in sie verknallt. Natürlich gab es das an einer reinen Mädchenschule häufig. Einem anderen Mädchen in der Abiklasse wurde nachgesagt, sie habe eine ungesunde Neigung für unsere Französischlehrerin oder genauer gesagt für unsere Französischassistentin – eine junge Frau aus Paris, die ein Jahr im Ausland verbrachte, um Lehrerfahrung zu sammeln.

Alice, so hieß das Mädchen, verehrte diese Französin, aber es ging das Gerücht, es steckte mehr dahinter – in Mädchenschlafsälen kann kaum etwas geheim bleiben, und auf den Schulkorridoren erzählte man sich, dass jemand Alices Nachttischschublade geöffnet und in ihrem Tagebuch gestöbert hatte, das unter ihrer Unterwäsche versteckt gewesen war, und darin hätten viele Kritzelbildchen gestanden, die ein erotisches Verlangen nach der Französin nahelegten.

Das Mädchen, das neben Alice schlief, erzählte, wie sie gehört hatte, dass sich Alice in einer Nacht selbst befriedigte und unter der Bettdecke seufzte und stöhnte. Sie meinte, sie würde es nicht beschwören, wäre aber überzeugt, Alice hätte »Sylvie, Sylvie« gemurmelt, als es ihr gekommen war.

Bewunderte ich Roberta nur oder wollte ich sie? Das muss ich mich fragen, wo ich hier in Annes Wohnzimmer sitze und mir die Frauen auf dem Bildschirm ansehe. Diese eine reizt mich eindeutig, so sehr, dass ich sie gern kennenlernen würde. Da ist etwas in ihrem Blick, das mich berührt, und das gleiche Gefühl hatte ich, wenn Roberta mir einen flüchtigen Blick gönnte – ein Schlingern im Bauch, eine schwindelerregende Anziehungskraft gefolgt von der Unfähigkeit, mich auf das zu konzentrieren, was ich gerade tat.

Ich brüte darüber: Wenn wir Mädels ein anderes Mädel anziehend finden, ist es schwierig zu unterscheiden, ob wir sie wollen oder nur gern sein möchten wie sie. Ich stelle mir vor, dass viele Mädchen sich für lesbisch halten, während sie in Wirklichkeit nur Bewunderin einer bestimmten Frau oder ihres Auftretens oder ihrer Kleidung sind – Kate Moss, Juliette Binoche, Angelina Jolie. Und viele andere, die denken, sie schätzen nur das Äußere, während sie eigentlich mit der Angebeteten unter die Decke schlüpfen möchten.

Es ist eine schwierige Entscheidung, strikte Selbstprüfung zu verlangen und dazu die Fähigkeit, ehrlich mit sich zu sein. Das ist genau das, was ich gerade zu tun versuche. Ich rücke den Stuhl näher an den Tisch, schiebe Roberta beiseite und konzentriere mich auf die Frau auf dem Foto und meine Gefühle. Das Foto ist mehr erotisch als pornographisch.

Sie sitzt seitlich zum Fotografen auf einem schlichten Holzstuhl vor einem weißen Hintergrund. Ich versuche zu analysieren, was mich an ihr so anspricht, abgesehen von ihrem Aussehen und der Ähnlichkeit mit meiner früheren Schulkameradin. Sie hat eigentlich nichts Herausragendes an sich – sie ist weder dünn noch dick, hat mittelgroße Brüste, keck aber nicht provokant. Vielleicht stehe ich auf das einfache Mädel von nebenan, wie Anne angedeutet hat.

Ich klicke zurück zum Index. Vielleicht bin ich aber auch nicht ehrlich mit mir und verleugne eine meiner Seiten, indem ich bei dem Vertrauten, Alltäglichen bleibe, das keine Bedrohung darstellt. Anne ermutigt mich, Risiken einzugehen, meinen Horizont zu erweitern. Andernfalls hat das Ganze keinen Sinn, und ich könnte ebenso gut ausziehen.

Ich klicke auf das daumennagelgroße Bild, unter dem »Keira« steht. Keira, stellt sich heraus, ist eine dunkelhaarige Irin mit einem schamlosen Fick-mich-wenn-du-dich-traust-Blick. Sie trägt oberschenkelhohe Lackstiefel und hält eine Peitsche in der Hand. Ihr Busch ist ein kleines seidiges Vlies, ihre Lippen sind fleischig und leicht vorstehend, ihre Brüste zu groß, um so ganz echt zu sein. Sie sieht viel zu gefährlich aus für ein Mädchen von nebenan. Sie sieht nach Ärger aus.

Eine Hand schiebt sich zwischen meine Beine, gerade als ich mir sage, sie ist nicht mein Typ. Eine Weile gebe ich mich damit zufrieden, meine schmachtende Muschi durch die Jeans zu reiben, doch während ich das Foto weiter betrachte, merke ich schnell, dass ich mehr will, und so ziehe ich den Reißverschluss auf und schiebe die Hand in den Slip. Meine Klitoris ist prall, vorgereckt wie auf Vergnügungssuche. Ich befeuchte meinen Finger mit Spucke und setze ihn an. Eine elektrisierende Welle geht durch meinen Körper, ein warmer Nektar strömt in meinen Slip. Ich schiebe den Finger durch die Nässe in mich hinein.

Die Augen auf den Bildschirm geheftet, ziehe ich mir mit einer Hand die Jeans bis an die Knie hinunter, zuerst von der einen, dann von der anderen Seite und dann bis über die Füße und lasse sie auf dem Boden liegen. Nachdem ich mich befreit habe, stemme ich die Füße rechts und links neben der Tastatur an die Tischkante.

Ich schiebe erst drei Finger, dann die Faust hinein, während ich mit den Fingerspitzen der anderen Hand und schließlich mit dem Handballen meine Klitoris bediene. Meine Kehle ist trocken, und ich fühle mich benommen. Anne könnte jeden Moment hereinkommen. Oder ein Fensterputzer könnte vor den Terrassentüren aufkreuzen. Der Gedanke, entdeckt zu werden, erregt mich noch mehr. Anne scheint in mir den Geschmack daran geweckt zu haben.

Ich zwinge mich, auf den Bildschirm zu blicken, Keira in die Augen zu sehen. Keira sieht mir zu, rede ich mir ein. Das ist Keiras Hand an meiner Klitoris, und Keiras Finger stecken in mir. Das ist nicht überzeugend. Sie bleibt ein Bild auf dem Computerschirm.

Ich schließe die Augen, und sie strömt in meinen Kopf. Ich verlege mich auf den Boden, eine Hand an einer Brust, die andere an der Muschi. Mit geschlossenen Augen kann ich mir besser vormachen, dass sie hier bei mir ist, dass es ihre Finger an meinen Brustwarzen sind.

Hinter meinen Lidern flimmern Szenen vorbei: Keira, die sich über mich beugt, mich beobachtet, um zu sehen, was ich genieße, was mich in Fahrt bringt und wie sie weitermachen sollte, aber auch Bilder von Roberta schieben sich blitzartig dazwischen wie im Film, wenn unterschwellige Empfindungen eingeblendet werden. Sie kämpft darum, vom Boden des Schneideraums aufzusteigen, das Mädchen von nebenan.

Sie weigert sich, in den Papierkorb verwiesen zu werden. Ich heiße sie wieder willkommen, und jetzt sind es zwei, die sich um mich kümmern, die über meine Glieder streichen, an meinen Brustwarzen fummeln und saugen, meine Klitoris reiben und mich innen erforschen. Zu zweit steigern sie meine Erregung, bis ich meine, ich hebe vom Boden ab.

Und dann steht Keira breitbeinig über mir. Sie hat Roberta zur Seite gedrängt, blickt auf mich nieder und schwingt die Lederpeitsche. Sie hat ein böses Funkeln in den Augen. Sie weiß, sie ist gefährlich, und genießt die dunkle Erregung, die sie in mir auslösen kann. Ich werfe die Arme über meinen Kopf nach hinten, ergebe mich ihr und ihrer Anziehungskraft. Soll sie das Schlimmste tun. Ich betrete Neuland.

Die Türklingel unterbricht meine wilde Träumerei. Ich springe auf, ziehe mir die Jeans an und stopfe den feuchten Slip in die Hosentasche. Während ich mir die Haare glatt streiche und meinen stoßweisen Atem zu dämpfen versuche, eile ich durch den Flur und öffne die Haustür. Es ist ein Eilbote mit einem großen, weißen Polsterumschlag für Anne, eine junge Frau mit Lederanzug und Motorradhelm. Sie lächelt mich durch das Visier an und reicht mir das Klemmbrett mit der Empfangsbestätigung zum Unterschreiben. Ihre dunklen Augen leuchten, und ich werde weich in den Knien. Als ich die Tür geschlossen habe, muss ich mich an die Wand lehnen, so benommen fühle ich mich.

Es dauert mehrere Minuten, bis ich mich genügend erholt habe, um Anne das Päckchen bringen zu können.

Eine Weile stehe ich vor Annes Tür und überlege, was ich sagen soll. In der letzten Stunde habe ich so viel über mich herausgefunden, aber nichts ist besonders schlüssig. Abgesehen davon, dass ich, ja, einige Frauen antörnend finde und gern mit einer schlafen würde, um zu sehen, wie das ist, bin ich ein Bündel von Widersprüchen. Das sittsame Mädchen von nebenan zieht mich an, aber auch der gefährliche Typ mit überlangen Stiefeln und Lederpeitsche.

Schließlich, als hätte sie gemerkt, dass ich draußen stehe, und wäre über mein Zögern ungeduldig geworden, reißt Anne die Tür auf.

»Komm herein«, sagt sie. Die übliche Strenge ist aus ihrem Ton verschwunden, sie klingt beinahe freundlich. Ich würde es nicht beschwören, aber es ist, als spürte sie, dass ich mich in die Mangel genommen habe, dass die ganze Seelenerforschung geistigen und körperlichen Tribut fordert.

Ich trete ein und übergebe ihr die Sendung. Sie nimmt sie und sieht auf das Etikett.

»Ah, gut«, sagt sie. »Darauf habe ich schon gewartet.« Doch sie legt sie ungeöffnet auf den Schreibtisch und wendet sich mit hochgezogenen Brauen zu mir um. »Nun?«, fragt sie.

Ich lächle ein wenig hilflos, zucke die Achseln. »Es ist ... ich weiß nicht ... es ist ...« Ich weiß nicht, wie ich es sagen soll oder vielmehr was ich sagen will.

Sie tätschelt meinen Arm, und wieder finde ich, dass die Geste etwas Mütterliches hat.

»Es ist nicht leicht«, sagt sie, »unter all den Schichten und der harten Kruste, die sich über die Jahre gebildet hat, herauszufinden, wer man wirklich ist.« Sie blickt an mir vorbei, als wäre sie von ihrem Vergleich völlig angetan. »Wenn ich jetzt darüber nachdenke, würde ich sagen, es ist wie ein Vulkanausbruch. Man strengt sich an, all diese schmutzigen Wünsche zu unterdrücken, und wenn man einmal anfängt, sie rauszulassen, ist es wie ein heißer Lavastrom – erfrischend und befreiend, aber auch beängstigend.«

Ihr Blick wandert zurück zu mir, und plötzlich habe ich Angst. In dem gedämpften Licht sind ihre Pupillen riesig, und ich habe das Gefühl, in ein schwarzes Loch gesaugt zu werden. Anne hat mich verhext, denke ich. Ich bin blöd gewesen zu glauben, dass sie mir einen Gefallen tut. Hier geht es nur um sie und ihren Drang zu beherrschen. Gelangweilt von ihrem Leben, ihrer Einsamkeit als Schriftstellerin, hat sie nach einem Ventil für ihre Frustration gesucht, nach Spaß. Und wie ich auf ihre Fragen in dem Vorstellungsgespräch eingegangen bin, hat ihr verraten, dass ich mitspielen würde.

Und dennoch, und dennoch ... So sehr mich die Ausdruckslosigkeit ihrer Augen, ihre Amoralität erschreckt, fühle ich doch, dass ich an der Schwelle zu etwas Bedeutendem stehe und dass ein Zurückweichen vor dem Abgrund hieße, sich vor der Pflicht gegen mich selbst zu drücken, nachdem ich diesen Weg einmal beschritten habe. Natürlich lässt sich nicht bestreiten, dass ich mir auch selbst eine Frau suchen könnte – in eine Lesbenkneipe gehen und mit einer ins Bett steigen.

Doch ich müsste mich vorher wüst betrinken, um den Mut dazu zu haben, und welchen Zweck hätte das dann? Was hätte ich von einer betrunkenen Nummer, an die ich mich nicht mehr erinnern könnte? Woher sollte ich dann wissen, ob ich es wieder tun will?

Ich sehe Anne an. Wie ihre Motive und wahren Gefühle im Hinblick auf mich auch aussehen mögen, sie kann mir nützlich sein. Das muss ich mir immer wieder sagen. Sie erhellt einen Weg, dem zu folgen ich allein nicht den Mut gehabt hätte. Sie erhellt sogar zwei Wege: den, der mich zur Schriftstellerei führt, und den der erotischen Selbsterkenntnis.

Wie die beiden miteinander verbunden sind, ist mir noch nicht klar. Sie mögen sich an einem Punkt kreuzen oder eine Zeit lang parallel verlaufen oder sich am Ende vereinigen. Aber dass es zwischen beiden eine Verbindung gibt, ist für mich offensichtlich. Dem einen zu folgen, ohne den anderen zu beachten, hieße zu scheitern.

»Ich habe … ich habe mir Frauen angeschaut«, bringe ich schließlich hervor.

Anne verzieht die Lippen zu einem schiefen Lächeln. »Und?«

»Und – ich weiß nicht. Verschiedene. Ich bin mir nicht sicher.«

»Du bist dir nicht sicher?«

»Ja, aber das ist es nicht. Ich … ich meine, ich möchte es wirklich. Nur …«

»Spuck's aus, Mädchen.«

Da ist sie wieder, diese schulmeisterliche Herablassung. Ich muss tief Luft holen, um nicht zu reagieren, um ihr nicht ins Gesicht zu springen. Ich wende mich von ihrer verächtlichen Miene ab und fixiere einen der Picassos.

»Ich will es«, sage ich. »Ich werde sie Ihnen zeigen.«

Oben in meinem Zimmer finde ich Trost in meinem Notizbuch, schreibe Seiten über Seiten. Vieles ist Gift, das auf Anne zielt, von der ich mich versklavt fühle, und auf die ich ziemlich wütend bin. Doch nachdem ich das alles abgelassen habe, das vormals blütenweiße Papier mit meiner Galle beschmiert habe, kann ich frei über meine Gefühle für Roberta und die anderen Frauen schreiben, über die ich Fantasien gehabt habe. Nicht lange und ich bin wieder heiß und unruhig und vergnüge mich mit meinem Rock Chick und Bildern mit Keira im Kopf.

Natürlich bin ich nervös wegen heute Abend und erstaunt, dass Anne denkt, sie kann das kurzfristig durchziehen. Ich frage mich, wohin sie gehen wird, um mir die Frau meiner Träume zu beschaffen. Diese Frau ist natürlich Keira. Ich habe entschieden, dass es zu kompliziert wäre, Anne meine Ambivalenz, mein Verlangen nach zwei sehr verschiedenen Frauentypen begreiflich zu machen. Um das Leben einfacher zu machen, habe ich in ihrem Arbeitszimmer die erotische Webseite aufgerufen und Keiras Bild angeklickt.

Ich habe Anne dabei nicht angesehen, aus Angst, sie könnte über meine Wahl höhnisch grinsen. Aus Angst vor einem Ich-wusste-es-Blick. Manchmal habe ich den Eindruck, dass Anne mich besser kennt als ich mich selbst.

Nachdem ich gekommen bin, schlafe ich eine Weile, um Kräfte zu tanken. Ich hatte mit Nate kein wildes Sexualleben, und diese ganzen Anstrengungen erschöpfen mich. Heute ist die große Nacht, eine lebensentscheidende Nacht, und da möchte ich fit sein.

10: Die Frau

Anne und ich sitzen im Wohnzimmer und trinken zusammen einen Sherry. Sie weiß nicht, dass ich schon ein paar Schlucke aus der Wodkaflasche genommen habe, die in ihrem Barschrank steht. So sehr ich mir auch gesagt habe, dass ich das Unternehmen ›Frau‹ nüchtern und mit offenen Augen angehen will, gewannen meine Nerven mit der Zeit die Oberhand, und mir zitterten so stark die Hände, dass ich etwas zur Stärkung brauchte.

Wir unterhalten uns nicht, aber es herrscht ein kameradschaftliches, kein verlegenes Schweigen. Ein nachdenkliches Schweigen, als wäre uns beiden die Bedeutung des Kommenden bewusst. Anne wirkt nicht nervös, aber warum sollte sie es auch sein? Sie wird nicht direkt beteiligt sein.

Allerdings habe ich, ohne bewusst darüber nachzudenken, schon fraglos akzeptiert, dass sie in ihrer üblichen Beobachterrolle dabeisein wird. Jetzt wundere ich mich jedoch, dass ich scheinbar so gefasst bin, und dann frage ich mich, ob mir Annes Gegenwart diesmal sogar hilft, falls ich sie nicht sogar als Stütze brauche, um mich einer Situation zu stellen, die ich auf mich allein gestellt nicht gutheißen könnte.

Als das Gartentor quietscht, springe ich auf – ein Nervenbündel. Erschrocken sehe ich Anne an, doch die blickt gelassen, und in ihren Augen meine ich einen leichten Spott zu sehen. *Willst du kneifen?*, scheint sie zu fragen. *Kannst es doch nicht durchziehen?* Und zur Antwort denke ich: Leck mich doch. Ich werde es tun. Ich gönne dir nicht die Befriedigung, mich scheitern zu sehen.

Die Schritte auf dem Steinpflaster sind verstummt, stattdessen klopft es an der Haustür – laut, bestimmt, unerschrocken. Ich stürze zur Tür. Sich den Dingen zu stellen ist einfacher, merke ich, als immer wieder zu zögern. Doch am liebsten würde ich nach oben rennen und mich unter der Bettdecke verkriechen, allein. Eine Nacht mit meinem Rock Chick würde mir völlig genügen. Aber morgen würde ich mich ausschimpfen, weil ich feige und bequem ausgewichen bin.

Durch die gemusterten Glasscheiben der Haustür kann ich die Umrisse einer schwarz gekleideten Gestalt erkennen. Wie von Ferne sehe ich mich zum Riegel greifen. Es ist, als würde meine Hand jemand anderem gehören.

Die Tür schwingt in Zeitlupe auf. Ein Gesicht erscheint, es lächelt nicht. Sie ist wie eine jüngere Version von Anne, denke ich, dunkler Bob, kantiges Gesicht, unergründliche Augen. Sie trägt einen Mantel mit Gürtel, der französischen Schick hat. Sie sagt nichts.

»Kommen Sie herein«, sage ich endlich.

Sie tritt in den Flur und blickt taxierend um sich, während sie den Mantel von den Schultern gleiten lässt und mir übergibt. Darunter trägt sie ein schwarzes, körperbetontes Stretchkleid, das völlig nichtssagend ist und in den achtziger Jahren häufig zu sehen war. Denken Sie an Emmanuelle Seigner, wie sie mit Harrison Ford in *Frantic* tanzt – eine der großartigsten Nachtclubszenen der Filmgeschichte. Es ist aufreizend, nahtlos, ultrakurz. Dazu hat sie Nahtstrümpfe an und an den Füßen ein Paar bösartig aussehende Stilettostiefel. Sie ist wie eine prachtvolle Katze, verstohlen, geheimnisvoll und amoralisch, die eine Welt allein bewohnt. Ich kann mir nicht vorstellen, woher Anne sie kennt – oder wo sie sie aufgetrieben hat.

Sie geht vor mir her, und an ihrem Zögern zwischen der Wohnzimmer- und der Küchentür sehe ich, dass sie das Haus nicht kennt. Was die zweite Option zu der wahrscheinlicheren macht. Wieder wundere ich mich, wie man das einfädelt – wie eine über vierzigjährige Frau in London für ihre Assistentin eine Frau beschafft. Braucht man sich nur ans Telefon zu hängen und den einen oder anderen Gefallen einzufordern, seine sozialen Kontakte spielen zu lassen? Oder hat Anne eine Begleitagentur angerufen, ihre Anforderungen genannt und die Kreditkartennummer angegeben? Wenn ja, wenn das also ein Geschäft ist, wird die Erfahrung dadurch weniger real sein?

Die Frau stellt sich Anne vor, und sie nicken einander zu, woraus ich auch nicht entnehmen kann, ob sie sich schon einmal begegnet sind, ob sie sich kennen, wie flüchtig auch immer, vielleicht sogar nur über Dritte. Dann deutet Anne auf den Barschrank in der Ecke.

»Kann ich Ihnen etwas anbieten?«, fragt sie.

Die Frau nickt. »Ein Brandy wäre gut«, antwortet sie.

Ihre Stimme ist warm und rauchig, und ich fange wieder an zu zittern. Ich will nicht, dass sie hier mit einem Glas in der Hand sitzen und plaudern; ich will zur Sache kommen. Ich gehe zum Barschrank, und als Anne der Frau das Glas reicht, gieße ich mir einen kräftigen Schluck ein und kippe ihn hinunter. Dann drehe ich mich zu ihnen um.

»Sollen wir nach oben gehen?« Ich staune über meine Forschheit, aber ich kann es nicht mehr aushalten. Ich will mein Schicksal treffen und in die Zukunft gehen.

Zwei Paar hochgezogener Brauen nehmen meine Worte zur Kenntnis, aber niemand protestiert. Ich stelle mein Glas hin und gehe aus dem Zimmer, überzeugt, dass sie mir folgen werden. Auf der Treppe kommen mir kurz Zweifel und ein Gefühl der Trunkenheit, dann sehe ich sie aus dem Wohnzimmer treten und die Stufen hinaufsteigen.

Ich weiß, ich habe die Situation nur momentan in der Hand,

aber indem ich die Initiative ergreife, fühle ich mich nicht ganz so sehr Annes Gnade ausgeliefert, denn wer weiß, was sie sich wieder ausgedacht hat. Natürlich mit meiner Einwilligung, und ich will es ebenso sehr, wie ich mich davor fürchte.

Im Gästezimmer setze ich mich auf das Fußende des Bettes und streife mir die Schuhe ab. Die Frau kommt vor Anne herein und stellt sich vor mich. Eine Hand an der Hüfte, leert sie das Glas, das sie mit hochgebracht hat. Dann stellt sie einen Fuß auf die Bettkante, beugt das Knie und stößt mich nach hinten.

Überrascht will ich mich wieder aufrichten, doch sie beugt sich bereits über mich und zieht an meinen Jeans, um mich auszuziehen. Sprachlos, dass alles so schnell geht, blicke ich zu Anne nach einer Reaktion, frage mich, ob die Frau tut, was sie ihr gesagt hat, oder ob sie nach eigenem Willen handelt. Doch Anne sieht nicht einmal hin; sie klopft sich die Kissen in ihrem Sessel zurecht und ordnet ihr kleines Nest in der Zimmerecke.

Die Frau fährt mit ihrer rüden Art fort, zieht mich mit ungeduldigen Rucken aus. Nackt liege ich vor ihr, sie mustert mich kühl und abschätzend. Ich will nach dem Saum ihres Kleides greifen, um ihn hochzuziehen, doch sie fegt meine Hand beiseite, dann packt sie mich und dreht mich auf den Bauch. Ich sehe sie nur aus den Augenwinkeln über die Schulter, als sie meine Handgelenke mit einem Seil zusammenbindet.

Ich vermeide den Blickkontakt mit Anne, der Architektin meiner Erniedrigung. Sie soll nicht sehen, wie mich das entsetzt und zugleich erregt, da es Erinnerungen an die Schulzeit auslöst, als ich Roberta begehrte und ständig wegen einer Maßregelung von Mrs. Scholes vor Wut kochte. Eine verwirrende Zeit war das, mit der ich nie so ganz abgeschlossen habe. Vielleicht bin ich deswegen jetzt hier. Vielleicht musste das alles – die Mädchenschule, eine sapphische Schwärmerei und eine sadistische, möglicherweise lesbische Schulleiterin – auf diesen Punkt zulaufen.

»Wie ich höre, bist du ein ungezogenes Mädchen gewesen«, sagt die rauchige Stimme, die ich bisher nur einmal gehört habe. Dem folgt ein Klicklaut aus der Zimmerecke. Ich spähe hinüber und sehe Annes Trickkiste, die sie von irgendwo hergezaubert hat. Sie hat sie auf den Knien und wühlt darin herum. Als ich ihre Hand sehe, hält sie eine dünne Lederpeitsche an einem Griff, der wie Kristall aussieht. Wie das Paddel, das ich an James benutzt habe, macht sie einen kostspieligen Eindruck. Auch hier hat Anne offenbar nicht geknausert.

»Danke.« Die Frau nimmt die Peitsche entgegen und wechselt mit Anne einen Blick. Ich wundere mich wieder, dass sie, seit die Frau gekommen ist, kein Wort miteinander geredet haben. Haben sie schon vorher alles abgesprochen oder improvisieren sie?

Ich lasse die Gedanken sausen, als ich die Peitschenspitze am Hintern spüre, die ein Schwirren durch meinen Körper schickt. Ich spanne sämtliche Muskeln an und wappne mich für die Schläge, die ich bekommen soll.

»Ja, ich bin ein unartiges Mädchen gewesen.« Meine Stimme klingt fremd. Nicht in Millionen Jahren hätte ich das vor Mrs. Scholes zugegeben – nicht einmal wenn die Schelte begründet war. Selbst wenn ich eine Verfehlung begangen hatte, machte ich es zu einer Frage der Ehre, nicht auf ihr Geschimpfe zu reagieren, sondern aus dem Fenster zu starren über die Buchen auf dem Schulhof zu den Feldern, wo die Freiheit lag. Jetzt begreife ich, dass das der Grund gewesen sein mag, weshalb sie mich immer wieder zu sich gerufen hat – meine Weigerung, mich zu fügen.

Ja, ich hatte wohl ein Problem mit Autorität, und es ist Zeit, die Strafe zu akzeptieren, zuzugeben, dass ich ein schlimmes Mädchen gewesen bin. Ich hebe den Hintern höher, strecke ihn der Frau entgegen.

»Bestrafen Sie mich«, flüstere ich, und meine Stimme erscheint mir noch fremder als vorher.

»Was hast du gesagt?«, fragt die Frau, obwohl sie mich ganz sicher verstanden hat. »Sprich lauter.« Sie selbst klingt kalt, so harsch und frostig wie ein Wintertag.

»Bestrafen Sie mich.« Ich mache die Augen zu, als ich ihr gehorche und den bittersüßen Geschmack der Unterwerfung schmecke. Für jemanden mit meinem Autoritätsproblem eine harte Sache.

»Noch mal«, verlangt sie und drückt mir dabei die Peitschenspitze in die Haut. »Lauter.«

»Bestrafen Sie mich.« Ich schreie fast. Ich kann es nicht mehr aushalten, dieses quälende und zugleich köstliche Warten, die Erregung, die sich in mir aufbaut, im Bauch, in meiner Muschi, im Hals, im Kopf, wo sie wie Feuerwerksraketen hinter den Augen aufflammt. Wer hätte gedacht, dass ich einmal darum bitten, darum *betteln* würde? Wenn Nate mich jetzt sehen könnte ...

Doch sie tut mir nicht weh. Sie neckt mich, indem sie neben mir auf das Kopfkissen schlägt, dann langsam, oh, ganz langsam mit dem Lederriemen meinen Nacken entlangfährt, und seitlich über den Hals, über die Schultern und den Rücken hinunter, sodass ich mich schon frage, ob ich gleich ohnmächtig werde und verpasse, was bevorsteht, was da mit elementarer Wucht wie ein Zyklon auf mich zukommt.

Sie beugt sich über mich, und kurz spüre ich den Stoff ihres aufreizenden Kleides an meinem Rücken, den Druck ihrer Brüste. Sie greift mit einem Arm um mich herum, streift meine Klitoris mit der Fingerspitze, zieht sich aber sofort zurück und dreht mich auf den Rücken, sodass ich langgestreckt daliege und überrascht zu ihr aufblicke. Doch sie meidet sorgsam den Blickkontakt und konzentriert sich darauf, mir die Fesseln zu lösen, und dann auf die Peitsche und ihre raffinierten Manöver.

Sie ist eine Professionelle, das ist klar, und ich frage mich wieder, wo Anne sie her hat. Hat sie einfach bei Google »London Dominas« eingegeben? Oder stand sie ohnehin in Kontakt mit ihr? Hat sie sie sogar schon einmal für sich selbst bestellt?

Ich lasse das Spekulieren sein, als ich höre, wie sich die Frau den Peitschenschaft in die Handfläche schlägt. »Gib gefälligst acht«, schnauzt sie, und ich schlucke entsetzt und erregt. Das hätte ich mir nie als Vergnügen vorstellen können, nicht in meinen wildesten Fantasien.

Ich sehe mit großen Augen zu, wie sie die Spitze ihres Instruments auf meine Haut senkt, zuerst an den Hals, dann tiefer streift, um meine Brüste und um die Brustwarzen, bis ich aufschreie, mich winde und zapple, das Laken in die Fäuste ziehe.

Sie macht weiter, fährt mit der Spitze über meinen Bauch zu meinem Busch und in die feuchte Öffnung. Einen Moment lang verweilt sie an der Klitoris, streichelt sie mit dem Knotenende des Lederriemens. Die Knospe erwacht zum Leben wie eine kleine rosa Flamme, die auf heiße Lust aus ist. Doch die wird ihr versagt, denn der Lederriemen wandert weiter zu den Innenseiten meiner Oberschenkel. Ich spüre meinen Nektar laufen, der das Peitschenende benetzt, als es zwischen meinen Beine entlang streicht. Ich will, dass sie es in mich hineinschiebt.

»Umdrehen«, kommandiert sie, und ich gehorche willig. Ich schließe die Augen, bereit für die Peitschenschläge.

Ein paar Sekunden lang ist es still, und es passiert nichts. Das ist der Moment, in dem mir Anne wieder einfällt. Ich spähe zu ihr hinüber, aber sie blickt nicht in unsere Richtung. Sie betrachtet ihre Hände, die sie sittsam im Schoß gefaltet hat, und kurz gebe ich mich der Illusion hin, sie könnte eingeschlafen sein, hier in ihrem Sessel, während sich das alles abspielt. Aber natürlich schläft sie nicht – ich sehe die langsamen, gemessenen Wimpernschläge und erkenne, dass sie ihre Gedanken sammelt, bevor sie den Sturm auf mich loslässt.

Sie blickt auf, und ich höre die Peitsche durch die Luft sausen, ehe ich sie auf meinem Hintern spüre. Anne hat soeben das Signal gegeben. Indem sie den Blick hob. Sie gibt hier die Befehle, was natürlich nichts Neues für mich ist. Schließlich ist sie die Anstifterin und auch Zahlmeisterin. Doch offenbar habe ich nicht begriffen, in welchem Ausmaß sie den Lauf der Dinge bestimmen würde.

Meine Haut brennt höllisch unter dem Peitschenschlag, und ich mache einen Ruck nach vorn, beiße die Zähne zusammen und kneife die Augen fest zu. »Aaaaaah«, bringe ich heraus und weiß, ich bin erst ganz unten auf der Leiter der Schmerzen. Wie weit soll das gehen? Hängt das von mir ab, von meiner Einwilligung? Oder liegt das in den Händen der Frau – oder vielmehr in Annes?

Plötzlich habe ich Angst. Ich bin zu tief hineingerutscht, denke ich, und das Unternehmen könnte außer Kontrolle geraten. Ich greife noch fester ins Bettlaken. Ein Blutfleck auf dem Kissen macht mich darauf aufmerksam, dass ich mir zu heftig auf die Unterlippe gebissen habe. Ich sehe zu, wie er sich ausbreitet und tropfenförmig wird. Wie aufs Stichwort lasse ich die Tränen kommen. Sie kühlen mir die glühenden Wangen und nehmen mir etwas von der Anspannung.

»Noch mal.« Ich frage mich, wer das in mir ist, der da

spricht. Ein neuer fürchterlicher Schlag, und dann ein scharfes, beißendes Gefühl, das brennt und brennt. Ich schreie, es steckt ein Jubel darin, ein Willkommen.

»Mehr. Fester.«

Die Frau tut, was ich sage, und mich überkommt ein seelischer Rausch, weil ich ihr die Kontrolle entrissen habe. Sicher, ich bin hier wegen Anne, *für* Anne gewissermaßen. Aber ich habe darum gebeten, und jetzt, wo es passiert, bitte ich um mehr und bekomme es. Ich bin keine bloße Marionette.

Die Peitsche saust weiter herab. Die Schmerzen werden stärker, doch zugleich scheint mir, dass ich dagegen unempfindlich werde. In gewisser Weise ist es, als ob ich aus meinem Körper aufsteige und ihn hinter mir lasse, irgendwo schwebe. Wie beim Orgasmus habe ich das paradoxe Gefühl, im Moment größter Körperlichkeit dem Körper entrückt zu sein.

Natürlich bin ich nah davor zu kommen, aber ich will noch nicht, ich will mit den Fingern an meine Klitoris, was im Augenblick unmöglich ist, da ich mich mit dem Gesicht nach unten auf die Ellbogen stütze. Eigentlich hätte ich gern, dass die Frau es macht. Sie soll mich wieder herumdrehen und mich mit dem Ende der Peitschenschnur reizen, meine Klitoris damit streifen, bis sie stramm erigiert ist wie der winzige Phallus, der sie ist. Dann soll sie mit dem Mund kommen und meine süßen Säfte kosten, während ich mich wie eine Blüte in Zeitlupe abwechselnd öffne und schließe.

Ich greife hinter mich, schnappe die Peitschenschnur und halte sie an. Dabei blicke ich über die Schulter. Die Frau sieht Anne fragend an. Die nickt, dann schaut sie zu mir.

»Das ist genug«, sagt sie, und ich kann nicht anders, ich stoße ein frustriertes Wimmern aus.

»Das ist genug«, wiederholt sie umso strenger. »Du darfst dich auf dein Zimmer zurückziehen.«

Und wenn ich nicht will?, möchte ich schreien. *Wenn ich das überhaupt nicht will? Und was, wenn die Frau das auch nicht möchte?* Aber natürlich sage ich das nicht. Das wäre ein Fehler, ein taktischer Missgriff. Denn das hier ist ein Spiel. Für den Moment bin ich Annes Schachfigur, vermute aber allmählich, dass das nicht immer so bleiben wird. Anne hat das vielleicht noch nicht erkannt, es nicht richtig durchdacht, denn je größer meine Selbsterkenntnis, desto mehr Macht habe ich über mich selbst. Das mag sich jetzt noch nicht zeigen, aber es ist unausweichlich.

Ich steige vom Bett, sammle meine Kleider auf und gehe zur Tür, ohne eine von ihnen anzublicken. Schon das zu tun ist wie ein kleiner Sieg. Vermutlich wollte Anne, dass ich sie anflehe, uns weitermachen zu lassen. Aber das tue ich nicht. Das soll sie nicht von mir bekommen – oder erst, wenn ich glaube, damit etwas zu gewinnen.

Ich schließe leise die Tür. Hier gibt es kein Drama, kein Schmollen, keine Wutanfälle. Ich werde meine Zeit abwarten, Annes Schachzüge verfolgen, bis ich sie vorausahnen kann und dadurch eine gewisse Gewalt über ihre Manipulationen erhalte.

Während ich die Treppe zu meinem Dachzimmer hinaufsteige, frage ich mich, was jetzt im Gästezimmer passiert. Unterhalten sie sich, erörtern sie, wie es gelaufen ist, wie ich reagiert habe? Gibt Anne der Frau ihr Geld und dankt ihr? Oder plaudern sie wie Freundinnen? Ich werde es nicht erfahren. Aber dass ich beim Aufzählen der Optionen ein Kichern unterdrücken muss, zeigt, wie weit ich gekommen bin.

Als ich auf dem Bett liege, betaste ich das zarte Austernfleisch meiner Pobacken. Es ist sicherlich wund, aber die Haut ist nicht aufgerissen. Ich frage mich, wie heftig die Schläge sein müssen, damit man blutet und Narben bekommt, und zucke innerlich zusammen. Heute Abend habe ich da unten im Gästezimmer meine Schmerzgrenze erreicht. Ich kann mir nicht vorstellen, mich weiter treiben zu lassen als bis zu diesem Punkt, und ich verstehe nicht, warum andere so etwas wollen können. Das sind Abgründe, die ich nicht ausloten möchte.

Ich greife zu meinem Notizbuch und fange an zu schreiben, um meine Gedanken zu entwirren. Ich will das eben Geschehene begreifen – dem ich mich aus freien Stücken ausgesetzt habe. Niemals wäre mir der Gedanke gekommen, mich den Diensten einer Domina zu überlassen, aber ich habe es getan, und jetzt muss ich ergründen, warum.

Die Worte und Sätze kommen unverbunden, im Stakkato, aber durch sie ergibt sich allmählich ein Bild zu meinem Empfinden gegenüber älteren Frauen in verantwortlicher Position – meiner Mutter, Mrs. Scholes, Anne. Als kleines Kind war ich fast unwillkürlich ungezogen, habe zielsicher das Falsche getan. Meine Mutter war eine kalte Frau, emotional distanziert und unbeteiligt. All die Jahre über habe ich nicht darüber nachgedacht, denn sie starb, als ich in der Pubertät war und schon einige Jahre im Internat hinter mir hatte, sodass ich sie kaum vermissen konnte. Doch jetzt kommt mir der Gedanke, sie könnte an einer postnatalen Depression gelitten haben. Jedenfalls gab es wenig Verbundenheit zwischen uns. Ich überlege, ob mein permanent schlechtes Betragen vielleicht der Schrei nach Aufmerksamkeit war, mein Mittel, sie zu zwingen, mich zu beachten.

Und das ging in der Schule so weiter. Anstatt mich bei Mrs. Scholes zu entschuldigen, hielt ich ihr Interesse an mir wach, indem ich ihre Schelte ignorierte und aus dem Fenster starrte. So häufig zu ihr gerufen zu werden, war in gewisser Weise schmeichelhaft, auch wenn ich das damals nicht hätte benennen können. Und es verschaffte mir unter den Klassenkameradinnen einen tollen Status, gab mir das Gefühl, wichtig zu sein, beachtet zu werden.

Ich lege meinen Füller hin, stehe auf und gehe ans Fenster, um in die Dunkelheit zu starren. Sind es diese alten Verletzungen, die ich mit Anne noch einmal durchlebe? Habe ich darum diese Frau mit der Peitsche so verlockend gefunden?

Ich lege mich wieder hin und lasse die Tränen kommen. Es ist, als würde ich den Korken ziehen und lauter schlechte Erinnerungen hinausströmen lassen. Eine immense Traurigkeit befällt mich, und zugleich fühle ich mich erleichtert, weil ich das alles begriffen habe. Denn nur dadurch kann ich hoffen, es zu überwinden.

Ich rolle mich auf dem Bett ein. Nach ein paar Minuten streiche ich mit den Fingerspitzen über meinen wunden Hintern. Ich werde mich nicht noch einmal peitschen lassen, denke ich. Ich bedaure es nicht. Ich habe es sogar genossen – sehr. Aber die Sache ist abgeschlossen und nicht mehr Teil von mir. Ich will nach vorn sehen; ich bin genug gestraft worden.

Wie zur Antwort auf meine Gedanken klopft es leise an die Tür; es ist mehr eine zärtliche Berührung des Holzes, so sacht, dass ich nicht sicher bin, wirklich etwas gehört zu haben.

»Herein«, sage ich versuchsweise.

Die Tür geht langsam auf. Eine junge Frau steht da in Jeans und Sweatshirt. Kurze blonde Haare, grüne Mandelaugen. Sie lächelt schüchtern. Es ist Roberta, denke ich. Roberta und die aus dem Internet, die so ähnlich ausgesehen hat. Sie ist gekommen – beide sind gekommen, um mich zu trösten.

Sie tritt ohne ein Wort ans Bett, sie hat das Lächeln eines Engels. Ich sage mir, ich muss weggedöst sein, aber als sie eine

Hand auf meinen Hintern legt, weiß ich, dass das kein Traum sein kann. Ich erzittere innerlich wie eine Violine, die zum ersten Mal anständig gestimmt wird. Ihre Berührung ist sicher, gut, real. Ich stöhne, werfe die Arme über den Kopf zurück, öffne die Beine.

»Fass mich an«, flüstere ich. »Fühle, wie nass ich bin.«

Sie leckt mich, und ich werde fast ohnmächtig vor Lust. Ihre Zunge stößt schnell hintereinander nach meiner Klitoris, dann knabbert sie daran mit ihren kleinen, ebenmäßigen Zähnen. Ich nehme ihr Gesicht zwischen die Hände, ihre seidigen Wangen, und hebe Kopf und Schultern, um sie zu betrachten. Das ist ein Geschenk, denke ich. Ein Geschenk von Anne. Eine Belohnung nach der Bestrafung, der ich mich unterzogen habe.

Wie konnte Anne von Roberta wissen? Erst unten im Wohnzimmer, nachdem ich aus Annes Zimmer gekommen bin, habe ich zum ersten Mal wieder an sie gedacht. Und ich habe meiner Mentorin nichts von dieser Schwärmerei erzählt, als ich wegen des Päckchens bei ihr gewesen bin. Ich habe ihr nur die gefährlich aussehende Keira gezeigt.

Dann fällt mir ein, was die Erinnerung an Roberta ausgelöst hat – das Foto der anderen Frau im Internet. Wenn Anne darüber Bescheid weiß, muss sie mich irgendwie bespitzelt haben. Ich bin mir ziemlich sicher, dass sie es nicht die ganze Treppe hinunter geschafft hätte, ohne dass ich sie höre, und das heißt, dass ihr Computer oben mit dem unten verbunden sein muss und sie von dort sehen konnte, was ich mir angesehen habe.

Aber es ist mir egal. Es scheint mir nicht mehr wichtig, jetzt mit dieser jungen Frau zwischen meinen Beinen, die alle trüben Gedanken beiseite fegt und zerstreut wie Rauch im Regen. Ich lasse ihr elfenhaftes Gesicht los und versuche, die Beine noch weiter zu spreizen, möchte sie in mir haben. Sie blickt auf, lächelt mich völlig ernst an und sieht dann zu, wie sie zwei, drei Finger in mich hineinschiebt.

Ich fasse wieder ihren Kopf und gehe zu kurzen Beckenstößen über, passend zu den Bewegungen ihrer Hand, wenn sie die Finger hineinschiebt und ein Stück herauszieht. Mit dem Daumen der freien Hand reibt sie die gierige kleine Perle meiner Klitoris. Ich werde fast verrückt, aber ich möchte sie auch anfassen. Für heute habe ich genug davon, auf der Empfängerseite zu stehen.

Ich richte mich halb auf, ohne ihre Aktion zu stören, und greife nach ihrem Sweatshirt, um es hochzuziehen. Darunter ist sie nackt, ohne BH. Ihre Brüste sind wundervoll: mittelgroß, griffig, flaumig wie Pfirsichhaut. Sie ist leicht gebräunt, hat Sommersprossen auf den Unterarmen und unter dem Schlüsselbein. Sie ist zum Anbeißen. Ich hoffe, sie lässt mich.

Sie dreht sich auf den Rücken und öffnet den Reißverschluss, zieht sich zappelnd die Jeans aus und entblößt lange braune Beine mit blonden Härchen, die im Licht schimmern. Sie ist schön, aber in alltäglicher, nicht in bedrohlicher Weise. Anders als bei der Domina habe ich das Gefühl, vor meinesgleichen zu stehen, und das heißt, es kann Spaß machen. Das mit der anderen war auf eine dunkle Art ein Genuss, aber Spaß hat es nicht gemacht. Jedenfalls nicht nach meiner Vorstellung.

Als hätte sie meine Gedanken gelesen, greift sie um meinen Nacken und zieht mich zu sich heran, stößt mir die Zunge in den Mund und schlingt sie um meine. Das ist meine erste Knutscherei mit einer Frau, und ich bin schüchtern und hingerissen, und während wir uns wild küssen, werde ich schließlich mutiger.

Ihr Atem ist frisch und minzig. Sie ist wie eine kräftige Bö frischer Landluft nach dem Schmutz der Großstadt. Ich schließe die Augen, und wir rollen uns auf einer Sommerwiese, und die Blumen sind unser Teppich.

Nach einer Weile traue ich mich, zwischen ihre Beine zu greifen. Sie ist unrasiert, aber nicht ungepflegt. Ihr Busch ist eine winzig kleine Puderquaste goldbrauner Haare. Sie legt sich zurück, und ich vergrabe das Gesicht darin, atme die Zuckerwattensüße, während ich zu ihren Brüsten schaue. Ihre Brustwarzen sind rosa und hart wie junge Rosenknospen. Als ich die Zunge an ihre Klitoris setze, hebe ich die Hände zu ihren Kugeln und koste ihre herrliche Keckheit aus.

Inzwischen hat sie sich weiter über das Bett geschoben und hängt mit Kopf und Schultern über den Rand, sodass ich ihr Gesicht nicht mehr sehen kann. Aber ich kann sie stöhnen hören und weiß, dass ich es richtig mache. Dann fällt mir plötzlich auf, dass Anne gar nicht da ist, und das ist seltsam. Ich blicke zur Tür. Sie steht noch halb offen, aber von meiner Mentorin keine Spur. Ich bin froh, aber auch verblüfft und beunruhigt. Was bedeutet es, dass sie mir dieses Mädchen geschickt hat, aber nicht zusehen will? Ist das Spiel zu einem Ende gekommen? Ist das meine Belohnung?

Ich sage mir, ich sollte jetzt nicht daran denken, sondern mich ganz dem Augenblick hingeben, aber das fällt mir schwer. Ich denke zu viel, finde allerdings, dass das für eine angehende Schriftstellerin nichts Schlechtes ist. Wie soll ich das alles in Prosa übersetzen, wenn ich es nicht analysiere, seziere?

Das Mädchen muss gespürt gehaben, dass meine Leidenschaft nachlässt, weil ich von dem Geschehen abgeschweift bin, und setzt sich auf. Einen Moment lang sitzen wir uns gegenüber und betrachten uns. Obwohl wir verschieden aussehen, habe ich kurz das befremdliche Gefühl, als würde ich mich im Spiegel sehen. Das ist ein Mädchen wie ich, ein ganz normales Mädchen. Was zieht mich an ihr so an? Wie kann man wollen, was man selbst ist?

Ihre Augen sind verständnisvoll, tolerant, unaggressiv. Es sind freundliche Augen, aber sie können mich nirgends hinführen, wo ich nicht schon gewesen bin, wird mir klar. Im Gegensatz zu der Domina. Also warum?

Sie streckt die Hand nach meiner Muschi aus und gleitet mit den Fingern zwischen die schlüpfrigen Lippen. Sie schiebt sie hinein, und ich lasse mich zurückfallen. Mit dem ausgestreckten Arm lange ich an meine Nachttischschublade und hole meinen Rock Chick heraus. Ich benetze ihn mit Spucke, dann halte ich ihn ihr an die Muschi, da sie breitbeinig vor mir sitzt. Sie sieht mich mit großen fragenden Augen an.

»Ist das schön?«, fragt sie, und mir fällt auf, dass das die ersten Worte sind, die sie zu mir sagt.

Ich nicke. »Es wird dir gefallen.« Ich schiebe das eine Ende hinein. Nachdem ich mich vergewissert habe, dass das andere Ende an der Klitoris sitzt, drücke ich auf den Vibratorknopf. Als würde sie sich damit auskennen, schaukelt sie sich hin und her. Ich halte sie an den Hüften, und es ist, als würde sie auf mir reiten. Ihre Hand in mir bewegt sich mit ihrem Schaukeln, bis wir beide immer lauter stöhnen und kurz vor dem Kommen sind.

Ich umfasse ihren Po mit beiden Händen. Mir ist bewusst, dass ich ihr die Nägel ins Fleisch drücke, aber ich halte sie fest wie eine Katze ihre Beute. Ich fühle eine Wildheit in mir, den Wunsch, zu beißen und zu zerreißen, was ich liebe – diesen unerklärlichen Wunsch, den wir manchmal als Kinder haben. Ich schaukle sie, bis sie auf mich niedersinkt und kommt, und lasse sie mit einer Hand los, um heftig meine Klitoris zu reiben. Als sie aufschreit, komme ich im nächsten Augenblick ebenfalls mit einem Schrei. Unsere Stimmen vermischen sich, sie sind nicht mehr auseinanderzuhalten; wir sind quasi eins geworden, ein Mensch, der genüsslich onaniert, und als ich unter ihrem erschlafften Körper liege, nass von ihrem Schweiß, denke ich, das könnte Liebe sein.

Als ich wieder wach werde, bin ich allein, und es ist, als hätte ich einen wundervollen Traum gehabt. Doch wie meistens nach einem schönen Traum, überkommt mich eine unaussprechliche Traurigkeit, weil ich weiß, dass es niemals Wirklichkeit wird. Dann bemerke ich, dass die Tür angelehnt ist, und als ich Anne da stehen und mich betrachten sehe, weiß ich, dass es wahr ist.

»Wie war es?«, fragt sie durch den Zigarettenrauch. Ihre Augen sind schmal, als würde sie mich taxieren.

»Ich … Sie waren nicht dabei.« Mir ist bewusst, dass ich völlig nackt bin, beschmiert mit den Körperflüssigkeiten des Mädchens – mit Speichel, Schweiß, den Säften ihres Geschlechts –, aber ich schäme mich nicht. Anne kennt mich, das heißt, meinen Körper und was ich damit tue, wie ich in höchster Verzückung reagiere. Ich habe nichts mehr vor ihr zu verbergen.

Sie schüttelt den Kopf.

»Warum nicht?«, dränge ich. »War das nicht Teil der Prüfung?«

Wieder schüttelt sie den Kopf. »Das ist keine Prüfung«, sagt sie.

»Was dann?«

Jetzt setze ich mich auf und blicke ihr ins Gesicht. Ich habe nichts zu verlieren, wenn ich das frage. Sie kann mir nicht nehmen, was ich getan habe, was ich an mir entdeckt habe. Und da ich fühle, dass ich an das Ende meiner Reise komme, fürchte ich mich nicht, ihren Zorn auf mich zu ziehen. Aber ich glaube gar nicht, dass sie zornig werden wird. Plötzlich bin ich an einem Punkt angelangt, wo es mir möglich erscheint, vernünftig miteinander zu reden. Vielleicht hat das mit der Peitsche zu tun. Das unartige Schulmädchen in mir ist bestraft worden, und jetzt bin ich erwachsen, auf gleicher Höhe mit Anne. Soweit man das mit seiner Heldin sein kann.

Inzwischen hat sie sich ans Fußende des Bettes gesetzt und streicht mit einer Hand über das Laken, das wir zerwühlt haben. Doch sie wirkt abwesend, weit weg von mir. Und ich weiß nicht, ob es an dem Licht hier drinnen liegt, aber sie sieht auf einmal sehr alt und müde aus.

Als mir klar wird, dass sie nicht antworten wird, schwinge ich die Beine aus dem Bett und greife nach meinen Kleidern. »Werde ich sie wiedersehen?«, frage ich.

Sie zuckt die Achseln. »Möchtest du es?«

»Ich ... es hat mir sehr gefallen.«

»Ich kann das arrangieren.«

Ich runzle die Stirn. Das Mädchen war göttlich, der Sex mit ihr außergewöhnlich, obwohl sie eine ganz alltägliche Erscheinung war. Aber ich will ein Wiedersehen nach meinen Vorstellungen. »Ich nehme an, Sie werden mir nicht sagen, wer sie ist?«

Jetzt blickt Anne mich an mit dieser steinernen Härte in den Augen. »Das kann ich nicht«, sagt sie.

»Eine Spielregel?«

»Es gibt kein Spiel.«

Ich verliere allmählich die Geduld. Ich habe es satt, Katz und Maus, Esel und Karotte zu spielen, diese ganzen Zirkusnummern. Ich wollte James allein haben und durfte es nicht. Ich will das Mädchen und darf sie nicht haben. Ich bin begeistert dabei, Lebenserfahrungen zu sammeln, aber langsam tut es weh. Bindungen scheinen sich bilden zu wollen, gegen meinen Willen, gegen Annes Willen, und ich komme nicht damit zurecht, wenn mir Dinge entrissen und außerhalb meiner Reichweite gehalten werden. Die Prüfung oder das Spiel oder wie Anne es auch nennen mag, muss hier aufhören.

Sie steht auf, geht langsam mit gesenktem Kopf aus dem Zimmer. Offenbar ist auch sie niedergeschlagen. Vielleicht ist es am besten so. Ich werde ihr nichts übel nehmen. Sie hat mir so viel beigebracht – indirekt natürlich.

»Gute Nacht«, sage ich, als sie das Zimmer verlässt.

Sie dreht sich noch einmal um, hebt die Hand. »Gute Nacht, Genevieve«, sagt sie leise, dann zieht sie die Tür hinter sich zu.

11: Im Bonbonladen

Am nächsten Morgen fällt mir das Aufstehen schwer, denn ich weiß, ich muss gehen, und habe keine Ahnung, wohin. Natürlich ist da noch Vron, aber ich habe den Verdacht, dass ich dort nicht mit offenen Armen empfangen werde. Das Letzte, was ich im Moment gebrauchen kann, ist das Gefühl, nicht gewollt zu werden, bei jemandem einzudringen, selbst wenn es sich bei demjenigen nur um meine Schwester handelt.

Ein anderer fällt mir nicht ein. Darum liege ich im Bett und sage mir, ich muss aufstehen und meine Sachen packen, tue aber nichts dergleichen. Ich denke ständig an James und an das Mädchen von gestern Nacht. Wenn ich zu ihnen gehen könnte, würde es mir besser gehen, doch James hat mich verschmäht, und wo oder wer das Mädchen ist, weiß ich nicht. Meine Lage ist hoffnungslos.

Eine Stunde später und einer Lösung keinen Schritt näher, tappe ich die Treppe hinunter, um zu frühstücken. Ich hoffe, dass ich Anne nicht über den Weg laufe, aber Murphys Gesetz ist wieder am Werk, denn sie sitzt dort und blättert in einer Zeitschrift und wartet, dass der Wasserkessel kocht. Im Wohnzimmer höre ich Hettie Staub saugen.

Anne hebt den Kopf, als sie mich bemerkt, mustert sie mich misstrauisch, als wüsste sie, dass etwas im Busch ist.

»Du siehst blass aus«, bemerkt sie. »Hast du nicht gut geschlafen?«

Ich ziehe einen Stuhl unter dem Tisch hervor und setze

mich. Ich stütze den Kopf in die Hand, und dann tue ich, was ich mir immer fest vorgenommen habe, nicht vor Anne zu tun: ich breche in Tränen aus. Ich schüttle mich und schluchze und stelle heillos meine Gefühle zur Schau. Ich versuche, mich zusammenzureißen, um wenigstens nach oben laufen zu können, erpicht darauf, zu packen und aus dem Haus zu kommen, selbst wenn ich nicht weiß, wohin.

Doch in dem Moment nimmt Anne mich bei den Schultern. Sie dreht mich langsam um, und kurz denke ich, sie wird mich in den Arm nehmen. Aber nein, Anne bleibt Anne, kalt wie eine Gurke. Anstatt mich also in den Arm zu nehmen, steuert sie mich an den Schultern ins Wohnzimmer hinüber, drückt mich aufs Sofa und schickt Hettie mit der Anweisung hinaus, uns für eine halbe Stunde allein zu lassen. Dann verschwindet sie und kommt kurz darauf mit einer dampfenden Tasse Tee zurück. Die stellt sie vor mich auf den Couchtisch.

»Ich habe Zucker hineingetan«, sagt sie. »Zum Trost.«

Anne macht Tee mit Milch. Eins ihrer wenigen Zugeständnisse an die englische Art, abgesehen davon, dass sie in diesem Land lebt. Sie schreibt nach wie vor in Französisch und kleidet sich auf französische Art. Vermutlich denkt und träumt sie auf Französisch. Ich frage mich, ob sie auch französisch vögelt. Oder ob sie überhaupt vögelt. James wird es wohl wissen.

Vielleicht ist er es sogar, der es ihr besorgt, und darum will er mich nicht. Aber wie es aussieht, werde ich das wohl nie erfahren. Anne bleibt stumm, und James ist von der Bildfläche verschwunden.

Anne ist zum Kamin gegangen und hat sich eine Zigarette angezündet. Wie sie so dagegen lehnt und Ringe in die Luft bläst, wirkt sie theatralisch in ihrer Verlegenheit oder wie eine Figur aus einem Roman.

»Geh nicht«, sagt sie, ohne mich anzusehen. Sie räuspert sich. »Ich weiß, du hast vor auszuziehen, und ich glaube, das wäre ein Fehler.«

»Warum?«

»Weil wir noch nicht fertig sind. Du bist noch nicht fertig. Es gibt noch Dinge, die du lernen musst.«

»Zum Beispiel?«

Sie hebt das Gesicht und wirkt gereizt. »Wenn es so einfach wäre, die Dinge in Worte zu fassen«, sagt sie. »Aber das ist es nicht. Manche Dinge kann man niemandem beibringen. Die muss man ganz allein lernen.«

»Warum sollte ich dann hier bleiben?«

Sie richtet ihren Blick auf mich, der so kalt und leer ist wie eine Eiswüste. »Weil«, sagt sie und betont jede Silbe, als wäre ich ein Schwachkopf, »ich dir das erleichtern kann.«

»Und was«, frage ich weiter und kann kaum glauben, dass ich mich das traue, »springt für Sie dabei heraus?«

Sie winkt ab. »Gar nichts«, sagt sie. »Ich will nur helfen.«

Ich kichere, aber nicht heiter. »Sie gucken gern zu. Das ist es, stimmt's? Sie sind ein Voyeur.«

Sie hält ihre kalten, blauen Augen auf mich gerichtet. »Du simplifizierst einfach alles«, sagt sie, dann zuckt sie die Achseln und sieht weg. »Wahrscheinlich ist das unvermeidlich. Du bist jung. Aber ich habe geglaubt, du hättest wenigstens begriffen, dass das Leben viel komplizierter ist, als du gedacht hast.«

Ich mache den Mund auf, um etwas zu erwidern, obwohl ich eigentlich nicht weiß, was ich sagen soll, doch sie rauscht schon aus dem Raum und hat offenbar entschieden, dass die Unterhaltung zu Ende ist. Und obwohl ich sie hasse, weil sie mich herumschubst, weil sie mir sagt, was ich tun darf und was nicht, und weil sie mich kleinmacht, weiß ich, dass sie recht hat. Ich bin hier noch nicht fertig und habe noch Dinge zu lernen, Dinge, für die ich Anne brauche. Unerledigte Angelegenheiten.

Später in meinem Zimmer, nachdem ich einen langen Spaziergang durch den Park gemacht habe, setze ich mich mit meinem Notizbuch hin und liste zehn Dinge auf, die ich über mich erfahren habe, seit ich Anne kenne:

1. Ich finde ältere Männer attraktiv.
2. Ich finde jüngere Männer attraktiv.
3. Es erregt mich, wenn ich beim Sex beobachtet werde.
4. Ich mag es, andere zu schlagen oder zumindest James zu schlagen.
5. Ich mag es, mit der Peitsche geschlagen zu werden, glaube aber nicht, dass ich das wiederholen möchte.
6. Ich mag Frauen.
7. Ich mag verschiedene Typen von Frauen.
8. Ich habe meine Gelüste in der Vergangenheit geleugnet, und das war ungesund.
9. Es gibt doch Dinge, über die ich schreiben kann.
10. Ich bin einsam.

Das ist eine eigenartige, durcheinander gewürfelte Aufzählung, aus der ich keine richtigen Schlüsse ziehen kann, außer dass meine Reise, die begann, als ich bei Anne einzog, sich gelohnt hat, in der Hinsicht, dass ich mich persönlich und schriftstellerisch entwickelt habe. Der letzte Punkt jedoch haut mich um. Das habe ich noch nie bewusst gedacht, und jetzt, wo ich es getan habe, bin ich am Boden zerstört.

Die ganze Bereicherung, die ich hier empfinde, und trotzdem bin ich sehr, sehr einsam. Anne, die potenzielle Mutterfigur, ist kalt und distanziert, sie benutzt mich nur. James will mir keinen Weg zu sich ebnen. Und das Mädchen von gestern Nacht könnte ebenso gut ein Hirngespinst sein, so ungreifbar ist sie.

Unsere Begegnung – flüchtig, himmlisch, ungreifbar – hat alle Eigenschaften eines Traums. Plötzlich ertappe ich mich bei der Überlegung, ob es nicht besser gewesen wäre, bei Nate zu bleiben. Obwohl unsere Beziehung, unser Liebesleben stagnierte, wäre sie dieser Quälerei, dieser schrecklichen Einsamkeit doch sicher vorzuziehen gewesen. Oder?

Ich wundere mich, dass mir das erst jetzt bewusst wird, denn ich muss mich eigentlich schon bei Vron einsam gefühlt haben. Wahrscheinlich habe ich das ausgeblendet. Es waren immer Leute da, Vrons Freunde und Kollegen, die bei ihr ein und aus gingen, in der Wohnung herumhingen, unterwegs zu oder von einer Party oder einem angesagten neuen Club. Manchmal habe ich mich der Schar angeschlossen, ohne je wirklich dazuzugehören. Das muss wohl meine Einsamkeit verschleiert haben. Da ich seitdem keinen mehr von ihnen gesehen habe, nicht einmal meine Schwester, muss es so gewesen sein.

Es gab mal einen Abend, nur einen, wo ich meinte, vielleicht dazuzugehören oder den Anfang dazu gemacht zu haben. Ich wohnte seit gut anderthalb Monaten bei Vron, vielleicht waren es auch zwei, habe nachts auf dem Sofa geschlafen und am Tag in Cafés herumgehangen. Eines Abends kam Vron um zwei mit einem Haufen Freunde nach Hause, darunter auch ein Somali mit einer Haut wie Ebenholz. Ich war noch wach und guckte mir einen blöden Film an. Vron stellte den Fernseher ab und schaltete Musik ein, eine CD von Kruder &

Dorfmeister. Noch aufgedreht vom Club tranken sie zusammen weiter und fingen an zu tanzen.

Ich sah dem Somali eine Weile dabei zu. Er bewegte sich wie sonst keiner, so fließend, als würde die Musik durch seine Glieder strömen und wäre ein Teil von ihm. Er legte den Kopf in den Nacken und machte die Augen zu, vertiefte sich völlig. Ich war neidisch. Außerdem war ich so verdammt unsicher, selbst wenn ich nur im Café saß und versuchte zu schreiben.

Wenn ich jetzt zurückblicke, denke ich, dass viele Probleme, die ich mit dem Schreiben hatte, mit dieser Pose zu tun hatten: Ich legte mir das Gehabe einer Schriftstellerin zu, ohne eine zu sein.

Nach einer Weile bemerkte der Somali, dass ich ihn beobachtete, und kam lächelnd zu mir. Er zog mich vom Sofa hoch und in die Mitte des Raumes, legte einen Arm um meine Taille und begann wieder mit den Hüften zu kreisen, steigerte dabei langsam seine Bewegungen, bis man meinen konnte, er sei wieder in sich versunken. Doch das war er nicht. Durch seine Hüftjeans spürte ich den Druck seines Penis, und er war hart. Er wollte mich.

Das war das erste Mal seit Nate, dass mich jemand wollte. Oder dass ich es bemerkte. Irgendwelche Kerle auf der Straße guckten mir immer hinterher, aber das bedeutet gar nichts – man weiß nie, ob sie nicht jeder hinterher gucken. Wenn ich Nadif, so hieß er, betrachtete, wurde mir schwindlig vor lauter Wünschen und Möglichkeiten. Bedenken Sie, dass Nate für mich bis dahin der einzige Mann gewesen war.

Plötzlich schamlos geworden, presste ich mich gegen ihn. Ich hätte gern etwas zu trinken gehabt, traute mich aber nicht, wegzugehen und mich mit einem Glas Wein oder Wodka zu versorgen, aus Angst, die Stimmung abreißen zu lassen. Er fasste mich fester an den Hüften und ich ihn an den Schultern.

Meine Brüste kribbelten. Obwohl nüchtern, fühlte ich mich berauscht.

Was machte dieser Mann mit mir? Ich ließ mich treiben und fand es toll. Ich wollte, dass die Welt verschwindet, dass all die Leute sich nach Hause verpissen und Vron ins Bett geht, damit ich Nadif auf mein Bettsofa ziehen und bis zur Besinnungslosigkeit mit ihm vögeln könnte.

Ich sah, wie Vron mich anstarrte, und glaubte, höhnische Ablehnung in ihrem Blick zu sehen. Es schien ihr gar nicht zu passen, dass ich in ihre Clique geriet. Die kleine Schwester um sich zu haben, hemmte wohl ihren Lebensstil. Ich sah weg, entschlossen, mir den Spaß nicht verderben zu lassen. Warum sollte sie das einzige Partygirl sein?

Jemand goss ein paar Gläser Wodka ein, die Musik wurde gedämpft, und wir setzten uns um den Couchtisch auf Vrons große Sitzkissen aus Wildleder. Jemand fing mit Nadif ein Gespräch an, und die Beziehung, die zwischen uns entstanden war, platzte. Ein Mädchen neben mir sprach mich an, und bis ich mich aus der Unterhaltung befreien konnte, war Nadif mit einigen anderen Partygängern verschwunden.

Vom anderen Ende des Tisches blickte mich Vron triumphierend an. Scheinbar war sie glücklich, dass ich eine Enttäuschung erlebte. Ich hatte den leisen Verdacht, dass sie sie eingefädelt hatte. Aber natürlich konnte Nadif tun und lassen, was er wollte. Wenn er mich wirklich gewollt hätte, wäre er geblieben. Wir hatten nur einen kurzen Flirt miteinander gehabt, den er nach ein paar Augenblicken vergaß. Sobald jemand vorgeschlagen hatte, weiterzuziehen, war ich nicht mehr wichtig gewesen.

Natürlich masturbierte ich später auf meinem Bettsofa, nachdem alle gegangen waren und die Dämmerung bereits den Himmel streifte. Ich dachte an Nadif, als ich die Finger zwischen die gespreizten Beine schob und in meine Säfte tauchte, und an Nadifs harten, dunklen Schaft, der mich durch den Jeansstoff gesucht hatte. Ich hoffte ihn wiederzusehen, aber er gehörte eigentlich nicht zu Vrons Clique, und ich vermutete aus gutem Grund, dass sie ihn nicht mit mir zusammenbringen wollte.

Erst einen Monat später verstand ich ihre Reaktion, als ich eines Tages nach Hause kam und Nadif halb bekleidet aus dem Badezimmer kommen und ins Schlafzimmer gehen sah. Seine dunklen Glieder glänzten, und unter dem Handtuch, das er sich um die Hüften geschlungen hatte, stellte ich mir den seidenglatten Schwanz vor, den ebenholzfarbenen Zauberstab. Es gab mir einen Stich, wenn ich mir vorstellte, was hätte sein können.

Vron und ich sehen uns ziemlich ähnlich, obwohl sie, seit sie im Modegeschäft arbeitet, viel gepflegter und glamouröser ist. Ich hatte Nadif gefallen, er hatte mich an diesem Abend gewollt, aber sie hatte es vereitelt, weil sie ihn für sich haben wollte. Ich war natürlich stinksauer, sagte mir aber, dass ich mich nicht beschweren konnte – er gehörte zu ihren Freunden und sie hatte ihn vor mir kennengelernt.

Ich war also einsam damals, ohne es zu merken. Ich lief auf Autopilot durch die Gegend, hielt mich über Wasser und dachte über mein Leben gar nicht nach. Für jemanden wie Vron, die so ehrgeizig, so getrieben ist, war ich bestimmt eine Peinlichkeit. Ein hoffnungsloser Fall. Die kleine Schwester, die mit ihrem ersten Freund Schluss gemacht hat und sich in London treiben lässt, ohne Arbeit, ohne Mann oder hippen Freundeskreis.

Sie muss mich bemitleidet haben mit ihrem kalten Fashionista-Herzen, muss mich verachtet und dem Himmel gedankt haben, dass sie nicht war wie ich.

Die Tränen brennen mir in den Augen, während ich in Annes Haus grübelnd auf dem Bett sitze und darüber nachdenke, wie die Begegnung mit James und dem Mädchen diese Gefühle ans Tageslicht gebracht haben. Mir ist jetzt völlig klar, dass ich in London verloren bin, es immer war. Ich habe in den drei Monaten bei Vron nicht Fuß fassen können, und dann bin ich direkt zu Anne gezogen und habe den Boden unter den Füßen verloren. Das muss ich dringend ändern. Aber wie? Indem ich ausziehe oder indem ich bei Anne bleibe? Indem ich London den Rücken kehre?

Angesichts meiner jüngsten Erkenntnis beruhigt es mich, das alles niederzuschreiben, und verschafft mir eine Atempause in dem Gedankenwirrwarr. Es vereinfacht die Dinge, finde ich – oder vielmehr zeigt es, dass die Dinge einfacher sind, als sie mir in meinem inneren Aufruhr erscheinen, der mir nämlich die meiste Zeit etwas anderes weismacht.

Ich frage mich, ob es nicht einfach darauf hinausläuft, dass ich nirgendwohin kann und niemanden habe, an den ich mich wenden kann, und dass ich nur deswegen noch hier bin. Anne, so frostig sie innerlich sein mag, ist seit langer Zeit der erste Mensch, der Interesse an mir zeigt.

Nadif war, wie sich herausstellte, mit meiner Schwester genauso zufrieden. Nicht, dass es lange zwischen ihnen gedauert hätte – er war ungefähr eine Woche bei ihr, in verschiedenen Stadien der Bekleidung: in seinen Boxershorts in der Küche, wo er Kaffee kochte und zu Vron ans Bett brachte, in ihrem Bademantel auf dem Sofa, wo er in Zeitschriften blätterte, auf dem Weg vom oder ins Bad. Und dann räumte er seinen Platz für einen anderen.

Vron ist in den Angelegenheiten des Herzens – oder der Lenden – so rücksichtslos wie im Berufsleben. Sie scheint ihre Liebhaber auszusaugen und die leere Hülle wegzuwerfen, ohne sich weiter Gedanken zu machen. Sie springt von einem hübschen Jungen zum nächsten und lässt keine Gefühle an sich heran. Sie ist ein Eisblock, wie Anne.

Vielleicht, so schreibe ich in mein Notizbuch, bin ich da auf Abwege geraten, indem ich mir Gefühle erlaubt habe, zuerst für James, dann für das Mädchen. Ich hätte distanziert bleiben sollen, unnahbar, als wäre das ein wissenschaftliches Experiment – was es ja in gewisser Hinsicht ist. Ich hätte an der Oberfläche bleiben, mir die Sache von außen angucken sollen, mich beobachten sollen wie einen Charakter in einem Film. Aber so habe ich die Perspektive verloren. Ich hätte wegrennen sollen, sobald mir klar wurde, dass ich keine Chance habe, James für mich zu bekommen. Jetzt ist es zu spät.

Aber ja, ich fühle mich besser, wenn ich das alles zu Papier bringe, und bin entschlossen, mir das Geschehen bis zum Ende anzusehen. Ich spüre, dass etwas Entscheidendes bevorsteht, dass Anne etwas ganz Besonderes im Sinn hat, und da es nicht schlimmer sein kann, als was ich bisher erlebt habe, beschließe ich, dass ich es mir schuldig bin, das noch mitzunehmen.

Mich selbst zu erkennen, bis ins Innerste, ist zur Notwendigkeit geworden, ist so notwendig wie Atmen, wie Essen und Trinken. Vorher habe ich gar nicht richtig gelebt. Es ist Zeit, damit anzufangen.

Ein Zettel unter der Tür ist das Zeichen von Anne, dass es weitergeht. Die Nachricht ist nüchtern und präzise, wie meine Mentorin selbst:

Claridge's, Suite 216, 20 Uhr. Anne

Ich bebe vor Erwartung. Sie hat mir so vieles gezeigt, so viele Facetten meiner selbst, die ich gar nicht gekannt habe. Ich sollte von meinem Weg der Selbsterkenntnis nicht abweichen, auch wenn ich natürlich nervös bin.

Ich überlege, was ich anziehen soll, aber da ich nicht weiß, was für ein Abend das werden, wen ich treffen, mit wem ich zusammen sein soll, wie Annes Drehbuch aussieht, bin ich in Verlegenheit. Ich besehe den mageren Inhalt meines Kleiderschranks, dann beschließe ich, einkaufen zu gehen. Bis zu den Hauptstraßengeschäften ist es nur ein kurzer Spaziergang. Ich werde für die wenige Arbeit gut bezahlt. Ich sollte mir etwas leisten.

Als ich mich bei Topshop durch die Kleiderständer wühle, wird mir klar, wie sehr sich die Einstellung zu meinem Körper geändert hat. Ich fühle mich mehr zu eng sitzenden, extrovertierten Sachen hingezogen, die ich vorher bestimmt nicht ausgesucht hätte, und statt Röhrenjeans wechsle ich zu geschmeidigen, kurzen Kleidern. Mein Körper ist eine Quelle immenser Lust und ungeahnter Empfindungen, wie ich entdeckt habe, und plötzlich möchte ich das zelebrieren.

Als ich mir ein paar Teile für die Umkleidekabine ausgesucht habe, gehe ich in die Lingerie-Abteilung. Auch hier sehe ich mich von Dingen angezogen, die ich früher nicht einmal in Erwägung gezogen hätte: Stringtangas, Slips ouverts, Viertelschalen-BHs, durchsichtige Fummel, die nichts mehr der Fantasie überlassen. Und schließlich – ich kann nicht widerstehen und ziehe es vom Ständer wie einen lang ersehnten Schatz – ein durchsichtiges, muschelrosa Babydoll mit Schleifen und passendem Slip. Das Ding ist herrlich feminin, und dass ich es aussuche, zeigt, dass ich eine Frau geworden bin.

Mit meiner Beute gehe ich zu den Umkleidekabinen und fühle mich berauscht und extravagant. Wenn diese Sachen gar nicht zu mir passen, warum bin ich dann so aufgeregt? Der Grund ist klar: das bin ich, das Ich, das ich so lange vor mir versteckt habe. Mit der Selbsterkenntnis kommt Erleichterung, Befreiung und Euphorie.

In einer der geräumigen Kabinen ziehe ich mich langsam aus, genieße beinahe feierlich die allmähliche Entblößung meines Körpers, der mir vertraut und in seiner neuen Lust noch fremd ist. Ich mustere meine langen Beine, meine Brüste, meinen Busch, nacheinander, wie sie von der Kleidung befreit werden. Sie entzücken mich, ästhetisch und hinsichtlich der Erinnerungen, die mit ihnen verbunden sind – Erinnerungen an ferne Zeiten mit Nate, aber vor allem an die vergangene Woche in London.

Ich bin stolz auf meinen Körper und fühle neue Kraft, weil er ein Objekt der Begierde ist. Plötzlich sind die Blicke auf der Straße, die mich mustern und an mir hängen bleiben, keine Bedrohung oder Peinlichkeit mehr, sondern eine Bestätigung meiner selbst als sexuelles Wesen. Und ein sexuelles Wesen zu sein ist nichts Verkehrtes, wie ich jetzt weiß. Die Probleme kommen nur, wenn wir das nicht anerkennen.

Ich stehe nackt vor dem Spiegel, nehme alles in mich auf, das Schimmern und die Glätte meiner Haut, die Rundungen meiner Brüste, den flachen Bauch. Ich bin kein Supermodel, aber würde ich das sein wollen? Sie geben großartige Modepuppen ab, aber ohne ihre tollen Klamotten sehen magere Frauen ziemlich schrecklich aus.

Ringsherum höre ich das Klappern der Kleiderbügel und gelegentlich einen kurzen Meinungsaustausch.

»Sal, steht mir das?«

»Was meinst du, Mum? Geht das für Allys Hochzeit?«

»Ist mein Hintern darin nicht ein bisschen dick?«

Während ich lächelnd zuhöre, verblassen die Stimmen zum

Hintergrundgeräusch, weil meine Lust die Oberhand gewinnt. Meine Hand, die einen Moment zu lange an mir verweilt, als ich mich bewundernd betrachte, wandert zwischen meine Beine. Ich lege den Finger auf die Klitoris, habe schon Mühe, nicht laut aufzustöhnen. Der Gedanke, gehört zu werden, erregt mich nur umso mehr. Ich hätte es gern, dass sie mir zusehen, dass sie sehen, was ich mit mir machen kann, welche Gefühle ich mir verschaffen kann, wie ich mich der Lust hingebe.

Als ich rubbelnd dem Orgasmus entgegensteuere, lehne ich mich gegen die dünne Trennwand, um ein bisschen Halt zu haben, und sehe bei einem Blick in den Spiegel, dass ich mich so besser betrachten kann – wie meine nass glänzenden Finger zwischen den Lippen ein- und auftauchen, mein Daumen über die Klitoris streicht und das nötige Maß an Druck kennt, das mich wild macht, und wie ich mit der anderen Hand heftig meine Brust drücke.

Ich stelle mir vor, dass James auf der schmalen Bank sitzt und mir mit dem Penis in der Hand zusieht und ihn in dem Maße bearbeitet, wie meine Erregung ihn erhitzt. Dann stelle ich mir das blonde Mädchen neben ihm vor, wie sie ebenfalls nackt an sich herumspielt und mir zusieht, wie ich mich steigere. Die Kombination der Fantasien treibt mich über die Schwelle, und innerhalb von Sekunden komme ich lautstark, mit geschlossenen Augen, und nehme nur noch wahr, was in mir selbst passiert.

Nachdem ich nun zu verschwitzt und zu nass bin, um etwas anprobieren zu können, beeile ich mich, aus der Kabine zu kommen. Ich werde kaufen, was mir passend erscheint, und es zu Hause anprobieren. Wenn es nicht sitzt, kann ich es jederzeit zurückbringen.

Als ich die Kabinentür aufdrücke und den Gang entlanglaufe, um zur Kasse zu gehen, mustern mich zwei Verkäuferinnen, und ich kann ihnen ansehen, dass sie ein Kichern unterdrücken. Kurz fühle ich mich beschämt, aber dann denke ich: Quatsch! Ich schäme mich nicht für meinen Körper, im Gegenteil. Und unversehens, bevor ich mich zurückhalten kann, schieße ich ihnen ein verschwörerisches Lächeln zu, zwinkere sie an und fahre mir mit der Zungenspitze über die Lippen.

Entsetzt reißen sie die stark getuschten Augen auf, und ich lache, übergebe ihnen die Sachen, die ich nicht kaufen will, und schlendere zur Kasse mit dem Gefühl, finanziell und psychisch den Bogen überspannt zu haben. Ich fühle mich großartig.

Ich gehe nach Hause und mache mir einen Toast mit Marmite und einen Kaffee, bevor ich die Treppe hinaufsteige, um mich umzuziehen. Meine gute Stimmung hat sich ein wenig gelegt. Zwar sehe ich dem Treffen im Hotel gespannt entgegen, bin aber auch ziemlich nervös. Wahrscheinlich fürchte ich, den Anforderungen nicht gewachsen zu sein. Nachdem ich so weit gekommen bin, wird Anne mich vermutlich vor eine entscheidende Herausforderung stellen, meine Grenzen bis zum Äußersten austesten. Anne, so mein Eindruck, sieht ihr Endspiel kommen, und bei diesem Ausblick bin ich zugleich gespannt und eingeschüchtert.

Ich probiere mein Babydoll an und finde mich darin großartig. Noch nie habe ich mich so weiblich gefühlt, so zügellos, so frei und expressiv. Ich stehe ewig vor dem Spiegel und betrachte mich – nicht aus Eitelkeit, sondern aus schierem Staunen, dass ich, das ehedem schamhafte und gar nicht abenteuerliche Mädchen, so weit gekommen bin, dass ich zu einem

Vorstellungsgespräch gegangen und von da auf völlig unbekanntes Gebiet vorstoße. Und ich *war* fantasielos – was Anne sich zunutze gemacht und erschlossen hat. Sie hat es in mir aufblühen lassen. Vor Anne hatte ich nicht das geringste Fantasieleben. Wenn das Schreiben ein Muskel ist, der trainiert werden muss, dann auch die Fähigkeit zur Fantasie.

Ich sehe zum Nachttisch, wo mein Vibrator liegt. Ich bin schon wieder geil, habe aber keine Zeit zu onanieren, wenn ich pünktlich sein will. Also ziehe ich widerstrebend mein Babydoll aus und stecke es in eine Tasche, um es mitzunehmen. Dann ziehe ich mir etwas von der neu gekauften Unterwäsche an: einen gepunkteten Tanga und den dazu gehörenden trägerlosen BH mit Bogenkante an den Cups, und setze mich vor den Spiegel, um mich zu schminken.

Der Inhalt meines Schminktäschchens ist mager, denn meistens tusche ich mir nur leicht die Wimpern. Aber beim Wühlen finde ich ein Makeup-Pröbchen, das ich wahrscheinlich mal aus einer Zeitschrift ausgerissen habe, ein Döschen Puderrouge und den Stummel von einem Kajalstift, der schon seit Jahren darin herumliegen muss. Das trage ich nacheinander sorgfältig auf und sehe zu, wie im Spiegel ein völlig anderes Gesicht erscheint.

Es ist verblüffend, denke ich, was man beim Schminken mit ein bisschen Zeit und Mühe erreichen kann. Der Charakter eines Gesichts ist scheinbar unendlich wandlungsfähig. Ich habe mich neu erfunden – mit Hilfe von Anne – und ich kann das beliebig wiederholen.

Es ist Zeit sich anzuziehen. Ich mustere meine Neuerwerbungen, die auf dem Bett ausgebreitet liegen. Ich will mich nicht zu sehr aufbrezeln und dann wie eine Närrin dastehen, aber ich bin in ein Nobelhotel bestellt, darum würde ich mich deplatziert fühlen, wenn ich mich nicht sorgfältig kleide. Ich möchte nur nicht nuttig aussehen. Man darf mich nicht für eine Nutte halten und mich hinauswerfen, bevor ich die genannte Suite überhaupt betreten habe.

Bei den Neuerwerbungen liegt auch ein schwarzes Kleid im Stil der dreißiger Jahre mit einer breiten Spitzenbordüre über dem Ausschnitt, ein bedrucktes Kleid aus der Kate-Moss-Kollektion von Topshop mit Rüschenausschnitt und ein kurzer mit Pailletten besetzter Stufenrock, zu dem ich ein schlichtes, schwarzes, ärmelloses Oberteil anziehen würde. Das ist alles nicht das Richtige.

Ich hebe die Kleider hoch, und darunter liegt mein Joker: ein schwarzer Overall mit einer freien Schulter. Er ist ausgefallen und sexy, aber schick. Er wirkt eher elegant als nuttig. Mit den schwarzen Stilettos, die ich dazu ausgesucht habe, sieht er umwerfend aus.

Als ich ihn anprobiere, bin ich begeistert. Ich hätte im Leben nicht geglaubt, dass so etwas zu mir passt, doch er ist genau das Richtige. Wie für mich gemacht. Er betont meine langen Beine und macht mich größer, und es schmeichelt meinen Brüsten, wie der Stoff sie betont.

Neu motiviert für das Treffen krame ich in meinem Schminktäschchen und finde einen alten, kaum benutzten Lippenstift in einem dunklen Mauve, von dem ich einen Hauch auftrage. Ich werfe mir einen Kuss zu, nehme meine Tasche und verlasse das Zimmer.

Das Haus ist still. Anne muss schon gegangen sein. Es wäre vernünftig gewesen, zusammen ein Taxi zu nehmen, doch das hätte nicht zur Inszenierung des heutigen Abends gepasst. Bisher hat alles in dem beengten Rahmen von Annes Haus stattgefunden, mit Ausnahme des einen Mals in James' Wohnung, und das war genauso beengend.

Auf diese Weise ausgehen zu dürfen ist aufregend. Ich weiß

nicht, was das zu bedeuten hat, aber ich hoffe, es ist ein Zeichen, dass Anne die Oberhand verliert. Ich will jetzt freigelassen werden wie ein Vogel, den man in die Luft wirft. Es ist Zeit, flügge zu werden.

Ich verlasse das Haus und gehe zur Bayswater Road, wo ich ein Taxi heranwinke. Das Hotel liegt durchaus in Fußwegentfernung, gleich hinter der Park Lane in Mayfair, aber ich bin in extravaganter Stimmung, und diese albernen Schuhe fangen schon an zu drücken.

Ich steige in den Wagen, lehne mich in den Sitz und male mir meinen großen Auftritt aus: wie das Taxi vor dem Hotel vorfährt, ein Portier herantritt, um die Tür aufzureißen und mir hinauszuhelfen. Der Fahrer wird angesichts der noblen Adresse mit einem saftigen Trinkgeld rechnen. Ich überlege, ob er mich trotz meiner Aufmachung für eine Hure hält. Oder besser gesagt für ein erstklassiges Callgirl. Er muss auf seinem Rücksitz schon allerhand gesehen haben – alle möglichen Leute, die alle möglichen illegalen Sachen machen.

Nach ein paar Minuten sind wir bei dem Hotel. Ich bezahle den Fahrer, drücke ihm ein paar Pfund mehr in die Hand und versuche, mich nicht auf die Nase zu legen, als mir der Portier beim Aussteigen hilft. Von allen Londoner Hotels war das Claridge's für mich immer das märchenhafteste, obwohl ich nie drinnen gewesen bin. Es erscheint ständig in den Klatschspalten, da es mit Berühmtheiten von Madonna bis Courtney Love in Verbindung gebracht wird. Das beeindruckt mich nicht sonderlich; mich faszinieren nur die Art-Deco-Ausstattung und die Anekdoten aus der Geschichte wie zum Beispiel die, wonach Winston Churchill eine der Suiten zu jugoslawischem Territorium erklärt haben soll, als der geflohene König Peter II. dort wohnte.

Ich steuere auf die Cocktailbar zu, um einen Drink für meine Nerven zu nehmen. Nachdem ich einen Zehner für einen Polish Martini hingeblättert habe, bewundere ich die mit Blattsilber überzogene Decke und anderes schicke Dekor und leere langsam mein Glas. Einer der Barkeeper beäugt mich, aber ich weiche seinem Blick aus, da ich unsicher bin, ob er mich attraktiv findet oder für ein Callgirl hält. Als ich merke, dass ich paranoide Überlegungen anstelle, gehe ich zum Aufzug.

Auf dem Weg nach oben, wo mir der Alkohol im Magen brennt, frage ich mich, was hier wohl eine Übernachtung kostet. Ich war noch nie in einem Hotel dieser Kategorie, vermute aber, dass die Größenordnung bei einem Riesen für die Suite liegt. Wie kann Anne sich das leisten, selbst wenn es nur gelegentlich vorkommt? Oder bezahlt jemand anderer die Rechnung?

Ich verlasse den Lift, die Tür zu der Suite liegt nur ein paar Schritte davon entfernt. Inzwischen habe ich Herzklopfen, sodass ich einen Moment lang mit der Hand an der Brust still stehen bleiben muss und denke, ich sinke gleich in die Knie. Nachdem ich mich beruhigt habe, dauert es noch ein paar Minuten, bis ich mich überwinden kann zu klopfen. Ich habe das Gefühl, an einer Schwelle zu stehen, am Rand einer Klippe wäre wohl das bessere Bild. Ich trage einen Fallschirm, weiß aber nicht, ob er sich öffnen wird oder ob ich auf den Felsen zerschmettern werde. Doch ich will mich nicht den Rest meines Lebens fragen müssen, was gewesen wäre, wenn.

Ich klopfe, aber alles bleibt still. Ich klopfe noch einmal, etwas energischer, und dann wieder. Die Tür geht auf, ich sehe ein unbekanntes Gesicht und einen Arm, der mich hereinbittet. Der äußeren Erscheinung nach ist das ein Butler. Er nimmt mir Jacke und Tasche ab und bringt sie zur Garderobe, sodass ich einen Moment Zeit habe, mich umzusehen und mich zurechtzufinden.

Der Flur führt in einen Salon, der von den durchsichtigen Seidengardinen bis zu den Ledersofas in Zartlila gehalten ist, der Stil wie im ganzen Hotel Art Deco. Auf einem Tisch steht ein Eiskühler, aus dem der Hals einer Champagnerflasche einladend herausschaut – ich könnte sterben für einen Drink. Daneben stehen Kanapees, eine Schale mit Obst, ein Teller mit Pralinen und ein frischer Blumenstrauß in einer opulenten Vase. Hinter dem Salon kann ich ein Stückchen vom Schlafzimmer sehen. Ich frage mich, was sich heute Abend dort abspielen wird, und fange ein bisschen an zu zittern.

»Madam?« Der Butler sieht mich an, und ich merke, dass ich meilenweit weg gewesen bin.

»Ein Glas Champagner, Madam?«, fragt er, und als ich nicke, entkorkt er die Flasche gekonnt leise und gießt mir eine Flöte voll ein.

Ich nehme sie und kann mich gerade noch bremsen, sie nicht auf einen Schluck hinunterzustürzen. Ich bin zwar kein Kenner, weiß aber, dass das eine renommierte Marke ist. Er sieht köstlich aus – hellgolden und kalt und prickelnd, da viele Bläschen an die Oberfläche steigen. Ich setze mich und trinke manierlich, bis ich den Butler hinausgehen sehe. Sowie er weg ist, kippe ich das Glas hinunter.

Der Champagner ist genauso erfrischend, wie er aussieht, und verdammt süffig. Ich gieße nach und putze auch das nächste Glas weg und dann noch eins. Kurz habe ich ein schlechtes Gewissen, und dann denke ich: Quatsch. Gemessen an der Miete für diese hübsche Suite ist eine Flasche Champagner nichts, worüber sich nachzudenken lohnt. Wer das bezahlt, wird deswegen nicht mit der Wimper zucken.

Ich trete mir die Schuhe von den Füßen und mache einen Erkundungsgang, betrachte die schönen Möbel, die im gedämpften Licht glänzen. Ich gehe ins Schlafzimmer, teste das

Bett auf Größe und Bequemlichkeit und finde es in jeder Hinsicht exzellent. Ich sehe mir das Bad an und bewundere den kostbaren Marmor und die Asprey-Toilettenartikel. Das ist die Art Luxus, an den ich mich gewöhnen könnte. Mir schießt der Gedanke durch den Kopf, dass es vielleicht doch Spaß machen könnte, als erstklassiges Callgirl zu leben. Das kann nicht viel anders sein als das, was ich jetzt tue. Im Grunde werde ich jetzt auch bezahlt, damit ich mich schick mache und zu einem Kunden gehe, nur dass Anne in unserer schrägen Beziehung der Kunde ist.

Apropos Anne, ich höre die Tür zuschnappen, und als ich mich umdrehe, sehe ich sie im Flur stehen mit der Schlüsselkarte in der Hand. Sie ist elegant und schlicht gekleidet, schwarze Leinenhose, Turtleneckpulli und schwarzes Cape. Ihr Bob ist akkurat geschnitten. Sie ist von Kopf bis Fuß die berühmte französische Schriftstellerin. In der anderen Hand hält sie eine Sonnenbrille, und mir dämmert, dass sie inkognito hier ist. Sie ist schließlich kein unbekanntes Gesicht. Ich würde wetten, dass die Suite unter falschem Namen gebucht worden ist.

Unsere Blicke treffen sich, und da ist die übliche *froideur* in ihrem Benehmen. Als sie mir bedeutet, Platz zu nehmen, mustert sie mich von oben bis unten, und an der Art, wie ihre Augen aufleuchten, erkenne ich ihre Zustimmung. Ich weiß noch immer nicht, ob sie im Grunde auf mich scharf ist und mich darum in all diesen von ihr erdachten Inszenierungen sehen will. Doch anscheinend habe ich bei dem, was sie heute Abend von mir erwartet, den Nagel auf den Kopf getroffen, und ich freue mich, dass ich ihr gefalle. Ich muss wieder an meine Mutter und ihr Desinteresse denken und überlege, ob es mein Schicksal ist, um die Anerkennung älterer Frauen zu ringen.

Ich setze mich in möglichst vorteilhafter Haltung auf das Sofa, seitlich zu ihr, die Knie gebeugt, und hebe das Champagnerglas vornehm an die Lippen, ohne den Inhalt hinunterzukippen wie ein Alkoholiker. Ich beobachte Anne und forsche nach einem Hinweis auf das Bevorstehende. Meine Sinne sind von der Erwartung geschärft. Sicher wird noch jemand kommen, die anderen Akteure dieser kleinen *Mise en Scène.*

Anne setzt sich mir gegenüber und steckt sich eine Zigarette an. Ein Weilchen herrscht das übliche Schweigen, und ich bin zufrieden damit. Das ist fast zum Ritual geworden. Wenn Anne glaubt, sie kann mich damit einschüchtern, mich sogar willenlos machen, dann irrt sie sich.

Doch zu meiner Überraschung räuspert sie sich, lehnt sich vor und eröffnet das Gespräch. »Was würdest du antworten, wenn ich dir sage, dass du alles haben kannst, was du willst? Jeden, den du willst.«

Ich starre sie an. »Ich ... ich würde nicht wissen, wo ...«

Ich trinke einen Schluck und überlege, wo sie mich hinsteuern will. Redet sie von Mädchenschwärmen, von berühmten, aber unerreichbaren Menschen? Meint sie Sex an tropischen Stränden bei unglaublichen Sonnenuntergängen und einem Cocktail in der Hand, oder hat sie mein wirkliches Leben im Sinn? Anne ist keine gute Fee mit einem Zauberstab. Ihre Mittel sind begrenzt.

Sie blickt mich an, und da sind weder Freundlichkeit noch Mitgefühl in ihrem Blick. Wie kam mir bei ihr je das Wort »mütterlich« in den Sinn? Andererseits, wenn man eine Mutter hat wie ich, sind die Erwartungen gering.

»Also hast du während der vergangenen Woche überhaupt nichts über dich erfahren?«, fragt sie. »Du weißt überhaupt nicht, wer du bist, was du willst? Habe ich meine Zeit verschwendet?«

»Ich weiß es sehr wohl, nur …«

Ich denke an die Liste in meinem Notizbuch. Was ich über mich herausgefunden habe, kommt wir widersprüchlich vor. Ich mag ältere Männer, ich mag jüngere Männer. Ich mag Männer, die Frauen mögen. Ich mag außergewöhnliche Frauen, Frauen, die mich strafen, und ich mag den sanften, unkomplizierten Typ, das Mädchen von nebenan. Ich mag es, wenn man mir beim Sex zusieht, und trotzdem würde ich alles tun, um James oder das Mädchen für mich allein zu haben, ein bisschen Privatsphäre, in der meine wahren Gefühle für die beiden sich entwickeln und wir uns auf natürliche, ungezwungene Weise näher kennenlernen können.

»Was?«

Ich sehe sie an und empfinde einen Moment lang echten Hass, möchte ihr am liebsten alles vor die Füße werfen und abhauen. Wenn sie mir so abweisend kommt, fühle ich mich gedemütigt, weil ich auf ihr Geheiß hier bei ihr sitze.

»Ich weiß nicht. Was ich möchte, scheint mir so verschieden zu sein, dass es sich gegenseitig ausschließt. Ich mag Männer, aber ich mag auch Frauen.«

»Die schließen sich nicht gegenseitig aus.«

»Nein, aber ich betrachte mich nicht als bisexuell.«

»Was dann?«

»Dann – ich weiß nicht. Ich schätze, ich bin nur ab und zu auf eine Frau scharf. Als Abwechslung wahrscheinlich. Oder wenn es eine ist, die mich umhaut. Im Grunde stehe ich auf Kerle.«

Anne lächelt auf ihre kalte, unbeteiligte Art. »Endlich kommen wir voran«, sagt sie. »Wenn ich dir jetzt also jemanden besorgen könnte, den du wolltest, dann wäre das ein Mann?«

Ich zögere. Ich möchte ja sagen. Ich denke an James. Anne hat einen heißen Draht zu ihm, hat ihn mit irgendetwas in der

Hand, und ich bräuchte nur zu nicken, dann könnte er innerhalb von Minuten hier sein. Was hält mich also zurück? Ich denke an die letzte Begegnung mit ihm, als ich ihn bat, sich allein mit mir zu treffen, und er ablehnte, aus Gründen, die ich nicht so ganz durchschaute. Ich war verärgert und bin es noch. Doch das reicht nicht, um mich davon abzuhalten, seinen Namen zu nennen, ihn zu meiner Wahl zu machen.

Ich denke an das Mädchen. Weich wie Butter schmiegte sie sich an mich. Mit ihr kam ein entspannter Sonntagmorgen, ein Gefühl der Erholung, obwohl wir uns gegenseitig in Ekstase versetzt haben, ein Gefühl, im anderen aufzugehen, wie ich es bei einem Mann nicht erlebt habe. Ich kannte ihren Körper, weil ich meinen eigenen kannte, und umgekehrt.

Dadurch war es so leicht, uns gegenseitig Lust zu verschaffen und Lust zu empfinden. Ich will James, aber sie will ich auch.

Ich sehe Anne an. Soll ich es wagen? Wäre es zu viel verlangt? Sie fragt mich, was ich will, und das ist es: James und das Mädchen, beide zusammen, im selben Bett mit mir, das Beste beider Welten. Oder ist das zu gierig?

Sie erwidert meinen Blick ein bisschen kampflustig, als wollte sie mich herausfordern, meine Wünsche zu bekennen. Ich kann sehen, dass sie denkt, ich sei ihr nicht gewachsen, doch egal wie schwer es mir fällt, sie zu bitten, ich werde ihr nicht die Befriedigung verschaffen, dass ich versagt, mich nicht getraut habe.

»James«, sage ich mit zitternder Stimme.

Sie sieht mich weiter unverwandt an. »So wenig möchtest du?«

»Nicht nur James. James und die Blonde.«

Sie lächelt, und zuerst verstehe ich den Jubel in ihren hellblauen Augen nicht. Aber dann, als sie zu einer Tür geht, die mir noch gar nicht aufgefallen ist und die in ein zweites Schlafzimmer führt, von dem ich nichts geahnt habe, da wird mir klar, warum sie so zufrieden mit sich selbst ist. Sie hat es wieder einmal vorher gewusst.

Sie macht die Tür auf, und dahinter sitzen James und das Mädchen auf der Bettkante und trinken Champagner. Anne kennt mich anscheinend besser als ich mich selbst.

Im ersten Moment bin ich wütend. Es ist mir zuwider, dass sie vor mir gewusst hat, was ich mir am meisten wünsche. Doch dann lächeln mich James und das Mädchen an. Ein herzliches, ehrlich gemeintes Willkommenslächeln ist es, so ganz anders als Annes, und ich schmelze innerlich. Mir steht ein wahrer Genuss bevor.

Nachdem ich meine inneren Reserven mobilisiert und mir vor Augen gehalten habe, wie gut ich aussehe, schlüpfe ich in meine Schuhe und gehe bis zum Türrahmen. Die Hände in den Hüften, lächle ich zurück. Ich fühle mich wie ein Kind im Bonbonladen. Womit fange ich an?

James, der spürt, dass ich mit mir ringe, streckt die Hand aus. »Genevieve«, sagt er freundlich. »Komm herein. Ich glaube, du hast Celine schon kennengelernt.«

Ich nicke verlegen. Celine kommt zu mir, nimmt mich bei den Schultern und küsst mich auf beide Wangen.

»Schön, dich wiederzusehen«, haucht sie mir ins Ohr, und mir wird schwindlig bei der Erinnerung an unseren Sex. Ich habe wirklich geglaubt, ich würde sie nie wieder sehen, sie würde nur eine schöne Erinnerung bleiben, flüchtig wie ein Traum, aus dem man zu früh erwacht ist.

Sie nimmt mich bei der Hand und führt mich in das Zimmer. Ich bin froh, dass sie die Initiative ergreift. Das Selbstvertrauen, das ich in mir zusammengerafft habe, hat sich verflüchtigt. Ich weiß überhaupt nicht, was ich tue.

Celine übergibt mich an James wie ein Geschenk, dann zieht sie sich zurück in einen Sessel in der Ecke. Für den Augenblick ist mir das recht: ich habe es gern, wenn man mir zusieht, und wer wäre mir lieber als Celine? Ich drehe mich um. Anne steht in der Tür. Sie hat etwas Verstohlenes, Katzenhaftes an sich, als sie hereinkommt und zum Sessel in der anderen Ecke gegenüber von Celine geht. Die beiden wechseln einen Blick, ein bisschen verschwörerisch. Ich schiebe alle paranoiden Gedanken beiseite.

Das ist keine normale Situation, und ich muss akzeptieren, dass sich diese Menschen schon ohne mich begegnet sind, über mich gesprochen, sich etwas ausgedacht, geplant haben. In gewisser Weise sollte ich mich sogar geschmeichelt fühlen. Keiner von ihnen scheint etwas zu gewinnen, zumindest nicht finanziell. Außer Anne bezahlt sie dafür, und ich glaube nicht, dass es bei all dem um Kohle geht. Sie hat vielleicht die Domina bezahlt, aber nicht diese beiden. Das hier hat mit Geld nichts zu tun.

James betrachtet mich von oben bis unten. »Du siehst großartig aus«, sagt er leise, obwohl ihm klar ist, dass die anderen uns hören können. Ich werde rot vor Erregung und Sehnsucht, erst recht, da ich weiß, dass er mich haben will, selbst wenn es ohne Annes Gegenwart oder Einverständnis nicht möglich ist. Aber auch, weil nicht nur seine Blicke auf mir ruhen. Steigt auch bei Celine die Erregung?

Ich löse den Träger meines Overalls. Das Oberteil rutscht hinab und entblößt meinen neuen trägerlosen BH. James sieht genüsslich, mit gespitzten Lippen zu. Er wirkt gedankenverloren, und ich würde jede Summe geben, um zu erfahren, was in seinem Kopf vorgeht.

Ich beuge mich nach vorn, meine Haare gleiten gegen sein Gesicht, gegen seine Schultern. Er zieht die BH-Körbchen hinunter und nimmt meine Brustwarzen in den Mund. Ich erbebe, kann mich aber so weit konzentrieren, dass ich ihm das Hemd aufknöpfe und über die Schultern ziehe. Seine Brust ist herrlich – stark, sonnengebräunt, mit weichen, grau-braunen Härchen bedeckt. Ich fahre mit den Handflächen darüber, genieße die wunderbar weiche Haut, dann nehme ich seine Brustwarzen zwischen die Fingerspitzen und zwicke sie sacht. Er stöhnt, und da ich mich erinnere, dass ihm ein gewisses Maß an Schmerz bei meinen Schlägen gefallen hat, fasse ich kräftiger zu.

Er sitzt noch aufrecht da, und ich schiebe die Knie links und rechts neben ihn auf das Bett, sodass ich rittlings auf seinem Schoß sitze. Im Gefühl meiner Macht und Führung drücke ich ihn mit einer Hand nieder. Er seufzt auf, und seine Augen verraten mir, dass er nach mir giert. Er greift nach meinen Hüften, um mich fester auf die Ausbuchtung seiner Jeans zu ziehen. Ich widerstehe, so sehr ich darauf brenne, ihn in mir zu spüren und ihn heftig zu reiten.

Meine Brüste rutschen aus den Körbchen. Das Oberteil meines Overalls bauscht sich um meine Taille, die Hose sitzt noch an Ort und Stelle. Ich blicke über die Schulter zu Anne, weil ich mich frage, was sie heute in ihrem Arsenal hat.

Als hätte sie es vorausgesehen, hat sie bereits den Koffer vom Boden aufgehoben und auf ihren Knien liegen. Sie sieht mich erwartungsvoll an. Doch ich steige nicht von James herunter. Ich winke sie heran, selber verblüfft über meine Verwegenheit.

Auch sie ist überrascht, doch sie steht auf, kommt mit dem geöffneten Koffer zu mir und dreht ihn mir hin. Ich schaue hinein.

»Die«, sage ich und zeige auf lederne Handschellen. »Und die.« Das zweite Instrument ist eine Peitsche, die dem Aussehen nach aus Haaren gemacht ist, kastanienbraunen Haaren. »Aber vorher ...« Ich blicke auf James, der mich gespannt beobachtet und wahrscheinlich zu erraten versucht, was ich für ihn im Sinn habe. »Vorher die.«

Anne holt eine Augenmaske aus gemoldetem, goldenem Leder heraus und gibt sie mir. Das Leder ist butterweich, zart wie Haut. James sieht mir zu, wie ich mit den Fingern darüber streiche. Seine Augen glänzen halb vor Verlangen, halb vor Befürchtungen. Ich lasse ihn warten, während ich die Maske befühle. Dann beuge ich mich über ihn und lege sie ihm an, greife hinter seinen Kopf, um sie festzubinden. Er wird ganz still, öffnet leicht die Lippen, atmet kaum. Sein ganzer Körper ist erwartungsvoll angespannt.

Ich blicke zu Anne. Plötzlich bin ich unsicher und weiß nicht, was ich tun soll, bin nur froh, dass sie da ist. Sie hat die Verantwortung für das alles, darum schäme ich mich nicht, mich an sie wenden.

Darauf wendet sie Celine das Gesicht zu und zeigt zum Salon. Die scheint zu verstehen, erhebt sich und geht hinaus. Für ein paar Augenblicke steht Anne neben dem Bett und sieht auf James hinab, und ich merke, dass wir warten. Dann sagt sie: »Komm hoch«, und James richtet sich auf, tastet nach meiner Hand, und zusammen verlassen wir das Schlafzimmer.

Im Salon kann ich Celine nirgends sehen, dafür stehen mehr Sektflöten randvoll mit Champagner auf dem Sofatisch. Dann kommt sie wieder, und anstelle von Chinos und Bluse trägt sie einen Rock mit einem rüschenbesetzten Schürzchen, Nahtstrümpfe und eine schwarze Korsage. Sie neigt ein wenig den Kopf, als sie mich sieht. Auf einer Handfläche trägt sie das Tablett mit den Kanapees.

»Madam?«, sagt sie. Ich nehme mir eins und beiße durch geschmeidige Oliventapenade in den knusprigen Toast.

Die zweite Hälfte halte ich James an die Lippen. Zuerst weicht er zurück, da er das nicht erwartet hat und nicht weiß, was das ist. Ich drücke es ihm an die Lippen und flüstere: »Vertrau mir.« Er nickt und lässt mich das knusprige Brot mit dem weichen Belag in den Mund schieben. Er beißt ab und nickt anerkennend. Ich weiß, dass das »Vertrau mir« das Schlüsselwort war, das ihn erinnert, dass wir einander kennen und einer dem anderen nichts Böses will – ganz im Gegenteil.

Ich deute mit dem Kinn zum Sofatisch. Celine versteht und bringt mir ein Glas Champagner. Ich halte James das prickelnde, hellgoldene Getränk an die Lippen. Er nimmt einen Schluck, dann noch einen. Er hält mein Handgelenk fest, sodass ich das Glas nicht wegnehmen kann, und dabei fallen mir die Handschellen ein.

»Drüben, die Handschellen«, sage ich zu Celine.

Es fällt mir schwer, nicht bitte zu sagen, sondern grob zu sein, aber ich darf nicht aus der Rolle heraustreten, sonst bricht die Szene auseinander. Sobald das einer tut, ist es vorbei.

Natürlich wissen wir alle, dass das nur ein Spiel ist – niemand würde das leugnen. Aber wir wollen das Spiel, und darum ist es unerlässlich, nicht abzuweichen. Wie Schauspieler auf der Bühne müssen wir spielen, bis der Vorhang fällt.

Celine huscht mit einem ehrerbietigem »Ja, gnädige Frau« hinüber.

Ich wende mich James wieder zu. »Du bist ein unartiger Junge gewesen.«

»Ich weiß«, sagt er mit einem leicht heiteren Unterton, bei dem ich weiß, dass er Mühe hat, an sich zu halten.

»Du weißt, dass du bestraft werden musst?«, sage ich weiter und kämpfe gegen das Lachen an, das in mir aufsteigt wie die Bläschen im Champagner.

»Ja«, sagt er. »Ich sollte bestraft werden.«

Celine erscheint neben mir. Außer den Handschellen bringt sie auch die Peitsche.

»Leg sie ihm an«, befehle ich, und sie tritt näher.

»Wie möchten gnädige Frau es haben?«

»Hinter dem Rücken.« Ich merke, dass ich einen Absatz in den Teppich bohre. Offenbar finde ich mich in die Rolle.

Ich sehe zu, wie sie James herumdreht, sodass ich sein Gesicht nicht sehen kann. Sie behandelt ihn ein bisschen grob, anscheinend fällt es ihr schwer, in ihrer Rolle zu bleiben. Sie möchte gern an meiner Stelle sein, die Anführerin sein. Doch ich bin nicht bereit, meine Rolle abzutreten – noch nicht zumindest.

Sie legt ihm die Handschellen an, schnallt sie langsam zu und sichert sie mit dem bronzenen Verbindungsglied. James ist leicht nach vorn gebeugt und lässt den Kopf hängen. Er scheint völlig erschlafft zu sein, als hätte er keinerlei Willen mehr, sondern sich restlos unterworfen. Und trotzdem sieht er mit Hose und nacktem Oberkörper und auf dem Rücken gefesselten Händen so sexy aus, dass mein Slip feucht wird. Doch ich schiebe die Befriedigung meiner Lust noch auf. Es gibt andere Dinge, denen ich mich widmen will.

»Die Peitsche«, befehle ich Celine. Sie reicht sie mir. Der umwickelte Griff liegt geschmeidig, aber fest in der Hand, und wenn ich die braunen Haare durch meine Faust gleiten lasse, fühlen sie sich seidig und federleicht an. Ich schlage mir damit auf die Handfläche. Es kitzelt mehr, als dass es weh tut.

»Mach ihn bereit«, verlange ich, und Celine packt James beim Ellbogen und zieht ihn zum Sofa. Da stößt sie ihn nieder, sodass er auf allen Vieren auf dem Sofa kniet, und zieht ihm langsam die Jeans aus und dann die frischen, weißen Boxershorts. Ich betrachte genüsslich seinen Hintern, den ich vor ein paar Tagen mit dem Paddel bearbeitet habe. Einen vollkommenen, schön gerundeten Hintern, der nur darauf wartet, unter meiner Peitsche rot zu werden.

Ich trete heran. »Sag, dass es dir leid tut«, fordere ich barsch, und ehe er sprechen kann, lasse ich das Haarbündel auf ihn niedersausen. Er zuckt zusammen. Es muss brennen wie bei dem Paddel, wie bei der Peitsche der Domina. Jetzt ist es an mir, an seinen Reaktionen zu erkennen, wie weit er gehen will. Ich hebe den Arm und schlage zu, dann noch mal und immer fester. James stößt kleine kehlige Leute aus, die von Schmerz und Lust zeugen oder von einer untrennbaren Mischung aus beidem. Ich gehe im Rhythmus meiner Schläge auf und nehme Celine und Anne gar nicht mehr wahr.

Nach einer Weile schwitze ich. James deutet durch nichts an, dass ich aufhören soll. Er muss an Schlimmeres gewöhnt sein. Ich steige aus meinen Stilettos, ziehe mir den Overall aus und die Schuhe wieder an. Ich stehe da in meinen gepunkteten Dessous mit der Peitsche in der Hand und fühle mich wie die Herrscherin der Welt, weiß aber nicht, wie ich weitermachen soll.

Celine erscheint an meiner Seite. »Wenn gnädige Frau erlauben«, sagt sie und nimmt mir die Peitsche aus der Hand.

Sie tritt hinter mich, greift um meine Taille und legt die flache Hand auf meinen Bauch, um mit der anderen Hand das Peitschenende zwischen meinen Oberschenkeln zu bewegen, sodass mich der braune Haarschwanz angenehm kitzelt und erregt. Langsam schiebt sie die Finger in meinen Slip.

Ein, zwei Minuten lang spielt sie an Klitoris und Schamlippen, sodass ich den Kopf in den Nacken lege und lustvoll stöhne. Dann zieht sie mir den Slip hinunter und streicht mit den Peitschenhaaren über meine Muschi, schiebt den Peitschenstiel zwischen meine Beine am Damm entlang zum Schließmuskel. Der Kitzel lässt mich zerfließen.

Doch ich will noch nicht die Kontrolle verlieren, sondern weitermachen. In einem dunklen Winkel meiner selbst genieße ich die Herr-Diener-Beziehung und möchte die Rollen noch nicht umkehren. Weit entfernt davon, das anschmiegsame, nette, süße willfährige Mädchen von nebenan zu sein, entpuppt sich Celine als richtiges Sexweibchen. Doch sie stiehlt mir nicht die Schau.

Ich reiße ihr die Peitsche aus der Hand. »Gnädige Frau erlaubt nicht«, sage ich mit einer Grobheit im Ton, die nicht von meinem Rollenspiel kommt. »Und für deine Frechheit wirst du vierzig Hiebe bekommen. Bück dich.«

Sie gehorcht ohne jeden Widerstand, ist nur allzu bereit, sich zu fügen und bestrafen zu lassen. Sie dreht mir den Rücken zu und streckt den Hintern vor, der unter ihrem Schürzenröckchen herausguckt. Dabei wirft sie mir über die Schulter einen Blick zu – einen einladenden Blick. Heftig erregt schlage ich sie mit dem Haarschwanz der Peitsche, und sie gibt neckische Schreie von sich.

»Mehr, Herrin«, ruft sie. »Ich bin schrecklich böse gewesen.«

Ihr Po ist weicher, jünger und blasser als James', und die Haare, so seidig sie sein mögen, hinterlassen mit der Zeit ihre Spuren. Die werden bald wieder vergehen, doch zuzusehen, wie sie hervortreten, treibt mich weiter an. Celine beklagt sich nicht. Was hat sie erlebt? Was bringt sie dazu, solche Schläge hinzunehmen, sogar darum zu bitten?

James liegt mit dem Gesicht auf dem Sofa, aber wie er den Mund verzieht und stöhnt, verrät mir, dass es ihn umbringt, das Schauspiel nicht sehen zu können. Ich wende mich ihm wieder zu, setze mich neben ihn und reibe mit beiden Händen über seinen Hintern.

»Ich habe Durst, Herrin«, sagt er.
»Ach, tatsächlich? Was sagst du dann?«
»Bitte, Herrin?«
»Und was noch? Was kannst du noch für mich tun?«

Kurz ist er sprachlos, dann zittern seine Lippen, weil er sich mühsam ein Grinsen verkneift. »Ich könnte ... ich könnte Euch die Schuhe lecken, Herrin.«

Ich blicke auf meine glänzenden Lackschuhe und sehe mein Gesicht zu mir heraufstarren. Ich sehe aus wie eine Fremde, die ich noch nie gesehen habe, und einen Moment lang fühle ich mich haltlos, aus der Verankerung gerissen. Es steckt Befreiung darin, hat aber auch etwas Beängstigendes. Wie weit habe ich mich von dem entfernt, was ich gewesen bin, was ich zu sein geglaubt habe?

»Auf die Knie«, befehle ich James, doch meinem Ton fehlt die Selbstsicherheit. Er scheint das nicht zu bemerken und gehorcht. Als er sich nach vorn beugt, schaue ich auf seinen Hinterkopf mit den kurz geschnittenen Haaren und möchte ihn am liebsten packen, zu mir ziehen und seine Haare und sein Gesicht mit Küssen bedecken und auf die langweilige, altmodische Art mit ihm schlafen.

Doch damit würde ich mich in meine Kuschelecke zurückziehen, und das wäre ein Rückschritt. Ich muss die Szenerie durchziehen, und wenn auch nur, um zu erfahren, dass ich im Grunde genommen ein ganz konventionelles Mädchen bin.

Er kniet vor mir, nähert sich mit geschürzten Lippen meinen Füßen, die ich ihm ein Stück entgegenschiebe, und drückt den Mund nacheinander auf die beiden Schuhspitzen, dann kommt langsam seine Zunge hervor, und er beginnt zuerst den einen Schuh, dann den anderen abzulecken. Ich sitze vor ihm, öffne die Beine und reibe durch den Slip meine Muschi. Ich bin sehr nass und bereit, es mir fürstlich besorgen zu lassen. Doch ich muss mich bremsen, dem Wunsch nach Befriedigung, dem Drang zum Orgasmus widerstehen. Ich muss lernen, das Tempo zu verlangsamen, damit ich jeden süßen Moment voll auskosten kann.

Die Hand zwischen meinen Beinen, die Augen halb geschlossen, lehne ich mich ein wenig zurück. Ein Geräusch auf dem Sofa sagt mir, dass Celine sich hingesetzt hat. Ich sehe sie an. Lächelnd nimmt sie eine Praline vom Teller, den sie in der Hand hält, und hält sie mir vor den Mund. Ich schließe die Lippen darum, nehme sie auf die Zunge und fühle sie langsam schmelzen. Aus dem Inneren läuft eine süße Flüssigkeit heraus – Kirschlikör, schätze ich. Ich mache die Augen zu. Die Azteken, fällt mir ein, hielten Schokolade für ein Aphrodisiakum. Im modernen Wissenschaftsjargon heißt es, sie habe stimmungsaufhellende Substanzen, die Verliebtheit vortäuschen. Ich versuche, mich an die Bezeichnungen zu entsinnen, und gebe schließlich auf.

James' maskiertes Gesicht erscheint zwischen meinen Knien. Er ist fertig mit meinen Schuhen. Ich habe zwar kein schlechtes Gewissen – sie sind nagelneu, und ich bin im Taxi zum Hotel gekommen, sodass sie nicht viel Straßenschmutz abbekommen haben –, aber ich füttere ihn mit einer Praline von Celines Teller, als wäre er ein Hündchen. Wieder zögert er unwillkürlich, bis er weiß, dass es nichts Ekliges ist. Nicht, dass er mir nicht traut, aber er kann nicht einmal sehen, wer ihm die Praline gibt.

»Ich besorge neuen Champagner«, sagt Celine, als sie den letzten Rest aus der Flasche in ein Glas gießt. Sie geht zum Telefon und ruft den Zimmerservice an.

Währenddessen beuge ich mich vor, nehme James' schönes Gesicht in die Hände und küsse ihn leidenschaftlich auf den Mund. Damit falle ich aus der Rolle, aber ich giere nach ihm und weiß nicht, wie lange ich die noch so weiterspielen kann. Um den Kuss zu erwidern, stemmt er sich ungeschickt vom Boden hoch, denn er ist noch gefesselt. Ich lasse mich nach hinten fallen und ziehe ihn mit, während er blind, aber entschlossen den Kuss ausdehnt. Das ganze Spiel droht auseinanderzubrechen, aber das ist mir egal. Ich will James auf mir, an mir, in mir haben. Ich will, dass er mich einhüllt, von mir Besitz ergreift, mich unterordnet. Ich habe sogar Celine vergessen, wie zuvor schon Anne. Wie vermutlich Schauspieler ihr Publikum aus ihren Gedanken streichen müssen, wenigstens für eine Weile.

Aber Celine kommt wieder. Der Zimmerservice muss gekommen sein, denn sie bringt eine Flasche Champagner, noch verkorkt, und eine Platte mit Austern – zwölf schöne, glitschige Tiere liegen in ihrer Schalenhälfte, in ihrer Flüssigkeit, die im gedämpften Licht schimmert. Jetzt sehe ich zu Anne, die passiv auf dem Sofa gegenüber sitzt. Ich muss an unsere Unterhaltung über Austern denken und dass ich schließlich einlenkend zugab, sie doch einmal probieren zu wollen.

Mit leicht hochgezogenen Mundwinkeln, dem Anfang eines Lächelns, erwidert Anne meinen Blick. Sie nickt mir zu. Ich blicke zu Celine und denke an unsere kurze Zeit zusammen. Hinterher dachte ich, es sei Liebe und ich müsse sie unbedingt wiedersehen, während ich sicher war, dass das nicht passieren würde. Ich darf diese Gelegenheit nicht vergeuden.

Ich liege unter James und sehe zu Celine auf und zu Anne hinüber, dann krieche ich unter ihm hervor und setze mich auf. Celine tritt vor mich und hält mir die Platte hin. Ich rieche Jod, den Geruch des Meeres. Ich nehme eine Schale und führe sie an die Lippen, langsam, um nichts von der Flüssigkeit zu verschütten, die darin schwimmt. Dabei betrachte ich eingehend den Inhalt. Ich weiß nicht, ob Austern wirklich ein Aphrodisiakum sind, aber man kommt nicht umhin, an Sex zu denken: sie sehen mit ihren nass glänzenden Falten und gewellten Rändern einer Muschi so ähnlich. Als ich sie mir in den Mund kippe, ist es der saubere, feine, fast blumige Geschmack, der mich an Celines Möse erinnert. Ich muss ihn noch einmal erleben.

Ohne zu kauen, schlucke ich die fleischige Auster herunter, lasse sie einfach in den Hals gleiten, und lege die leere Schale auf die Platte zurück. Ich nehme eine andere, löse die Auster mit dem Fingernagel und halte sie James an die Lippen. Diesmal zuckt er erschrocken vor dem scharfen Schalenrand und der wässrigen Schleimigkeit zurück. Ich fasse ihm ermutigend an die Wange und halte ihm die Schale erneut an den Mund. Inzwischen hat er erraten, was es ist, er macht den Mund weit auf und schluckt die Auster hinunter. Ich lasse ihn einen Schluck Champagner trinken, dann trinke ich.

Als ich genug habe, nehme ich Celine die Platte aus der Hand und stelle sie auf den Tisch. Dann drehe ich mich zu ihr herum, lege den Arm um ihre Hüfte, um sie an mich zu ziehen, hebe dabei ihr Röckchen hoch und vergrabe das Gesicht in ihrem Pelz.

Celine greift in meine Haare und drückt mir ihren Hügel an den Mund. Meine Zunge findet ihre Klitoris, schnellt ein paar Mal darüber, dann wandert sie durch ihre Falten auf die nasse Pussy zu. Sie schmeckt, wie ich sie in Erinnerung habe: wie eine kühle, frische Meeresbrise, nach Luft und Wasser und Wolken, die über einen blauen Himmel treiben. Ich stoße einen langen, sehnsüchtigen Seufzer aus, als ich mit der Zunge in sie eindringe.

Sie hält meinen Kopf mit beiden Händen fest. Ich sitze auf der Sofakante und drücke sie an mich, einen Arm um ihre

Taille, den anderen um den Po. Ich fürchte schon, die Kontrolle zu verlieren, doch James zieht mich in die Wirklichkeit zurück, indem er sich hinter mich kniet und mir seine harte Erektion ins Kreuz drückt. Ich brenne darauf, ihn zwischen den Beinen, an den Brüsten zu haben, doch mir fällt ein, dass seine Hände noch gefesselt sind. Ich muss mich mit dem Rücken zufriedengeben, und mit den zarten Küsschen, die er mir auf Schultern, Nacken und Hals setzt.

So geht das eine Weile, ich schlecke an Celines Auster, James knabbert an meiner Haut. Dann, wie durch stumme Absprache, rücken wir nach und nach auseinander, bis wir wieder getrennte Wesen sind, und bewegen uns zum Schlafzimmer hinüber.

Doch schon auf dem Weg zur Tür greift Celine, die vorangeht, rückwärts nach meiner Hand und ich nach James' Oberarm, sodass wir eine Kette bilden. Das hat etwas Heiliges an sich, so kommt es mir plötzlich vor: die Stille, das Vertrauen, die Sorge um das Wohlgefühl, das Vergnügen des anderen. Natürlich ist das alles auf das Fleischliche bezogen, trotzdem empfinde ich wie bei einem Ritual.

Das Zimmer ist kaum beleuchtet. Anne ist uns zuvorgekommen, denn sie steht am hinteren Fenster. Eine Straßenlampe wirft ihren Schatten an die Wand, und ihre Erscheinung wirkt unheimlich – vielleicht weil ich ihre Augen nicht sehen kann und nicht weiß, ob sie uns oder mich ansieht. Ich sage mir, dass es mir egal ist, dass das nicht wichtig ist. Ich bin nicht ihretwegen hier, sondern meinetwegen. Was immer sie hier zu gewinnen hat, dies ist eine Reise zur Selbsterkenntnis.

Mit neuem Selbstvertrauen und dem Gefühl, unter Freunden und Vertrauten zu sein, lasse ich James' Arm los und schiebe Celine aufs Bett. Ihr Schürzenrock flattert hoch, und ich blicke zu James auf.

»Den Koffer«, sage ich. Dann fällt es mir wieder ein, und greife um ihn herum, um ihm die Handschellen abzunehmen.

»Wo?«, fragt er, während er sich die Maske hochschiebt. Unsere Blicke treffen sich. Seine Augen sind warm, vermitteln nichts als den Wunsch, mir Freude zu machen und selber Freuden zu empfangen.

Er eilt ins Wohnzimmer, in die Richtung, die ich zeige, und erscheint im nächsten Augenblick mit Annes hölzernem Bonbonkoffer. Er legt ihn aufs Bett, und ich lasse die Verschlüsse hochschnellen und spähe hinein. In dem Licht ist es schwer, etwas zu erkennen, und so wühle ich tastend darin herum. Was ich herausziehe, ist eine kurze Perlenschnur, die an einem Ende eine Schlaufe hat. Ich sehe James mit hochgezogenen Brauen an, und er lächelt.

»Analkugeln«, sagt er leise und blickt dann auf Celine, die auf dem Bett liegt. »Ich zeige es dir«, sagt er und streckt die Hand aus. »Wir brauchen ein Gleitmittel.« Er deutet mit dem Kinn auf den Koffer. »Sieh nach.«

Ich krame und finde die kleine eckige Flasche, die ich schon kenne.

Ich schraube den Deckel ab, gieße eine kleine Pfütze in meine Hand und schnuppere daran. Es riecht wie Honig und ist genauso dickflüssig.

James taucht die Finger ein und beginnt, seinen Penis damit einzureiben.

»Koste mal«, sagt er und kniet sich aufrecht aufs Bett. Ich bringe den Mund an seine nach Honig duftenden Weichteile. Celines Muschi ist in meiner Reichweite, und während ich James' in den Mund nehme, streichle ich ihre Lippen und Klitoris mit den Fingerspitzen, aber möglichst zart, um sie zappeln zu lassen.

In der anderen Hand habe ich noch die Analkugeln. Ich

weiß, ich sollte sie an Celine benutzen, um ihren Orgasmus zu verstärken, aber da ich gerade zwei Menschen gleichzeitig erfreue, bin ich egoistisch gestimmt. Und so bringe ich sie, nachdem ich mich vergewissert habe, dass sie ringsherum eingefettet sind, an meinen Po. James leckt einen Finger an, greift hinter mich und drückt ihn auf die Rosenknospe meines Anus, bis ich merke, wie der Muskel unter dem beharrlichen Druck nachgibt. Dann nimmt er mir die Schnur ab und beginnt, die Kugeln nacheinander einzuführen.

»Sie sind klein«, sagt er mit leiser Stimme, und sein Ton ist so verführerisch und schlüpfrig wie das Gleitmittel. Allein ihn zu hören, gibt mir das Gefühl von freiem Fall. »Kennst du die Geschichte mit den Süßwasserperlen?«

Ich schüttle den Kopf, bin fasziniert, dass es eine Geschichte dazu gibt, aber kaum fähig, weiter darauf zu achten, was an meinem Hintertürchen vorgeht.

»Die Amas«, erzählt er, »waren japanische Perlentaucherinnen, die anfangs nach Abalonen und Algen, später nach Perlenaustern tauchten. Traditionell tauchten sie kahl und nackt bis auf eine winzige Schürze, in der sie ihre Funde verstauten. Es heißt, die Perlen seien erstarrte Tränen der Aphrodite, ein Sinnbild ihrer Weisheit und Liebe, gesammelt durch Erfahrung.«

Erfahrung, denke ich und beiße vor Lust die Zähne zusammen, während eine Kugel nach der anderen hineinrutscht, wobei James nach jeder Perle ein paar Worte lang wartet. Erfahrung ist der heilige Gral, der Grund, weshalb ich hier bin. Und ja, Tränen waren auch dabei. Aber ich bin so froh, dass ich jetzt hier bin, dass ich bis zum Schluss durchgehalten habe.

Als sie alle drin sind, lässt er die Schnur los und greift in den Koffer, während ich weiter an seinem Stab lutsche. Er gibt mir etwas Kleines in die Hand. Auf meiner Handfläche schimmern zwei Silberringe mit zwei kleinen Kugeln daran, die sich bei näherem Hinsehen als Klemme entpuppen.

»Für sie«, sagt James und deutet mit einer Kopfbewegung auf Celine. »Für die Brustwarzen.«

Celine sieht mich fragend an, da sie nicht sehen kann, was ich in der Faust halte. Mit der anderen Hand hake ich ihre Korsage auf. Ihre Brüste rutschen heraus, warm und weich wie frisch gebackene Brötchen. Einen Clip lege ich aufs Bett und befasse mich damit, die Kügelchen des anderen auseinanderzudrücken, dann bringe ich sie an Celines aufgerichtete Brustwarze. Zuerst kann ich mich nicht überwinden, die Kugeln loszulassen und ihr an die dunkelrosa Haut zu klemmen, doch Celine nickt ermutigend, und ich weiß, sie kann es ertragen und erlebt es wahrscheinlich nicht zum ersten Mal.

Mit zusammengebissenen Zähnen und zugekniffenen Augen lasse ich los. Celine stößt einen hohen Schrei aus und wirft den Kopf in den Nacken. Im ersten Augenblick denke ich, ich muss sie davon befreien, aber nein – während sie aussieht, als würde sie vor Wonne oder Schmerz oder beidem vergehen, bringt sie es noch fertig, die andere Brustwarze zwischen die Finger zu nehmen und langzuziehen, damit ich sie nur nicht vergesse.

Ich setze den anderen Clip an und rücke weg, um sie mir anzusehen. James ist inzwischen hinter mich gekommen und hat die Arme um meine Taille geschlungen.

»Sei vorsichtig«, sagt er. »Lass sie nicht länger als zehn Minuten dran. Sie können das Gewebe schädigen.«

»Okay«, flüstere ich. Er und Anne scheinen sich mit exotischem Sexspielzeug auszukennen, und ich wundere mich, dass sie es nicht zusammen benutzen. Aber vielleicht haben sie das getan, sind einander leid geworden und brauchen frisches Blut. Sind wir das, Celine und ich? Sollen wir eine schal gewordene Beziehung aufpeppen?

Aber auch Celine sind die Sexwerkzeuge nicht fremd, sie scheint zu wissen, was sie mag. Wie zur Bestätigung meiner Gedanken greift sie sich zwischen die Beine und spreizt sich, reckt mir ihren Schamhügel entgegen. Ich bringe die Lippen an ihre Muschi und lecke daran wie die Katze an der Sahneschüssel. Es muss mit den Brustwarzenklemmen zu tun haben, denn sie ist wild erregt, wirft sich hin und her und wälzt sich, sodass ich sie mit beiden Händen an den Hüften festhalten muss.

James' Hand gleitet zu meiner Muschi und bearbeitet meine Klitoris. Celine ist jetzt ruhiger und beobachtet, was er macht, und das heizt sie noch mehr an. Sie öffnet den Mund immer weiter und verdreht die Augen, eindeutig kurz davor zu kommen. Das bringt auch mich an den Rand des Orgasmus, und mein Atem geht schneller. Als James merkt, wie ich mich in Erwartung des Höhepunkts versteife, fängt er an, mit der anderen Hand die Perlenschnur herauszuziehen. Ich kann mich nicht mehr zurückhalten, erstarre unter einem fast unerträglichen Orgasmus, der durch die Zugbewegung der kleinen weißen Perlen vertieft wird, dann sinke ich kraftlos auf Celine, die unter mir kommt. Dabei schiebt James die Hand zwischen uns und entfernt behutsam die Brustwarzenklemmen.

Celine und ich liegen einander keuchend in den Armen, und es ist der reinste Genuss, ihre Brüste und ihren Bauch an mir zu spüren. Einen Moment lang meine ich, im Himmel zu sein, die höchste Wonne zu erleben und nirgendwo anders mehr hin zu wollen. Doch ich werde aus der Illusion gerissen, als James mir auf die Schulter tippt. Ich drehe den Kopf, und er lächelt mich an. Da weiß ich, dass ich nur Kraft schöpfe, dass ich weitermachen will.

Neben mir kommt Celine aus ihrer postorgiastischen Trägheit hoch. Sie dreht sich auf die Seite, sieht, wie ich James blase und lässt ein leises, beifälliges Mmmm hören, während ihre Hand zurück zwischen ihre Beine gleitet und an den geschwollenen Lippen spielt. Als James das sieht, greift er mit einem Arm unter ihrer Hüfte durch und zieht sie zu sich heran. Seinem Hinweis folgend, hebt sie ein Bein und kniet sich rittlings über sein Gesicht, dann senkt sie ihre Muschi zu ihm hinab.

Ich beuge mich über James und schmatze an seinem Schwanz, der noch ölig ist und nach Honig schmeckt. Außerstande, sich noch länger zurückzuhalten, stößt James in meinen Mund. Er schreit auf, und als Celine erschöpft nach vorn auf ihn sinkt, kommt er und kommt. Ströme schießen in meinen Mund, dass ich Mühe habe, so schnell zu schlucken.

Wir lösen uns voneinander, sinken auf das Bett und zurück in unsere separate Wirklichkeit. Einen Augenblick lang war es beinahe etwas Heiliges, eine Gemeinschaft von Körper und Geist bei einem spirituellen Höhenflug. Genau das habe ich von Sex immer erwartet, aber bisher nie erreicht. Mit Nate bin ich nicht einmal in die Nähe gekommen.

Aber das ist vorbei, verflogen, und ich liege da mit einem warmen, kribbelnden Gefühl zwischen den Beinen, wo die Taubheit nach dem Orgasmus schon nachgelassen hat. Eine Zeit lang dösen wir auf dem Bett. Auf eine primitive Art erschöpft, teilen wir unsere Wärme, wie es die Höhlenbewohner einmal getan haben müssen.

Ich werde als Erste wieder munter. Meine Muschi ist noch warm und erregt. Ich fasse mich an, ein bisschen halbherzig, da mir klar ist, dass mich ein schnelles Onanieren nicht lange befriedigen wird und es nur ein vorübergehendes Mittel ist. Als hätte ihn meine Handbewegung angeregt, dreht sich

James zu mir herum und beugt sich über mich, nimmt meine Hand von meiner Muschi und gleitet mit zwei Fingern in meinem Schlitz auf und ab, bis ich für ihn zerfließe. Auch Celine kommt jetzt aus ihrer Benommenheit hoch, setzt sich auf und kramt in Annes Koffer, ihren magischen Beständen. Eine Minute später krabbelt sie über das Bett zu mir mit einem Umschnalldildo um die schmalen Hüften.

Als James sie damit sieht, zieht er mich auf alle Viere und schiebt sich unter mich. Er lächelt mich an und zwinkert beruhigend. Ich lächle zurück. Ich genieße jede Minute dieses Abenteuers, das wir zusammen eingegangen sind, alles, wohin er und Celine mich führen, die unerforschten Gebiete, von denen ich verändert zurückkehren werde. Das heißt, falls ich nicht dort bleiben möchte, mich dort niederlassen will.

James hält seinen Schaft hoch und streift meine Labien mit dem prallen, forschenden Ende. Ich spüre Celines Hand an meinem Rücken, die mich sanft, aber beharrlich niederdrückt. Ich senke die Hüften, stülpe meine feuchte Öffnung über ihn. Er kommt mir entgegen, und kurz halten wir still. Celine stützt sich mit einer Hand auf meinen Hintern. Die von Gleitmittel tropfende Spitze des Dildos küsst meinen Schließmuskel. Ich halte den Atem an, und Celine dringt von hinten in mich ein.

Ein paar Sekunden lang bewegt sich keiner, und wir scheinen in einem Stillleben gefangen, das an Annes Wand zwischen den erotischen Gemälden hängen könnte. Dann fängt James an, mit den Hüften zu wippen, ganz sacht, und nachdem Celine Zeit gehabt hat, seinen Rhythmus aufzugreifen, schließt sie sich an und langt um mich herum, um die Finger über meine Klitoris flattern zu lassen.

Ich ringe darum, im Bewusstsein zu bleiben. Paradoxerweise scheint es, als würde ich, wenn die körperlichen Empfindungen am größten sind, mich meiner Körperlichkeit am meisten entfremdet fühlen, als würde ich aus mir selbst heraustreten. Es ist, als ob ich schwebe, in die Höhe steige, als wäre ich gewichtslos und ohne Verbindung zur Erde. Es fühlt sich an wie Freiheit.

Das Geschehen in meinem Hintertürchen und meiner Muschi, das Reiben an den Innenwänden, zeigt allmählich Wirkung. James, der den Dildo ebenfalls spüren muss, klingt schon, als würde er gleich die Kontrolle verlieren. Ich mache die Augen auf und sehe einen Ausdruck größter Wonne in seinem Gesicht. Er ist meilenweit weg. Sein Anker hat sich losgerissen, und er strebt fernen Ufern zu.

Plötzlich erstarrt er, und ich weiß, er versucht, meinetwegen noch nicht zu kommen. Auch ich möchte weitermachen, weiß aber, dass ich es selbst nicht mehr lange aufhalten kann. Da er stockt, hält auch Celine inne, doch nach einer Minute legen sie wieder los, und diesmal rollt eine große Woge über mich hinweg, bevor ich die Chance habe, auszuweichen. Als ich komme, stoßen beide weiter, und kurz bevor ich den Gipfel des Orgasmus erreiche, werde ich immer wieder zurückgezogen und erneut von einer Woge erfasst, bis ich kaum noch Luft bekomme und fürchte, nicht wieder auftauchen zu können.

Am Ende, als ich das Gefühl habe zu fallen, rollt eine letzte Woge heran und wirft mich um. Ich liege keuchend auf James, Celine auf mir, und wir sind alle still.

Als ich wach werde, ist es dunkel. Ich bin allein oder glaube das für einen Moment. Dann sehe ich, dass James und Celine fort sind, aber eine einzelne Gestalt auf der anderen Seite des Bettes sitzt. Es ist Anne. Sie schläft nicht und bewegt auch nicht die Lider. Sie starrt aus dem Fenster in den bernsteingelben Schein der Straßenlampe und sieht alt aus und müde und einsam. Sie denkt nicht an mich, das ist klar. Ich könnte ebenso gut weg sein.

Ich habe Gewissensbisse. Vielleicht geht es ihr schlecht, weil sie gesehen hat, wie sehr wir uns miteinander vergnügen können. Doch warum sollte sie es sich dann zumuten? Es ist nicht das erste Mal, dass ich so ein Schuldgefühl habe, dass ich meine, sie töchterlich umarmen zu sollen. Sie sieht aus wie jemand, der Trost braucht.

Als hätte sie meine Gedanken gelesen, dreht sie sich zu mir herum und sagt: »Es ist nicht, wie du denkst.«

»Wie dann?«

Sie schüttelt den Kopf, stemmt sich hoch und greift nach ihrem Koffer, sammelt die benutzten Sachen ein, die verstreut auf dem Bett liegen, und wirft sie achtlos hinein. Sie kann es nicht erwarten, wegzukommen.

»Du kannst bleiben«, sagt sie. »Es ist alles bezahlt. Genieße es.«

»Sind Sie s–«

»Natürlich.« Sie betrachtet mich leidenschaftslos. »Und wenn du etwas brauchst, rufe den Zimmerservice an. Ich vertraue darauf, dass du es nicht ausnutzt.«

Damit geht sie hinaus, den schlenkernden Koffer an ihrer Seite. Verschwindet in die Londoner Nacht auf dem Rücksitz eines Taxis mit all diesen Dingen im Kopf, die sie gesehen hat. Und zu welchem Zweck, mit welchem Ziel? Um ihre eigenen Fantasien zu bereichern, die sie allein in ihrem Zimmer inszeniert, bis die Dämmerung den Himmel vor ihrem Fenster hell werden lässt?

Ich liege da und kann nicht schlafen, da mir alles im Kopf herumgeht, bis ich schließlich erkenne, dass ich der Schlaflosigkeit nicht beikommen kann. Ich stehe auf, bestelle mir eine großzügige Menge heißer Schokolade und hole mein Notizbuch aus der Tasche. Bäuchlings auf dem Bett schreibe ich die Abenteuer dieses Abends in allen Einzelheiten nieder. Das erregt mich und gibt mir das Gefühl, als würden sie mir gehören. Andernfalls drohen diese Erfahrungen allein Annes zu sein. Aber indem ich sie aus meiner Sicht niederschreibe, bin ich nicht mehr bloß Darstellerin, sondern bin Mitarbeiterin, Koautorin.

Der Zimmerservice klingelt, und ich rufe ihn herein. Ich mache mir nicht die Mühe, aus dem Bett zu steigen. Ich höre, wie im Salon der Sofatisch abgeräumt wird, um Platz für das neue Tablett zu schaffen, und es macht mich an, hier splitternackt zu liegen, während ein junger Mann mich bedient.

Ich bin versucht, ihn an die Schlafzimmertür zu rufen, und, wenn er mir gefällt, ihn zu verführen. Aber ich will es nicht. Ich bin zu müde, obwohl ich aufgedreht bin und nicht schlafen kann. Ich habe heute Abend ein reichliches Kontingent an Ausschweifungen gehabt, und mehr wäre gierig. Darum genieße ich kurz den gedanklichen Kitzel, dann lasse ich es sein und schreibe weiter. Wer weiß? Vielleicht wird sich diese Fantasie als Thema für eine meiner Vignetten oder für eine Kurzgeschichte eignen.

Ich brauche das Zimmer nicht vor Mittag zu verlassen, darum gönne ich mir ein Vollbad, während ich auf mein kontinentales Frühstück warte. Ich schreibe ein bisschen in mein Notizbuch, dann gehe ich hinunter und gebe mit blasierter Miene, da ich weiß, dass ich keinen Penny zu bezahlen brauche, meine Schlüsselkarte an der Rezeption ab. Nachdem das erledigt ist, schlendere ich durch Mayfair und den Hyde Park nach Bayswater zurück. Der Wind macht die Hitze erträglich, es ist ein wunderbarer Tag für einen Parkspaziergang.

Bei den italienischen Brunnen in der Nähe des Lancaster Gates lasse ich mir etwas Zeit und nehme dann die Gabelung, die zum Round Pond führt und nicht nach Hause. Da wird mir klar, dass ich mich sperre und die Heimkehr hinauszögere. Die vergangene Nacht erscheint mir wie der Höhepunkt der ganzen Geschichte. Was erwartet mich also dort jetzt noch? Werde ich meine Tasche packen und gehen müssen? Wenn nicht, möchte ich bleiben? Die Bezahlung ist gut, die Arbeit gering. Doch plötzlich kommt es mir nicht mehr richtig vor. Ich möchte kein Geld für nichts nehmen.

Ich zwinge mich, den Weg zum St Petersburgh Place einzuschlagen. Wenn ich eines während der letzten Woche gelernt habe, dann dies, dass man sich seinen Ängsten stellen muss, sonst werden sie immer größer und unbeherrschbar und stellen sich unserem Glück und unserer Entwicklung in den Weg. Ich hatte Angst vor meinen Gelüsten und weiß jetzt, dass ich unfertig war, solange ich mich nicht nach ihnen richtete, und dass ich sie stark unterdrückt habe, bis sie mir nicht mehr bewusst waren. Sie haben mich an dunkle Orte geführt, aber die lagen in mir selbst, und es war nötig, sie zu erforschen, wenn ich erfahren wollte, wer ich wirklich bin.

Natürlich werde ich mich weiter verändern, sehr sogar. Ich habe kein statisches Ich entdeckt, das ein Leben lang so bleiben wird. Sondern ich habe die Tür zu einer ehrlicheren Genevieve geöffnet, die sich mit all ihren Widersprüchen akzeptiert, mit ihrer ganzen Widerspenstigkeit, mit ihren Stärken und Schwächen. Die Leute geben ein Vermögen für Therapien aus, verbringen Jahre beim Psychiater mit Reden, ohne dass sie auch nur halb so viel Selbsterkenntnis gewinnen wie ich jetzt.

Als ich den Schlüssel im Schloss drehe und den Flur betrete, empfinde ich Anne gegenüber Dankbarkeit, aber auch Mitleid. Meine Entwicklung hat in mancher Hinsicht auf ihre Kosten stattgefunden, und nicht bloß in finanzieller – sie ist noch immer der traurige, einsame Fantast, der sie zu Anfang war. Doch andererseits ist das ihre Entscheidung. Sie ist erwachsen, und wenn sie ihre voyeuristische Neigung nicht als Sackgasse erkennt, dann ist das ihr Problem. Da kann ich ihr nicht helfen.

Ich steige die Treppe hinauf. Ich werde meine Tasche packen und dann nach unten gehen und Anne fragen, ob sie zum Abschied ein Glas mit mir trinken möchte. Ich will nicht, dass alles mit Bitterkeit endet, und dazu gibt es auch keinen Grund. Ich bin sicher, dass Anne die vergangene Nacht als Abschluss betrachtet. Sie hatte so etwas Endgültiges an sich. Und dass sie außerhalb ihres Hauses stattgefunden hat, war sicher symbolisch gemeint.

Aber ich will es genau wissen und darum einen Drink vorschlagen, damit wir uns ein bisschen unterhalten können. Dann werde ich ohne Drama gehen. Wohin, weiß ich nicht, aber damit befasse ich mich, wenn es so weit ist. Irgendetwas wird sich schon auftun.

Bei dem bisschen, das ich besitze, dauert das Packen nicht lange. Nachdem ich mein Gepäck aufs Bett gestellt habe, um es später zu holen, gehe ich hinunter zu Annes Arbeitszimmer. Die Tür ist angelehnt, was ungewöhnlich ist. Ich klopfe sacht, und als keine Antwort kommt, schiebe ich den Kopf durch den Türspalt. Das Zimmer ist verlassen, aber auf dem Computerbildschirm sehe ich einen Text. Als ich näher herangehe, wird klar, dass Anne mitten im Satz gegangen ist. Das kommt mir merkwürdig vor. Ich bezweifle, dass sie nur kurz zum Klo oder in die Küche gegangen ist, um Kaffee zu kochen – dann hätte sie doch den Satz zu Ende geschrieben, oder? Dann höre ich Stimmen aus dem Garten. Ich ziehe den Vorhang ein Stückchen beiseite und sehe sie mit dem Fensterputzer reden. Sie zeigt zu einem Fenster im ersten Stock, vermutlich hält sie ihm vor, dass er seine Arbeit nicht gründlich gemacht hat.

Ich wende mich wieder dem Bildschirm zu. Anne ist sehr verschwiegen, was ihre Arbeit betrifft, und schließt ihr Zimmer immer ab. Das weiß ich, weil ich die Klinke ein paar Mal probiert habe, als sie nicht zu Hause war. Ich habe auch – das kann ich jetzt ruhig zugeben – den Laptop nach etwas Interessantem durchsucht, die zuletzt bearbeiteten Dateien, E-Mail-Anhänge, sogar den Papierkorb. Eigentlich eine Schweinerei von mir, aber ich habe es wirklich nur aus Interesse getan. Anne ist so lange Zeit für mich eine Heldin gewesen, dass ich einfach mehr über sie und ihre Arbeit wissen wollte. Ich hatte nicht vor, es gegen sie zu verwenden.

Aus dem gleichen Grund kehre ich jetzt an den Bildschirm zurück. Über ihr neues Buch hat sie bisher nur Häppchen verraten, und das ist die Gelegenheit, um mehr zu erfahren. Ich beuge mich heran und überfliege die Zeilen, während ich auf die Stimmen im Garten lausche, bereit, hinauszuflitzen, sobald ich sie nicht mehr höre.

Schon bei der ersten Zeile erschrecke ich, und dann durchläuft mich ein Schauder. Es ist die vergangene Nacht, die sie hier schildert – alles, was zwischen James und mir und Celine gewesen ist. Alle Einzelheiten unseres Rollenspiels, unserer Liebesspiele. Die Personen haben andere Namen, aber sie sehen aus wie wir, reden wie wir, lieben wie wir. *Genau* wie wir.

Ich lese die Abschnitte, die zu sehen sind, dann rufe ich voraufgegangene Seiten auf. Es ist nicht zu bezweifeln. Mit einem Blick über die Schulter vergewissere ich mich, dass

Anne noch draußen ist, und gehe an den Anfang des Dokuments, um den Titel zu lesen. *Das Lehrmädchen – Ein erotischer Bericht von Anne Tournier.* Dann überfliege ich die ersten Zeilen: Ein Mädchen in meinem Alter kommt zu einem Vorstellungsgespräch ins Haus einer Schriftstellerin.

Ich muss mich setzen, mir ist ganz schwach. Es stimmt, was in den Kritiken steht: Annes Inspiration ist versiegt. Sie hat mich benutzt, mich als Modell für ihren neuen Roman gebraucht. Ihr Roman darüber, wie Menschen verändert, gefügig gemacht werden können. Ich war mehr als eine Marionette, ich war ein Versuchskaninchen, eine Laborratte. Desgleichen James und Celine, oder haben sie die ganze Zeit über Bescheid gewusst?

Mein Zorn flutet durch meine Adern wie reiner Alkohol. Ich stehe auf, zischend, explodierend, mit klingelnden Ohren. Ich will sie umbringen. Wie kann sie es wagen? Ich muss an das Vorstellungsgespräch und ihre exzentrischen Fragen denken, und dabei wird mir klar, dass alles von vornherein geplant war. Ein abgekartetes Spiel war es. Ich kann nicht einmal sagen, dass es sich so ergeben hat, dass sie angefangen hat, die Ereignisse aufzuschreiben, nachdem sie in Gang gekommen sind. Nein, es war alles vorausgeplant, kalt und unbeirrbar. Sie wollte ein Modell und hat es sich besorgt. Was für ein naiver Dummkopf bin ich gewesen.

Ich will nach unten in den Garten stürmen und ihr dünnes, schroffes, gefühlloses Gesicht ohrfeigen, ihr sagen, wie angewidert ich bin. Ich habe sie für eine harmlose Voyeurin gehalten, die Dinge arrangiert, aber nicht dabei mitmacht. Stattdessen ist sie hinterher an ihren Schreibtisch gerannt, um alles in den Computer zu tippen, ihren sogenannten Roman. Wann hatte sie vor, mir das zu gestehen? Wenn es in der Buchhandlung liegt, in der Sonntagszeitung besprochen wird? Oder hat sie sich darauf verlassen, dass ich zu gedemütigt sein würde, um einen großen Wirbel darum zu machen?

Mit geballten Fäusten, innerlich kochend, ringe ich darum, nicht in den Garten zu rennen. Dann überkommt mich plötzlich eine Kälte, eine erfrischende Bö eiskalter Luft. Ich höre auf zu schäumen, mein innerer Aufruhr legt sich. Meine Rache steht mir klar vor Augen, und sie ist süß, verdammt süß.

Völlig ruhig, aber gemein grinsend gehe ich wieder nach oben. Ich nehme mein Gepäck, gehe die Treppe hinunter und werfe noch einen kurzen Blick in Annes Arbeitszimmer. Ich habe das Dokument so verlassen, wie ich es vorgefunden habe. Sie wird nicht merken, dass ich es gesehen habe.

Dann gehe ich ins Wohnzimmer. Durch die Terrassenfenster sehe ich Anne noch draußen mit dem Fensterputzer reden und ungeduldig gestikulieren. Sie ist so dominant in allem, was sie tut. Kein Wunder, dass sie keinen Geliebten hat: keiner würde es einen Monat mit ihr aushalten. Sie strahlt überhaupt keine Wärme aus. Alles ist intellektuell, spielt sich nur in ihrem Kopf ab. Sie tut mir leid. Aber meine Rache will ich trotzdem.

Ich hinterlasse ihr einen Zettel mit ein paar zurückhaltenden Zeilen, die nichts von meinen wahren Gefühlen verraten:

Anne – danke für alles. Es hat mir gefallen. Aber jetzt ist es Zeit, etwas anderes zu tun. Ich glaube, da sind Sie meiner Meinung. Liebe Grüße, Gen

Draußen vor der Tür mit dem Gepäck auf der Schwelle bleibe ich kurz stehen und empfange den Sommerwind wie eine berauschende Bö der Freiheit. Als ich sehe, wie ein Taxi weiter unten an der Straße jemanden absetzt, werfe ich meinen

Schlüssel durch den Türbriefkasten. Dann laufe ich mit großen Schritten zum Bürgersteig und strecke den Arm in die Höhe. Das Taxi fährt an den Straßenrand. Ich trete ans Fenster und weiß noch immer nicht wohin.

12: Nachher

Seltsam genug, dass ich bei Nate in Brighton lande, wo ich im Wohnzimmer der Wohngemeinschaft auf dem Bettsofa schlafe und versuche, nicht hinzuhören, wenn er und seine dänische Puppe nebenan bumsen. Nicht, dass zwischen uns noch etwas wäre, aber es erscheint mir unpassend, ihn bei einer anderen Frau auf dieselbe Art wie bei mir schreien zu hören. Wie es scheint, ist er bei ihr genauso wie bei mir. Dadurch fühle ich mich austauschbar. Was ich in gewisser Weise vermutlich bin. Aber man möchte daran nicht erinnert werden.

Doch ich darf mich nicht beklagen. Es ist so freundlich von ihm, dass er es mir überhaupt angeboten hat, als ich in Tränen aufgelöst bei ihm angerufen habe. Vron – welche Überraschung – wollte mich nicht wieder aufnehmen. Sie war so unerbittlich, dass ich an den umwerfenden Somali denken musste und wie triumphierend sie damals guckte, nachdem ich ihn nicht in mein Bett gekriegt hatte.

Nate bot mir einen Schlafplatz an, solange ich mich neu orientiere, und ich nahm dankbar an. Es zeigte sich sogar, dass ich mit Anne-Mette gut zurechtkomme. Wir haben doch einiges gemeinsam.

Aber ich lande nicht nur bei Nate, sondern an einem Abend mit drei Flaschen Billigwein und Nates Spaghetti Bolognese erzähle ich ihnen auch noch, was mir bei Anne & Co. passiert ist. Nicht in schillernden Einzelheiten, aber in Grundzügen – wie es anfing und wie es sich entwickelte, wie ich in immer ausgefalleneren, untypischeren Nummern auftrat, bei denen

Anne stets unbeteiligt zusah, bis ich begriff, warum: weil sie mich beobachtete wie eine fremde Spezies in einem Glas, um mich als Hauptperson in ihrem neuen Roman zu verwenden.

Nate hört fassungslos zu. Er kann nicht glauben, dass ich das biedere Mädchen bin, mit dem er einmal gegangen ist, und ich fühle mich ein bisschen schuldig, so als hätte ich ihn betrogen. Ich merke, dass ich meistens Anne-Mette anspreche und seinen Blick meide, weil ich weder Kränkung noch Verurteilung oder beides sehen möchte.

Anne-Mette ist jedenfalls fasziniert, das sehe ich – neugierig und aufgeregt. Hinterher, als ich allein auf dem Bettsofa liege, habe ich keine Gewissensbisse mehr, denn ich höre Anne-Mette hinter der Tür kreischen. Ich habe sie mit meinem Bericht angetörnt, und sie werden eine schöne Nacht haben. Solange sie mich nicht dazu einladen – das wäre mir zu schräg.

Meinen Racheplan gehe ich sofort an. Glücklicherweise hat einer von Nates Freunden, Pete, nach der Uni als Webdesigner angefangen, und ich überrede ihn, mir eine eigene Website einzurichten. Während er das tut, tippe ich meine Tagebucheinträge zusammen, überarbeite und straffe sie und füge ein paar Details hinzu. Innerhalb einer Woche haben wir etwas auf die Beine gestellt – meinen eigenen Blog, in dem ich die ganze Geschichte aus meiner Sicht erzähle. Ich habe Anne übertrumpft, bin ihr zuvorgekommen. Es steht im Internet mit Datum versehen, sodass alle Welt es lesen kann – sie kann ihr Buch in der Form, die ich gesehen habe, nicht mehr veröffentlichen, ohne sich dem Vorwurf des Plagiats auszusetzen.

Natürlich bin ich anonym geblieben. Ich muss schließlich an meine Zukunft denken. An meine Zukunft als Schriftstellerin, aber auch als Freundin, Ehefrau, Mutter. Ich möchte nicht, dass jeder mich mit der abgefahrenen Geschichte identifizieren kann. Auf der anderen Seite bin ich stolz auf das Geschriebene, auf meine Einsichten, auf das ganze Projekt. Stolz auf die Tatsache, dass ich die Dinge nicht überdramatisiere, aufbausche oder meine Erfahrungen herabsetze, sondern alles im wahren Licht zeige. Und das schließt ein, dass ich mich nicht als Opfer hinstelle.

Sicher, ich wurde hereingelegt, bin Anne unter falschen Annahmen ins Netz gegangen. Aber ich habe auch viel dabei gewonnen. Und ich war keine Heilige. Ich habe ihr Geld und ihre Gastfreundschaft im Austausch für sehr wenig Arbeit angenommen. Ich habe ihr nachspioniert oder es versucht. Ich habe versucht, sie zu hintergehen. Ich gebe das alles öffentlich zu, erwähne auch meine Defizite und wie naiv ich gewesen bin, bevor ich ihr begegnet bin.

Es macht mir Spaß, das alles zu schreiben, aber danach ist das Geschehen für mich erledigt. Die Geschichte steht im Netz, das ist das Wichtigste. Die Leute können sie lesen oder nicht lesen – ich zwinge sie niemandem auf. Aber meine Erfahrungen könnten auch für andere Menschen interessant sein, meine ich, und mir hat das Schreiben geholfen, sie zu begreifen. Es geht mir nicht nur darum, Anne eins auszuwischen.

Was ich jedenfalls nicht erwartet habe, ist, dass der Blog sich verselbständigt. Ich verstehe gar nicht, wie das passiert ist – es muss wohl Mundpropaganda gewesen sein. Ich weiß nur, dass ich drei Wochen später von Anne-Mette höre, die es von einer Freundin gehört hat, dass der Blog in London Stadtgespräch ist. Aber das ist erst der Anfang: wiederum eine Woche später wird er auf der Rezensionsseite des *Guardian* erwähnt – anscheinend zerbricht sich die Londoner Literaturszene den Kopf, wer meine voyeuristische Mentorin gewesen ist.

Natürlich habe ich meine Spuren verwischt. Aus Anne

wurde Charlotte, aus Bayswater Notting Hill. James wurde zum Jazzkritiker und Celine – tja, über die habe ich gar nichts gewusst, nicht, wer sie war, woher Anne sie kannte oder warum sie bereit war, diese Dinge zu tun. Sie bekam den Namen Lauren, was immer das nützt. Und aus mir wurde Olivia, was mein zweiter Vorname ist. Ein kleines Risiko, aber das sorgt für ein bisschen Nervenkitzel.

Ich habe sehr darauf geachtet, nichts preiszugeben und trotzdem bei der Wahrheit zu bleiben. Denn ich respektiere diese Menschen und ihr Recht auf Privatsphäre, selbst Anne nach dem, was sie getan hat. Ich bin hocherfreut und geschmeichelt, dass mich so viele Leute lesen, aber es macht mich auch beklommen. Was ist, wenn es jemand herausfindet, wenn es nicht wasserdicht ist? Ich habe ein paar schlaflose Nächte, in denen ich mir wegen der Auswirkungen Sorgen mache, und das führt schließlich zu meiner Entscheidung, den Blog zu schließen.

Ich bin gerade unterwegs zu Pete, um ihm das zu sagen, denn er wohnt nur ein paar Straßen von Nate entfernt, als mein Mobiltelefon klingelt und eine Janine Longfellow von R&K Literary Associates in London anruft und nach Olivia fragt. Mein Herz hämmert. Ich wundere mich, wie sie mich aufgespürt hat. Völlig überrumpelt bin ich außerstande, mir eine Lüge auszudenken, und ich sage, als sie danach fragt, dass ich der Autor von *www.lehrmädchenblog.com* bin.

»Wunderbar«, schnurrt sie. »Hören Sie, ich würde Sie gern zum Mittagessen einladen. Sie haben nicht zufällig heute Zeit?«

Ich sage ihr, dass ich nicht in London, sondern in Brighton bin, und sie erwidert: »Das ist kein Problem. Wenn Sie Zeit haben, kann ich gegen Mittag da sein. Kennen Sie das Sevendials?«

Das kenne ich, aber nur vom Hörensagen, nicht aus eigener Erfahrung. Solch ein Restaurant habe ich mir nie leisten können. Plötzlich macht Janine Longfellow den Eindruck, als hätte sie ein ernsthaftes Angebot zu machen. Als ich aufgelegt habe, rufe ich als erstes Anne-Mette an, die schon zur Arbeit unterwegs ist, und frage, ob ich in ihrem Kleiderschrank stöbern und, wenn ich etwas halbwegs Passendes finde, es mir ausleihen darf.

Das Mittagessen ist surreal. Über Platten mit köstlich aussehenden Gerichten der modernen europäischen Küche, die ich vor lauter Schüchternheit kaum anrühre, eröffnet mir Janine – blond und schick, kantiger Haarschnitt und Prada-Klamotten –, dass sie in meiner Sache bereits mehrere große Verleger abgeklopft hat, ob sie meinen Blog als Buch veröffentlichen würden, und sie sei zuversichtlich, dass die sich gegenseitig überbieten würden, wenn sie meine Zusage bekäme.

Sie sagt, sie rede von einer sechsstelligen Summe, und das sei ein Angebot, das ich nicht ablehnen könne. Der einzige Haken sei ihrer Meinung nach, dass das Buch unter meinem richtigen Namen herauskommen müsse.

Ich streite für meine Sache. Ich wünsche mir eine ernsthafte literarische Karriere, sage ich ihr, und das könnte sämtliche Chancen darauf zunichte machen. Und außerdem gibt es noch andere Leute, auf die ich Rücksicht nehmen muss – meine Familie, trotz all ihrer Fehler, und die anderen Protagonisten in dem Drama: Anne, James und Celine. Die müssen ihr Leben weiterleben können. Wenn es möglich ist, mich, den Autor eines anonymen Blogs, ausfindig zu machen, dann wird es ein Kinderspiel sein, die anderen Beteiligten zu finden, wenn ich meinen wirklichen Namen benutze.

Janine will ihre Quellen nicht offenbaren, doch ich habe Pete in Verdacht. Irgendwo auf der Website muss sich seine E-Mail-Adresse verbergen, und Janine hat vermutlich darüber Kontakt mit ihm aufgenommen und ihn mehr als großzügig geschmiert, um an die Information zu kommen. Einerseits bin ich sauer auf ihn, andererseits würde ich ohne ihn nicht hier sitzen und mit einer Frau reden, die mir Ruhm und Vermögen verspricht.

Immer wieder drehen wir uns im Kreis, und es vergehen Hauptgang, Dessert, Brandy und Kaffee, bis Janine begreift, dass ich von meiner Position nicht abweiche. Ich bin absolut loyal und werde die anderen nicht preisgeben. Zwischen uns hat es echte Freundlichkeit und Zuneigung gegeben, nicht nur massenhaft Sex, und ich mag vielleicht unerfahren gewesen sein, aber so viel weiß ich vom Leben, dass solche Gefühle nur zu selten sind. Wir einigen uns jedoch darauf, dass sie, sobald sie wieder in London ist, mit einem festen Angebot an die Verleger herantreten darf.

»Aber warum eigentlich so lange warten?«, sagt sie, als wir uns vor dem Restaurant die Hand schütteln, und zückt ihr Mobiltelefon. Und ich stelle mir vor, wie sie zum Zug hastet und dabei Telefonate führt, die vielleicht mein Leben verändern werden.

Ich gehe nach Hause und weiß kaum etwas mit mir anzufangen, bis Nate und Anne-Mette von der Arbeit kommen, und dann in einem Anfall von Großzügigkeit, ausgelöst von dem Gedanken an meinen bevorstehenden Reichtum, lade ich sie in eine Bar ein und erzähle ihnen bei einigen Happy-Hour-Cocktails von dem Treffen mit Janine. Sie staunen und freuen sich für mich, sind aber auch überzeugt, dass ich das Richtige getan habe, als ich darauf bestand, das Buch, so es eins geben wird, unter einem Pseudonym herausbringen zu lassen.

Wir trinken gerade aus und überlegen, in eine Pizzeria zu wechseln, als mein Telefon klingelt. Janine ist dran und sprudelt atemlos ein unzusammenhängendes Zeug hervor. Trotz ihrer wirren Worte und meines steigenden Blutdrucks bekomme ich mit, dass sie ein großartiges Angebot von dem Verleger hat, den wir beide für den passendsten gehalten haben. Ich springe von meinem Stuhl auf, wippe aufgeregt auf den Zehen und kann kaum glauben, dass das alles nicht nur ein böser Streich ist. Und dann setze ich mich wieder hin, und ein Sektkühler mit einer Flasche Champagner wird an unseren Tisch gebracht, denn Nate hat schnell kapiert, worin die Neuigkeit besteht, und ist zur Theke gegangen, um etwas Besonderes zu bestellen.

Nate und Anne-Mette sind fast so aufgeregt wie ich. Wir sitzen zusammen, betrinken uns und albern herum – bis zu dem Ausmaß, dass ich auf dem Heimweg denke, ein Dreier mit den beiden könnte vielleicht doch Spaß machen. Doch sowie mir der Gedanke kommt, schreit mein Kopf schon nein, und zu Hause angekommen, sage ich, dass ich müde und betrunken bin und sofort ins Bett will.

Am nächsten Morgen werde ich mit Kopfschmerzen und ausgedörrter Kehle wach und glaube einen Moment lang, dass ich nach diesem Besäufnis alles nur geträumt habe kann. Es braucht eine Weile und mehrere Tassen Kaffee, bis ich richtig begriffen habe, dass die Sache wahr ist. Aber dann grinse ich wie eine Idiotin.

Ich lande wieder in London, und zwar in einer schönen, großzügigen Wohnung in einem der Terrassenhäuser, von der ich über den Regent's Park blicken kann. Plötzlich bin ich wohlhabend, wenn nicht gar unanständig reich, ich führe ein glückliches Leben und habe die Muße, um mich dem zu widmen, was ich als »richtigen Roman«, bezeichne.

Nebenher schreibe ich ein bisschen für Zeitungen, sehe mir Filme an, stöbere in Buchläden und gehe mit Freunden essen, wann immer mir danach ist. Ich habe viele hippe Freunde, seit ich für den Blog ein Werbevideo gedreht habe – mit einer sexy kastanienbraunen Perücke und einem gewagteren Kleid, als ich normalerweise trage. Ich habe Interviews gegeben, Lesungen veranstaltet und bin sogar im Fernsehen aufgetreten, was für meine Selbstsicherheit Wunder gewirkt hat, und ich habe ein paar wunderbare Leute kennengelernt: Journalisten, Schriftsteller, Filmemacher, Drehbuchautoren. Das unsichere, verklemmte Mädchen, das ich war, als ich noch bei Vron wohnte, kann ich in mir kaum noch wiederfinden.

Ein paar Monate lang bin ich zufrieden und produktiv, und dann regt sich etwas unter der Oberfläche meiner scheinbaren Idylle wie ein Wurm in der Erde, und das ist, wie mir schließlich klar wird, ein Schuldgefühl gegenüber Anne Tournier. Nicht weil ich ihren Roman mit meinem Blog und dann meinem Buch verhindert habe, denn ich hatte genauso das Recht, darüber zu schreiben wie sie, und dass ich schneller war, ist ihr Pech.

Ich habe Gewissensbisse wegen der Art, wie ich gegangen bin, nachdem sie mir so viel beigebracht hat oder mir vielmehr geholfen hat, mich selbst zu ergründen. Denn Anne, das habe ich erkannt, war eine ausgezeichnete Lehrerin – nämlich eine, die sich zurückhält und den Schüler für sich selbst lernen lässt. Es gibt vieles, wofür ich ihr dankbar sein muss.

Eine Zeit lang überlege ich, ihr einen Brief oder eine E-Mail zu schreiben, aber ich kenne Anne ein bisschen und weiß, sie würde nicht antworten. Wenn ich sie anrufe, wird sie einfach auflegen. Darum versuche ich ein paar Wochen lang, die Idee, es wiedergutzumachen, beiseite zu schieben, indem ich mir vor Augen führe, zu welchem Zweck sie mich wahrscheinlich von Anfang an benutzt hat.

Doch das Schuldgefühl bleibt, und so sehe ich mich an einem frischen Frühlingsmorgen in einem Taxi auf dem Weg zu ihrem Haus – oder vielmehr zum nahen Queensway, wo ich mich absetzen lasse und mir eine Sonnenbrille und einen Hut kaufe. Dann laufe ich zum St Petersburgh Place und lasse mich hundert Meter vor ihrem Haus auf einer Bank mit einem Buch nieder. Da ich bezweifle, dass sie mir überhaupt die Tür aufmacht – sie ist der Typ, der vor dem Öffnen durch den Spion guckt –, muss ich sie draußen abpassen und das bedeutet Warten – wie lange, weiß ich nicht.

Ein paar Stunden später, als ich gerade unruhig werde, weil ich pinkeln muss und einen Kaffee brauche, geht Annes Haustür auf. Doch es ist nicht Anne, die erscheint: es ist James, und er wirkt missmutig, als er auf der anderen Straßenseite den Bürgersteig entlangeilt. Am liebsten möchte ich rufen, aber gleichzeitig habe ich Angst. Angst, dass er wütend auf mich ist, weil ich Anne das angetan habe, weil ich sie alle verraten habe, auch wenn ihre Identität geheim geblieben ist. Doch am meisten habe ich Angst vor der Traurigkeit, die ich in ihm immer vermutet habe und erst heute wirklich sehe.

Ich stehe auf, um meinen Kreislauf in Gang zu bringen, und nähere mich ein Stückchen ihrem Haus. Sie muss da sein, wenn James aus ihrer Tür gekommen ist. Soll ich es riskieren und klopfen oder abwarten? Ich schwanke bereits. Ist das wirklich so wichtig für mich?

Plötzlich geht ihre Tür auf, und diesmal kommt Anne heraus. Ich erkenne sie nur, weil es ihr Haus ist – denn sie verbirgt sich wie ich hinter einem Kopftuch und einer großen schwarzen Sonnenbrille. Sie läuft in Richtung Notting Hill.

Ich folge ihr und muss an das eine Mal denken, als ich bis zum Kunstmuseum hinter ihr her lief, weil ich unbedingt einen Einblick in ihr Leben und ihr eigentliches Ich gewinnen wollte. Den habe ich nie bekommen, ich habe mich nur zur Närrin gemacht. Vielleicht führt sie mich wieder an der Nase herum, diesmal aus Rache. Dieser Gedanke macht mich nur umso entschlossener, sie nicht aus den Augen zu verlieren.

Sie läuft durch die stillen Seitenstraßen von Notting Hill nach Holland Park, wo sie vor einem Antiquariat stehen bleibt. Eine Weile steht sie versunken vor dem Schaufenster, und ich muss bei einer Bäckerei gegenüber Zuflucht nehmen und so tun, als würde ich mir die Croissants ansehen. Dann betritt sie das Geschäft. Ich gehe hinüber ans Schaufenster, in dem die verschiedenartigsten Werke liegen, darunter auch etliche erotische Klassiker, von denen die besonderen Ausgaben in einer verschlossenen Vitrine liegen – eine Erstausgabe der *Geschichte der O.*, eine dritte Auflage von *Lolita*, eine Erstausgabe von Henry Miller.

Es ist schwer zu erkennen, was hinter der umfangreichen Auslage und den Regalen im Laden passiert, aber nach einer Weile greift eine Hand ins Schaufenster und holt ein Buch heraus, einen deutschen Bildband mit erotischen Fotografien. Ich frage mich, wie viel Anne für diese Neigung ausgibt. Das ist kein Laden, der Preise im Schaufenster hat.

Es ist Zeit, ihr gegenüberzutreten, meine ich. Schließlich bin ich deshalb hergekommen. Ich kann ihr nicht den ganzen Tag folgen und sie beobachten. Sie ist ein faszinierender Mensch, den ich liebend gern enträtseln und begreifen würde, aber ich habe inzwischen ein ausgefülltes Leben und Besseres zu tun. Ich muss mich von der Geschichte befreien und nach vorn blicken.

Sie kommt mit einem braunen Päckchen unter dem Arm

aus der Buchhandlung, und ich trete vor sie und nehme die Sonnenbrille ab. Ich erlebe eine heftige Reaktion, denn sie weicht erschrocken vor mir zurück und streckt abwehrend einen Arm aus. Ihre Augen kann ich durch die dunklen Gläser nicht erkennen, aber vermutlich sind sie voller Gehässigkeit, als sie krächzt: »Was zum Teufel machst du denn hier?«

Ich hole tief Luft. Ich möchte nicht, dass das hier in diesem ruhigen Viertel in eine Konfrontation, einen fischweibhaften Zank ausartet. »Hören Sie, ich kann verstehen, dass Sie mich nicht mehr sonderlich gut leiden können. Aber können wir nicht auf ein Glas irgendwo hingehen? Ich lade Sie ein. In der Nähe ist ein wunderbares –«

»Ich kenne das Julie's«, sagt sie, als ich in die Richtung zeige. »Ich wohne schon mein halbes Leben im Londoner Westen.«

»Natürlich. Ich wollte nicht ...«

Ich stocke. Schon wieder gibt sie mir das Gefühl, ein kleines Mädchen zu sein. Aber kommt das nicht daher, dass ich für sie bedrohlich bin? Ich bin die neue Generation, der potenzielle Usurpator, daher ihre scharfe Bemerkung, dass sie lange vor mir hier war – sowohl in London als auch am literarischen Firmament.

Wir gehen stumm die Straße entlang zu Julie's, und ich frage mich schon, ob das wirklich so eine gute Idee gewesen ist. Obwohl es kühl ist, setzen wir uns an einen Tisch auf die Terrasse, und während ich wohlig die blasse Sonne genieße und überlege, was ich trinken möchte, wünsche ich mir, allein zu sein, unbeschwert der *Beau Monde* hinterher zu schauen, die hier vorübergeht, und mir Ideen für meinen Roman durch den Kopf gehen zu lassen.

Obwohl es gerade erst auf Mittag zugeht, bestellt Anne sich einen Gin Tonic, und ich denke, was soll's, und folge ihrem

Beispiel. Während wir auf die Getränke warten, setzen wir das Schweigen fort, und plötzlich fühle ich mich beengt, als würde zwischen uns ein Ballon aufgeblasen und uns die Luft nehmen. Unsere Gin Tonics kommen, und ich trinke einen kräftigen Schluck. Anne bleibt distanziert, zündet sich eine Zigarette an und schaut in die Ferne, als ich wäre ich überhaupt nicht da.

»Hören Sie«, sage ich schließlich ein bisschen mutiger durch den Alkohol. »Ich weiß, was Sie denken und –«

»Bilde dir nicht ein, irgendetwas über mich zu wissen«, fällt sie mir ins Wort.

»Okay, tut mir leid.« Ich blicke sie an, die äußerlich so ruhig bleibt. Welcher Aufruhr von Gefühlen mag darunter im Gange sein und droht an die Oberfläche zu brechen wie ein Lavastrom?

»Es tut mir wirklich leid«, fahre ich fort. »Aber Sie müssen sich einmal vorstellen, wie ich mich gefühlt habe, als ich herausfand, was Sie schreiben.«

»Du hast spioniert.«

»Ja, aber das war ein Zufall. Ihre Tür stand offen, und der Computer –«

»Verschone mich«, sagt sie und zieht an ihrer Zigarette. »Es spielt auch keine Rolle mehr. Schließlich kannst du es nicht ungeschehen machen und mir meine Zeit zurückgeben, die ich in den Roman gesteckt habe.«

»Nein, das kann ich nicht.« Verblüfft lehne ich mich zurück. Ich habe mich entschuldigt, und mehr kann ich nicht tun. Außer ihr zu danken. Und das tue ich dann. »Ich wollte Ihnen eigentlich nur sagen, dass ich für immer in Ihrer Schuld stehe – nicht nur wegen meines Blogs oder wegen meines Buches und allem, was damit zusammenhängt. Sie haben mir viel mehr gegeben, Dinge, die nicht in materielle Begriffe zu fassen sind –

zum Beispiel Selbstvertrauen, sowohl sexuell als auch ganz allgemein. Die Haltung, Dinge auszuprobieren, auch wenn ich davor zurückscheue. Das bedeutet mir viel. Durch Sie bin ich ein anderer Mensch geworden.«

Nach wie vor sind ihre Augen nicht zu erkennen, aber durch ihre untere Gesichtshälfte geht ein Zittern, das mich alarmiert – seit ich sie kenne das erste Anzeichen echter Gefühle. Teils möchte ich austrinken und flüchten, aus Angst, ich könnte etwas Schreckliches in Bewegung gebracht, eine Schleuse geöffnet haben. Und teils bin ich – die Schriftstellerin in mir – ungeheuer neugierig. Was habe ich gesagt, das einen wunden Punkt in ihr berührt hat?

Anne winkt der Kellnerin, uns noch zwei Drinks zu bringen. Mir wäre lieber, sie hätte das nicht getan. Der Gin Tonic war stark, und ich habe wenig gefrühstückt. Ich möchte gerade jetzt meine Mentorin mit klarem Blick betrachten und nichts übersehen, kein Anzeichen, dass sie endlich einmal etwas erschüttert. Denn dann möchte ich schnell sein, die Finger in den Riss legen und die Schale auseinanderbrechen, damit ich doch noch zu sehen bekommen, was für ein Geschöpf in diesem harten Panzer steckt.

Eine Weile sagen wir gar nichts, und ich kann nicht abschätzen, was in Annes Kopf, hinter dem Schild ihrer Sonnenbrille, vorgeht. Aber dann nach der Hälfte des zweiten Gin Tonics fängt sie an zu reden, langsam und in einem weicheren Ton, als ich ihn von ihr kenne. Ihre giftige Gereiztheit ist völlig verschwunden.

»Ich bin es, die sich entschuldigen sollte«, sagt sie. »Ich habe dich auf schreckliche Weise benutzt. Ich war wie ein Vampir, habe dich ausgesaugt, mich an deinem wachsenden Selbstbewusstsein gestärkt. Aber ich war ... verzweifelt. Anders kann man es nicht nennen.«

»Warum verzweifelt?«

»Hast du nicht die Kritiken der letzten zehn Jahre verfolgt?«

»Doch, aber das hat mich nicht abgehalten, Ihre Bücher zu kaufen – und zu mögen.«

»Dann bist du wohl die Ausnahme.«

Ihre Augen bleiben hinter Sonnenbrille und Zigarettenrauch verborgen, aber ihre Stimme klingt brüchig, klingt nach Schmerz und Verbitterung. Als hätte sie meine Gedanken angezapft, setzt sie die Brille ab und legt sie zwischen uns auf den Tisch. Sie sieht mich an.

»Ach, Genevieve«, sagt sie. »Ich bin so müde. Nichts scheint ihnen mehr zu gefallen. Ich habe schon so oft daran gedacht aufzugeben. Aber ich kann nicht. Das Schreiben steckt in mir, manchmal ist es mehr ein Fluch als ein Segen. Vielleicht wirst du das auch eines Tages erkennen, wenn der erste Rausch verflogen ist. Wir haben alle unsere ruhmreichen Augenblicke, aber dann kommt die nächste Sensation daher, und wir dürfen in der Ecke vermodern.«

»Bin ich das?«, frage ich besorgt. »Die nächste Sensation? Ein Strohfeuer?«

»Du musst begreifen, dass die Medien für eine Story jeden hochjubeln, aber schneller noch ist man der Schnee von gestern.«

»Aber ich habe schließlich unter Pseudonym geschrieben und ...«

»Und jetzt schreibst du einen ernsthaften Roman?«

Ich nicke.

»Gut für dich. Aber damit ist es nicht anders. Vielleicht wirst du Aufsehen erregen, aber das kann nicht ewig anhalten. Die Zeitungen brauchen eine konstante Versorgung mit frischem Blut. So läuft das.«

Ich seufze. »Tja, daran kann ich nichts ändern. Darüber werde ich mir Gedanken machen, wenn – falls – es dazu kommt.«

»Natürlich. Du hast recht. Ich weiß nicht, warum ich überhaupt mit dir darüber rede. Vielleicht nur, weil ich hoffe, dass du meine Verzweiflung verstehst und mir verzeihst.«

»Ihnen verzeihen? Aber ich bin gekommen, damit Sie mir verzeihen.«

Sie lacht. Es ist ein tiefes, raues, lebenskluges Lachen, das mich daran erinnert, wer sie ist – die von mir bewunderte Schriftstellerin, und die sitzt vor mir und bittet mich um Verzeihung.

Es gibt so vieles, das ich sie fragen möchte – über James, über Celine, über sie selbst und ihre erotische Vergangenheit – aber ich traue mich nicht. Sie sieht müde aus, und ich denke, wir sind am Ende des gemeinsamen Weges angelangt. Es ist nicht immer möglich, seine Motive zu entwirren und zu erklären, geschweige denn die anderer zu verstehen – und das trifft doppelt zu, wenn es um etwas Sexuelles geht. Darum gebe ich mich zufrieden und nehme Anne nur kurz in den Arm, dann lasse ich sie allein in der blassen Frühlingssonne ihren Gin Tonic austrinken.

Es ist zwei Monate später, und ich liege mit James im Bett in seiner Junggesellenwohnung, die inzwischen unser geheimes Liebesnest ist. Ich sage geheim, weil Anne nichts davon weiß, nichts davon wissen darf. Wir sind natürlich nicht ernsthaft zusammen – James möchte in London nicht mit einem Mädchen gesehen werden, das seine Tochter sein könnte, und ich will mich nicht festlegen und mir wie schon einmal die Möglichkeiten versagen – die sich seit meinem erotischen Skandalerfolg verhundertfacht haben. Wir sind Bumskumpane, könnte man vielleicht sagen. Wir verstehen und akzeptieren einander, kennen den Körper des anderen, verhelfen uns zu äußerstem Genuss.

Anne und ich sind Freundinnen geworden und treffen uns regelmäßig, um über ihren neuen Roman zu diskutieren. Ich freue mich wahnsinnig, ihr helfen zu können. Meiner – es geht hauptsächlich um die Beziehung zu meiner Mutter und die Schulzeit mit einem colettehaften Anklang lesbischer Liebe – habe ich für eine bescheidene Summe verkaufen können, und ich warte gespannt auf die Vorabexemplare des Verlegers.

Anne und ich haben auch überlegt, einen eigenen Verlag zu gründen und erotische Literatur und Bildbände herauszugeben. Das ist zunächst nur eine Idee, aber wir sind beide enthusiastisch.

Ich habe nie den Mut aufbringen können, sie nach ihrem Sexualleben oder ihrem fehlenden Sexualleben zu fragen, aber James hat mir ein bisschen erzählt, nachdem ich ihn gelöchert habe, wie er sie kennengelernt hat und in ihre sonderbaren Spiele hineingeraten ist. Wie es scheint, hat er sie einmal geliebt, während ihrer gemeinsamen Studentenzeit in den siebziger Jahren in Paris. Er hat sie jahrelang mit erbarmungsloser Leidenschaft verfolgt, die nur stärker wurde, je öfter sie ihn zurückwies. Doch nur so konnte er ihr nahe sein und sie auf Distanz überzeugen.

Ich frage ihn, warum sie so kalt ist, und er antwortet, das sei nicht immer so gewesen. In Paris war sie eine Sexgöttin und in St. Germain dafür bekannt, sowohl Männer als auch Frauen zu lieben und manchmal beide gleichzeitig. Es gab nichts, das sie nicht ausprobierte, so ging das Gerücht. Dann verliebte sie sich in einen berühmten Maler, einen verheirateten Mann und Frauenhelden, der sie herabwürdigte und ihr das Gefühl gab, nicht gut genug zu sein. Doch sie kam nicht von ihm los. Jahrelang hat sie sich verbogen und immer neue und aufregendere Dinge getan, um ihn an sich zu binden.

Sie hat ein Jahrzehnt, wenn nicht mehr, damit vergeudet, ihm gefallen zu wollen. Als er sie endgültig verschmähte, entwickelte sie eine Aversion gegen Sex, zumindest was sie selbst anging. James weiß es nicht genau, aber er meint, dass sie nur beim Zusehen noch Lust empfinden kann. Es kann aber auch sein, meint James, dass sie sich durch das Zusehen lebenslänglich bestrafen will.

Es klopft an der Tür. James setzt sich auf und zieht sich seinen Kimono über. Ich liege auf dem Bett. Ich spare meine Kräfte. Wir haben uns an diesem Abend schon zweimal geliebt. James hat mir eine Neuausgabe des Kama Sutra geschenkt, und wir haben bei einem Glas Wein darin geblättert, dann die Tanzstellung ausprobiert – er stehend, ich die Beine um seine Taille geschlungen, die Arme um seinen Hals. Anfangs haben wir uns gegen die Wand gelehnt, damit ich mich gegen ihn stemmen konnte, wenn er in mich hineintrieb. Dann rückte er langsam von der Wand weg, und wir gingen auf den Boden über, ich mit durchgebogenem Rücken, mit Händen und Füßen am Boden abgestützt, während er mit leicht gebeugten Knien rein und raus glitt und mich mit einer Hand unterm Hintern stützte, mit der anderen an meine Brust fasste. Als er die Finger an meine freiliegende Klitoris schob, kam ich mit voller Wucht, mächtig erregt durch die Art, wie mein Körper vor ihm exponiert war.

Ich höre seine Stimme, als er zurück ins Wohnzimmer und an die Wendeltreppe kommt, während ich oben liege wie eine Königin, die ihre Untertanen empfängt. Ich kenne die Leute so gut und weiß inzwischen, dass sie immer für eine Überraschung und Neuentdeckung gut sind. Beim letzten Mal haben wir eine Gänseblümchenkette gebildet, was genauso süß ist, wie es sich anhört – wir haben uns reihum alle gleichzeitig mit dem Mund verwöhnt. Dann sahen die Jungs dabei zu, wie Celine und ich herummachten und unsere Muschis aneinander rieben. Danach tranken wir alle Champagner und legten schließlich von Neuem los.

Es war ein Schock für mich, zu erfahren, dass Celine einen Freund hat und eigentlich hetero ist. Sie war mein lesbisches Idol, falls ich mich entschlossen hätte, diese Route einzuschlagen. Ich hörte sprachlos zu, als James die Wahrheit über sie erzählte: dass sie wie ich Schriftstellerin werden wollte und bei Anne als Assistentin wohnte, um eine Zeit lang deren Alter ego zu sein und die Dinge zu tun, zu denen Anne sich nicht mehr überwinden kann.

Zuerst war ich bestürzt, aber dann fand ich es lustig, und durch James kam ich mit Celine in Kontakt, und wir gingen zusammen etwas trinken und lachten darüber. Ihre literarischen Ambitionen hatte sie zugunsten der Fotografie aufgegeben, verfolgte aber meinen Werdegang mit Interesse und freute sich, wieder mit mir zusammenzukommen und von mir hören, wie es mir nach der Veröffentlichung der Buchversion meines Blogs und des folgenden Romans ergangen ist.

Sie sagte mir, dass sie sich von Anne nie benutzt gefühlt habe, sondern alles, was sie tat, als Bezahlung für die vielen Erfahrungen betrachte, die Anne ihr ermöglicht hat. Es habe keine Feinseligkeit gegeben, als sie aus eigenem Entschluss auszog, um ihre fotografischen Studien zu betreiben, und habe sich gefreut, wiederzukommen, als Anne sie anrief.

Dann kam Celines Freund, um sie aus dem Pub in Notting Hill abzuholen, in dem wir uns getroffen hatten. Sie wollten ins Kino gehen – zumindest hatten sie das vorgehabt. Doch als ich ihn sah, durchschoss mich die Erregung, denn er ist der Junge, mit dem Anne mich nach dem ersten Mal mit James zusammengebracht hat, die männliche Venus, bei der ich mit einem Wiedersehen nicht gerechnet habe.

Er heißt Ed, und natürlich gehört er Celine, aber sie hat sich als echte Freundin erwiesen und ihn gelegentlich mit mir geteilt, wenn ihr danach war. Und an jenem Abend war sie in dieser Stimmung, und anstatt ins Kino zu gehen, nahmen wir drei ein Taxi zu ihrer Wohnung in Ladbroke Grove, tranken ein paar Bier und machten dann bei Kerzenschein auf vielfältige, wunderbare Art erneut Bekanntschaft mit unseren abenteuerlustigen Körpern.

Ende

Lassen Sie sich von Alicia durch London verführen. Sie zeigt alles!

Carrie Williams
IN LONDON
MIT ALICIA
Erotischer Roman
272 Seiten
ISBN 978-3-404-15997-0

Cocktails, Zimmerservice, Wellness in Luxushotels – Alicia ist ein Mädchen, das den kleinen Belohnungen ihres Berufes als Führerin durch London nicht widerstehen kann. Ob es der Produzent aus Hollywood ist, mit dem sie in der Hotelsuite landet oder der australische Pilot, dessen exhibitionistische Phantasien auf dem neuen Riesenrad an der Themse einen neuen Höhepunkt finden.

Bastei Lübbe Taschenbuch